LE TEMPS DES SERVICES

Une nouvelle approche de management

Éditions d'Organisation
1, rue Thénard
75240 Paris Cedex 05
www.editions-organisation.com

DU MÊME AUTEUR CHEZ LE MÊME ÉDITEUR
• *La dynamique qualité, 1990.*

DANS LA MÊME COLLECTION
• *Béatrice BRÉCHIGNAC-ROUBAUD, Le marketing des services, 1998.*
• *Jean LAPEYRE, Garantir le service, 1998.*

© Éditions d'Organisation, 1999
ISBN : 2-7081-2232 - 0

James TÉBOUL

LE TEMPS
DES SERVICES

Une nouvelle approche
de management

Quatrième tirage 2002

Traduction des travaux initiaux
en anglais par Eileen Tyack-Lignot

Éditions
d'Organisation

A mon père, Joseph

SOMMAIRE

TROISIÈME PARTIE
Mesurer et maîtriser la qualité

QUATRIÈME PARTIE
D'un secteur à l'autre

INTRODUCTION

L'avant-propos de mon dernier livre « La Dynamique Qualité » débutait par cette interrogation : "Pourquoi rédiger un livre sur la qualité alors qu'il existe déjà tant de documents et d'articles consacrés à ce sujet ?" Et en réponse, je mentionnais à la fois le besoin d'une nouvelle définition de ce concept qui, à force d'être galvaudé, avait perdu pratiquement toute signification, et la nécessité pour le dirigeant, noyé dans la masse des textes disponibles, de disposer de repères pour aller plus loin dans la compréhension de l'idée elle-même. Cette réponse est plus que jamais vraie aujourd'hui pour ce nouveau livre sur le secteur des services.

Actuellement, aussi bien les revues savantes que la presse grand public consacrent de plus en plus de place au secteur des services, dont l'essor l'a conduit à largement dominer les deux autres secteurs que sont l'agriculture et l'industrie. Ce secteur est, à présent, de loin le plus important des trois et sa prédominance a rendu caduc et trompeur le postulat même d'économie tri-sectorielle. En outre, dans ce nouveau contexte, le clivage traditionnel entre les disciplines du management, telles que le marketing, la production ou les ressources humaines, est de moins en moins pertinent.

Lorsque l'on analyse l'extension et la croissance de ce troisième secteur, on est sidéré par la diversité des services offerts et la multitude des problèmes de management transversaux qu'il pose. Comment trouver un sens à ce foisonnement ? Comment devons-nous agir dans cet environnement ? Cet ouvrage tend à apporter sa contribution au débat suscité par ces questions.

Toute nouvelle définition, comme toute nouvelle démarche, se juge par sa capacité à rester simple tout en étant suffisamment puissante pour couvrir un large champ et permettre une synthèse des idées et concepts utilisés jusqu'alors pour étudier le domaine. Dans cet esprit, ma démarche a consisté à réduire la complexité du problème en remplaçant la distinction classique entre industrie et services par un autre concept : celui de la séparation entre « avant-scène » et « arrière-scène », ce que les auteurs anglo-saxons appellent *front office* et *back office*. Nous sommes tous plus ou moins dans les services à présent, en avant-scène en contact avec le client. Et c'est cet aspect relatif du « plus ou moins » qu'il est intéressant d'étudier, dès qu'ont été comprises les spécificités de l'avant-scène et ses relations complexes avec l'arrière-scène et les activités de support. Grâce à cette approche, il est possible de disposer d'une définition opérationnelle qui permet d'étudier de façon systématique et cohérente les activités de services de tous les secteurs de l'économie.

Ainsi, comme vous vous en rendrez rapidement compte à la lecture de cet ouvrage, la séparation entre avant-scène et arrière-scène en est le concept directeur. Et je suis prêt à parier qu'il sera suffisamment puissant pour vous guider dans le maquis des publications sur les services et vous permettra de déboucher sur une nouvelle appréhension du sujet. Je tenterai de vous prouver, chapitre après chapitre, comment ce concept peut vous aider à définir une stratégie de services performante.

Au cours de cet exercice, de nombreuses idées devraient se clarifier. Ainsi, comprendrez-vous notamment pourquoi et comment, dès qu'il n'est plus possible de distinguer entre produit et processus, les problèmes concernant le marketing, les opérations et le personnel se retrouvent intimement mêlés au niveau de l'avant-scène ; pourquoi les questions de qualité, de productivité, de personnalisation de la prestation sont tellement spécifiques des activités de service. Et vous découvrirez que cette nouvelle définition est suffisamment puissante pour couvrir l'ensemble de la gamme allant des services industriels aux services professionnels. Lorsque vous serez parvenu à la fin de l'ouvrage, j'espère vous avoir démontré que si vous adoptez cette démarche, sa logique implacable vous fournira un modèle pour analyser tout type de service et redécouvrir que ce qui a été dit séparément dans différentes disciplines forme un nouveau tout coordonné.

Bien sûr, vous pourriez rétorquer que ce concept n'est pas neuf et qu'il a déjà été évoqué dans tel ouvrage de marketing ou tel livre sur les services professionnels. Je ne revendique pas l'originalité du concept « front office-back office », mais en adoptant cette définition très simple, il est possible d'analyser systématiquement tout ce qui a été dit ailleurs en faisant ressortir les points critiques. Pour paraphraser l'expression de Sir Isaac Newton, je pourrais dire qu'en me perchant sur les épaules de ceux qui ont déjà écrit sur le sujet, je vous permets de voir plus loin. Avant tout, c'est la puissance

2

d'explication et l'efficacité de cette approche qui feront l'intérêt de cette lecture. Cet ouvrage n'est donc pas rédigé à l'intention de ceux qui veulent approfondir et affiner leur réflexion dans un domaine spécifique, mais de ceux qui recherchent une vue d'ensemble d'un domaine aussi vaste : une table d'orientation pour explorer le monde des services au regard de leur propre expérience.

Ce livre est conçu de telle sorte qu'il puisse guider le lecteur, étape par étape. Après avoir passé en revue la définition classique des services dans le Chapitre 1, j'explique que la segmentation de l'économie en trois secteurs n'est plus adaptée. Au Chapitre 2, j'aborde la nouvelle définition des services de façon à aider le lecteur à avoir une vue globale et à lui faire comprendre que nous sommes tous, plus ou moins, dans les services à présent en fonction du niveau de contact avec le client. Après avoir établi la distinction entre « avant-scène » et « arrière-scène », je montre au Chapitre 3 comment positionner les différents services d'un secteur sur une matrice d'intensité de service.

Partant de là, je développe dans les Chapitres 4 à 7 une démarche systématique qui permet d'analyser tout type de service en passant de la segmentation à la proposition de valeur, puis à la formulation et à la conception détaillée. L'étape suivante permet d'examiner les points critiques de la qualité de service et de la dynamique de l'amélioration continue traités dans les Chapitres 8 à 11. Le Chapitre 12 est consacré à la gestion de la demande et la capacité, autre sujet délicat, suivi par deux chapitres particuliers sur le développement des services industriels (Chapitre 13) à un bout du spectre et, à l'autre bout, des services relativement purs, les services proposés par les professionnels et en particulier par les professions libérales (Chapitre 14). Une fois cette phase d'analyse accomplie, j'aborde des problèmes plus généraux comme l'introduction des nouvelles technologies (Chapitre 15) ou l'essor et l'internationalisation des services (Chapitre 16).

Tout au long de l'ouvrage, j'ai eu recours à un grand nombre de schémas, de graphiques et de symboles, certains récurrents sur plusieurs chapitres. C'est là un choix délibéré parce que je pense que les illustrations constituent le meilleur moyen d'aider le lecteur à assimiler et à mémoriser les idées et les concepts essentiels. Mon objectif est donc de maintenir un équilibre entre les mots et les visuels en traduisant constamment mon texte en illustrations concrètes de façon à ainsi stimuler les deux hémisphères du cerveau du lecteur !

Cet ouvrage a été grandement enrichi par les questions, les discussions et les apports des participants aux séminaires qui se sont tenus à l'INSEAD et dans les entreprises dans lesquelles je suis intervenu. Je voudrais en particulier remercier Colin Kennedy, directeur de la société Air Liquide, qui m'a beaucoup aidé à clarifier ma vision des services dans le secteur industriel et François Tixier, directeur de la formation du groupe, qui a grandement participé à l'orientation service de la société en organisant de nombreux séminaires qui m'ont permis de tester mes idées. Robert-Denis Moulloud, « Customer satisfaction manager » du groupe Hoffman-LaRoche et Michelle Jurgens-Panak, de l'Académie Accor Entreprise, ont généreusement partagé leurs idées. Je ne voudrais pas oublier la contribution de Claude Brunet, Président directeur général de Ford France, et les nombreux concessionnaires Ford que j'ai eu l'occasion de rencontrer. Je voudrais également remercier Charlotte Butler et Patrick Téboul, pour leur assistance éditoriale et la révision du texte, Eileen Tyack-Lignot pour la traduction de mon texte anglais, Corinne Covalet et Claire Derouin pour leur patience lors des frappes successives du manuscrit. Enfin, ce travail n'aurait pu être accompli sans l'aide de l'INSEAD.

Bien évidemment, en rédigeant ce livre, j'ai été amené à m'inspirer de nombreux écrits et il est impossible de citer toutes les sources bien que je me sois efforcé d'en donner les principales dans le texte. Les autres se retrouvent dans la bibliographie. Pour moi, ce qui compte c'est le voyage lui-même. La seule originalité que je revendique est la démonstration que cette nouvelle définition des services est suffisamment puissante pour couvrir l'intégralité du champ et replacer les principaux problèmes dans une perspective éclairante.

PREMIÈRE PARTIE

L
Nous sommes tous
dans les services

Chapitre 1

VERS UNE NOUVELLE DÉFINITION DES SERVICES

Lorsque l'on se penche sur le secteur des services, il est surprenant de constater que, malgré son importance, celui-ci est sans doute l'un des plus mal définis. Mal défini d'abord si l'on se fie au nombre relativement peu élevé d'études qui lui sont consacrées. Mal défini ensuite, et surtout, si l'on essaie d'en connaître les limites. Le domaine des services est, en effet, l'un des plus délicats à explorer parce que ses frontières elles-mêmes posent problème. Que doit-on entendre exactement lorsque l'on parle de service ?

Tout le monde s'accordera sans doute pour reconnaître avec le magazine anglais *The Economist* qu'un service représente « toute chose vendue dans le commerce et que l'on ne peut faire tomber sur son pied ». Il en est de même si l'on affirme que ce secteur exclut le moissonnage des terres ou la production d'automobiles. Des divergences apparaissent rapidement, toutefois, lorsque l'on cherche à dire, non ce que n'est pas une activité de service, mais ce qu'elle est. Or, comment tirer des enseignements d'un domaine dont on ignore les limites précises ? Toute analyse se heurte donc à une délicate question de définition. Il nous faut trouver le point commun de toutes ces activités que l'on appelle service. Il est nécessaire de déterminer leurs caractéristiques fondamentales et à partir desquelles tirer un enseignement utile.

1. LE SECTEUR TERTIAIRE : LA DÉMARCHE EMPIRIQUE

Une première définition consiste à exclure, d'abord, l'ensemble des activités que nous savons ne pas être des services et, ensuite, à examiner la série des activités restantes pour en chercher le point commun.

Une telle démarche aboutit en fait à la classification tripartite des secteurs de l'économie. Dans cette optique traditionnelle, les services représentent le secteur tertiaire, le troisième élément de la sacro-sainte trinité, dont les deux autres composantes sont l'agriculture (secteur primaire) et les activités minières ou industrielles (secteur secondaire). Le secteur des services englobe alors toutes les activités dont la production n'est ni un bien physique, ni un bâtiment. A partir de cette première classification, les auteurs classiques concluent que ce qui caractérise alors les services est la simultanéité de la consommation et de la production. Celle-ci donne aux services une nature immatérielle, signalée par l'économiste du dix-huitième siècle, Adam Smith, qui décrivit ceux-ci comme « périssant au moment même de leur création ». Examinons si cette première définition est satisfaisante.

1.1. L'économie de services

Selon le modèle trisectoriel, le développement économique obéit à une loi, à une séquence naturelle en trois temps. L'agriculture domine d'abord en termes de production et d'échange et, en raison de sa faible productivité, occupe la plupart des membres de la société. Vient ensuite le secteur industriel, ou secondaire, qui se développe rapidement du fait de substantielles améliorations de la productivité provenant essentiellement des économies d'échelle qui entraînent en parallèle le développement d'un secteur tertiaire ou de services qui utilise la main-d'œuvre libérée. Ce dernier secteur s'étend alors rapidement, jusqu'à finalement devenir le plus important des trois.

Ainsi, aux États-Unis l'on prévoit que d'ici la fin du vingtième siècle, les services occuperont plus de 77 % de la population active. Il n'en restera que 2,5 % dans le secteur agricole (Figure 1.1.).

Le passage des emplois de l'agriculture vers le deuxième secteur, puis vers le troisième a constitué le changement le plus radical de ce siècle, et se retrouve dans tous les pays du monde.

Au début du siècle, près de 70 % de la population active au Japon travaillaient dans l'agriculture, contre 42 % aux États-Unis et seulement 20 % en Grande-Bretagne. En 1997, les chiffres étaient respectivement 5,3 % pour le Japon, 2,7 % pour les États-Unis et 1,8 % pour la Grande-Bretagne. Comme le montre le graphique (Figure 1.2.), l'évolution est encore plus marquée en Espagne, où l'emploi du secteur agricole est passé de presque 40 % en 1960 à 8,4 % en 1997.

% du total

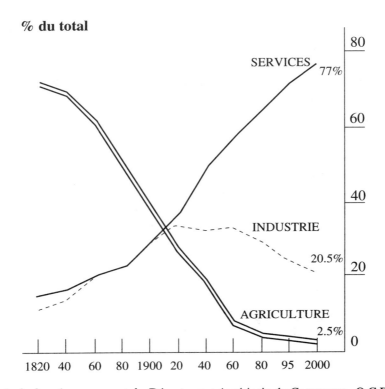

A partir de données provenant du Département Américain du Commerce, O.C.D.E.
Monthly Labor Review, Nov. 1989

Figure 1.1. Emplois par secteur aux États-Unis.

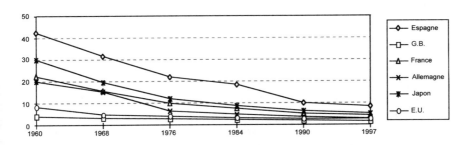

Source : *Statistique Historique*, OCDE, 1997.

Figure 1.2. Emplois agricoles en pourcentage des emplois civils.

Au cours des 30 dernières années, il est intéressant de noter qu'une même baisse significative de l'emploi s'est produite dans le secteur industriel (Figure 1.3.). L'évolution est certes moins linéaire, mais n'en est pas moins remarquable. Mis à part le Japon et l'Espagne, tous les pays voient leur nombre d'emplois baisser – la palme revenant à la Grande-Bretagne où l'on constate une chute de près de 20 % entre 1960 et 1997.

Cette baisse générale n'est toutefois pas uniforme. Certains pays, comme les États-Unis ou la Grande-Bretagne, sont témoins d'une diminution à peu près régulière de leur secteur secondaire. L'Espagne et la France connaissent de leur côté une relative hausse de 1960 à 1970 avant la décrue plus ou moins marquée de ce même secteur – qui s'explique sans doute par une industrialisation décalée. Le Japon connaît par contre une certaine stabilité avec une variation du nombre d'emplois de 0,2 % entre 1960 et 1997.

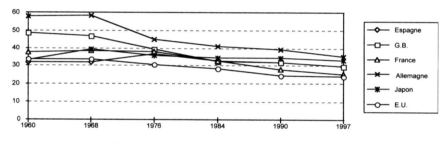

Source : *Statistique Historique*, OCDE, 1997.

Figure 1.3. Emplois industriels en pourcentage de la population civile.

Selon les économistes britanniques Richard Brown et DeAnne Julius (1993), les secteurs agricoles et industriels ont connu des évolutions analogues.

> « *Les secteurs agricoles et industriels enregistrent une productivité accrue liée aux changements technologiques qui ont permis d'économiser la main-d'œuvre. Tous deux ont généré une production facilement commercialisable de sorte que la capacité de production excédentaire a pu migrer vers des sites à faible coût. Dans leurs formes élémentaires, tous deux représentent une part moindre des dépenses des ménages, tandis que le revenu passe d'un niveau de subsistance à un niveau de saturation. Le budget consacré à la nourriture et aux biens ne devrait pas fléchir, mais une part plus grande devrait se déplacer vers les*

composantes de service de leur valeur ajoutée (par exemple, vers les restaurants et les plats préparés, les produits de grande consommation personnalisés et les logiciels informatiques). »

Selon ces mêmes auteurs, on peut donc s'attendre :

1) à ce que l'emploi industriel continue de baisser dans les pays de l'OCDE, pour tomber à des niveaux de 10 % ou moins dans la plupart des pays dans les trente années à venir,

2) à des pertes d'emploi plus rapides dans les pays où l'emploi industriel est actuellement le plus élevé : l'Allemagne étant à cet égard un véritable phénomène avec 35,5 % et le Japon (33,1 %).

Si le changement structurel de l'emploi n'a pas généré récemment de déplacement de l'agriculture vers l'industrie, c'est donc essentiellement dans le secteur des services que ces emplois ont été transférés, comme le confirme la Figure 1.4. :

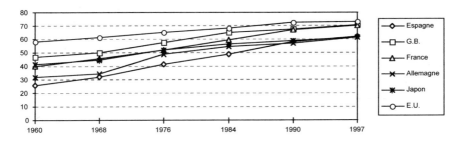

Source : *Statistique Historique*, OCDE, 1997.

Figure 1.4. Emplois dans les services en pourcentage des emplois civils.

Les entreprises industrielles évoluent aujourd'hui sur des marchés de plus en plus concurrentiels. Les entreprises qui n'ont pas d'autre choix que de se battre sur les coûts (produits de base) sont contraintes soit d'automatiser leur production, soit de la délocaliser vers des pays en voie de développement. Par contre, les entreprises situées dans des niches à forte valeur ajoutée peuvent jouer sur les services pour se mettre en meilleure posture concurrentielle.

Une autre façon d'illustrer le développement du secteur des services est de mesurer leur importance par rapport au produit intérieur brut (Figure 1.5.). Les services représentent aux États-Unis la plus grosse part de leur PIB, alors qu'en Russie ou en Chine les services représentent moins de 50 % du PIB.

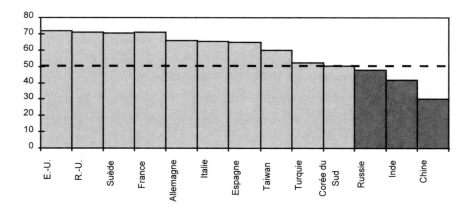

Source : *Statistique Historique*, OCDE, IIU, 1997.

Figure 1.5. Secteur des services en pourcentage du PIB.

1.2. Limite de la classification trisectorielle classique

Nous avons donc, avec cette première approche, abouti à quelques conclusions intéressantes : nous connaissons maintenant à peu près l'importance des activités de service dans nos économies. Est-il toutefois possible d'en savoir un peu plus ? Peut-on apprécier son impact sur l'économie ? Il semble que non. Malgré sa taille imposante, il est, en effet, intéressant de constater qu'aucune analyse sérieuse du contenu même de ce secteur n'a véritablement été entreprise.

Plusieurs raisons peuvent expliquer cela. L'une de celles-ci réside, sans doute, dans le peu d'enthousiasme à se plonger dans un domaine généralement associé à la servitude. Cette perception est très ancrée tout au long de l'histoire économique et se retrouve aussi bien parmi les partisans d'Adam Smith que parmi ceux de Karl Marx. Une autre raison, la plus importante à nos yeux, réside dans le caractère négatif de la définition des services. Selon Adam Smith,

> « *Le travail de certains membres de la société appartenant aux ordres les plus respectables, tout aussi bien que le travail des serviteurs subalternes, est dépourvu de toute valeur ajoutée, et ne se transforme ou ne se réalise en aucun bien vendable qui demeure après accomplissement. Il faut ranger dans cette même catégorie à la fois certaines des professions les plus sérieuses et les plus importantes et certaines des plus frivoles : hommes d'église, avocats, médecins, hommes de lettres, joueurs, bouffons, musiciens, chanteurs d'opéra, etc.* »

Dans cette citation, se dessine un certain mépris vis-à-vis du secteur des services. Il est avant tout improductif et éphémère et il ne semble pas alors nécessaire de l'examiner plus attentivement, de distinguer au sein de cette catégorie les hommes d'églises des bouffons.

Cette attitude s'est malheureusement maintenue tout au long du XXe siècle. Le dédain pour les services chez les théoriciens de la planification centralisée a ainsi grandement contribué à laisser ce secteur en friche dans les économies d'Europe de l'Est et de la Chine populaire. De ce fait, ces pays ont rencontré et rencontrent encore les plus grandes difficultés à assurer le transport, la distribution, le financement, la transformation et l'entretien des biens produits. Encore aujourd'hui, la croyance selon laquelle l'industrie requiert plus de compétences que les services est largement répandue. Ceux qui travaillent dans les services sont souvent caricaturés comme étant des « marchands de frites » ou des « amuseurs publics ».

Mais ces conceptions sont dépassées. D'une part, comme les graphiques précédents l'ont clairement démontré, la part relative de l'industrie à la fois dans l'emploi et le PIB va continuer à baisser dans les pays développés en raison des gains de productivité, de l'automatisation et de la délocalisation dans les pays à faible coût de main-d'œuvre. L'essor des services a jusqu'ici compensé le déclin de l'emploi industriel. Au fur et à mesure que les ménages s'enrichissent et atteignent la limite des biens matériels souhaités, ils se tournent vers les services afin d'améliorer leur qualité de vie et accéder à des niveaux supérieurs de satisfaction.

Comme l'a écrit James Quinn dans *Intelligent Entreprise* :

> « *Il est certain qu'une société plus sûre, plus saine, mieux éduquée ou plus stable peut être aisément considérée comme une société « plus riche » que celle qui détient des biens matériels. Et cette richesse peut être transmise aux générations à venir. L'éducation, l'art, la musique, la littérature, les bases de données et le savoir-faire financier, commercial, scientifique, juridique constituent un patrimoine national transmissible à la postérité. En fait, de tels « actifs intellectuels » ont généralement constitué l'aune à laquelle a été mesurée la richesse des nations tout au long de l'histoire (comme à Florence, à Athènes ou à Alexandrie).* »

Dans le contexte de la société de consommation sophistiquée d'aujourd'hui, le modèle trisectoriel traditionnel perd ainsi beaucoup de son intérêt. Le secteur des services est trop vaste et mal défini pour qu'il se prête à l'étude. En son sein, se côtoient policiers et prostitués, banquiers et routiers, professeurs d'école et coiffeurs.

Du fait de cette diversité, il semble donc que cette première définition soit peu opérationnelle : elle est trop large et englobe une variété trop importante d'activités économiques. Elle n'est toutefois pas pour autant à rejeter immédiatement. Peut-être une classification opérée à l'intérieur même du secteur des services pourra-t-elle nous permettre d'avoir une image plus précise de celui-ci.

2. LA CLASSIFICATION BROWNING-SINGLEMANN

La classification Browning-Singlemann distingue cinq secteurs économiques différents :

I   Les industries extractives (l'agriculture et les mines)

II Les industries de transformation (la construction, l'agro-alimentaire, l'industrie manufacturière, les biens de première nécessité)

III La distribution (la logistique, les communications, le commerce de gros et de détail)

IV Les services destinés au producteur intermédiaire (la banque, l'assurance, l'immobilier, les services aux entreprises)

V   Les services sociaux (la santé, la prévoyance, l'administration, etc.)

VI Les services à la personne (à domicile, hôtel, réparations, teinturerie, divertissement, etc.)

En nous appuyant sur cette classification, nous pouvons présenter le paysage des services de la façon suivante (Figure 1.6.), décomposé verticalement en trois secteurs :

A) les services destinés au producteur,

B) les services destinés au consommateur,

C) les prestations en self-service.

Intéressons-nous de plus près aux trois secteurs.

2.1. Les services au producteur intermédiaire

Les entreprises ont de tout temps utilisé des prestations provenant d'autres sociétés, telles que la distribution, le financement et l'assurance. Au cours des dernières années, toutefois, la demande de services destinés aux producteurs intermédiaires s'est considérablement accrue lorsque ces entreprises se sont mises à externaliser des tâches qu'elles effectuaient autrefois en interne, telles que l'informatique, le conseil juridique, la publicité, la conception et les études, le nettoyage, la sécurité, etc.

14

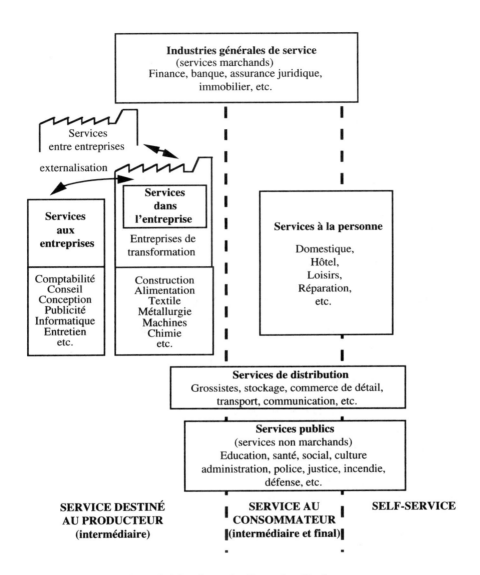

Figure 1.6. Services selon Browning-Singlemann.

Il s'agissait essentiellement :

– de réduire les coûts (économies d'échelle, optimisation de la capacité de production),
– d'assurer la qualité,
– d'améliorer la flexibilité de la main-d'œuvre, mais aussi d'accroître la spécialisation dans la mesure où le prestataire détient une expérience plus pointue que le producteur.

Les emplois externalisés de cette façon ne constituent pas à proprement parler des nouveaux postes, mais représentent plutôt un transfert des emplois industriels vers les emplois de services. Par le jeu de ce processus d'externalisation, de plus en plus d'emplois dits industriels se déplacent vers des structures indépendantes identifiées en comptabilité nationale comme des services.

2.2. Les services au consommateur final

Ce sont soit des services marchands, par exemple certains services de banque ou d'assurance vendus directement au consommateur final pour son usage personnel, soit des services non marchands, comme la santé ou l'éducation. Tandis que la prévoyance sociale ou certains services publics de proximité se sont considérablement accrus en raison des politiques gouvernementales, la croissance des services marchands au consommateur final a été, dans l'ensemble, plus atone.

Les services à la personne, comme une coupe de cheveux ou une transaction financière, ont tendance à impliquer une relation face-à-face. Donc pas d'économie d'échelle possible car chaque client est unique. La coupe de cheveux ne peut pas faire l'objet d'une production de masse comme l'automobile.

2.3. Les prestations en self-service

Lorsque le consommateur final peut produire le service recherché, il se rend à lui-même un service et nous parlons alors de self-service.

On s'accorde généralement à penser que l'un des moyens d'accroître la productivité dans ce cas est soit de demander au client de participer à la prestation (comme, par exemple, de demander au client de se laver les cheveux lui-même), soit d'automatiser la prestation (les guichets automatiques). Mais en tout état de cause, l'accroissement de la productivité restera limité. Ce constat, lié au renchérissement rapide du coût des services, a conduit à leur remplacement par du self-service s'appuyant sur des biens de consommation durables : ainsi les femmes de ménages, les cuisiniers, les valets, les barbiers et les gens de spectacle ont été, dans une certaine mesure, remplacés par des lave-linge, des aspirateurs, des lave-vaisselle, des rasoirs électriques ou des téléviseurs.

2.4. Évolution d'ensemble

Revenons maintenant à l'évolution d'ensemble des différents secteurs et sous-secteurs. La Figure 1.7. résume l'évolution de l'emploi par secteur aux États-Unis.

	1970 en million	%	1980 en million	%	1996 en million	%	2005 en million	%
AGRICULTURE - sous-total	**3,46**	**4,42**	**3,36**	**3,38**	**3,44**	**2,80**	**3,40**	**2,35**
INDUSTRIE - sous-total	**26,09**	**33,30**	**29,14**	**29,34**	**29,03**	**23,63**	**22,93**	**15,89**
Exploitation minière	0,52	0,66	0,98	0,99	0,57	0,46	0,44	0,30
Construction	4,82	6,15	6,22	6,26	7,94	6,47	5,50	3,81
Fabrication	20,75	26,48	21,94	22,09	20,52	16,70	16,99	11,77
SERVICE - sous-total	**48,81**	**62,29**	**66,82**	**67,28**	**90,38**	**73,57**	**118,02**	**81,76**
Services de distribution	21,12	26,95	26,73	26,91	35,31	28,75	36,08	25,00
Transport et communication	*5,32*	*6,79*	*6,53*	*6,57*	*8,82*	*7,18*	*6,43*	*4,46*
Commerce en gros et de détail	*15,8*	*20,16*	*20,2*	*20,34*	*26,50*	*21,57*	*29,65*	*20,54*
Services destinés aux producteurs intermédiaires	5,35	6,83	9,85	9,92	16,16	13,16	32,64 [3]	22,61
Finance, assurance et immobilier	*3,95*	*5,04*	*6*	*6,04*	*8,08*	*6,57*	*7,37*	*5,11*
Services sous-traités	*1,4*	*1,79*	*3,85*	*3,88*	*8,09*	*6,58*	*25,27*	*17,51*
Service à la personne	6	7,66	7,5	7,55	8,00	6,51	8,15	5,65
Services publics	16,34	20,85	22,74	22,90	30,90	25,16	41,14	28,50
Administration	*4,48*	*5,72*	*5,34*	*5,38*	*5,80*	*4,72*	*21,75[4]*	*15,07*
Hôpitaux et Services de santé	*4,47*	*5,70*	*7,38*	*7,43*	*11,20*	*9,12*	*12,08*	*8,37*
Ecoles primaires et secondaires	*6,13*	*7,82*	*5,55*	*5,59*	*6,71*	*5,46*	*[4]*	
Education supérieure	*[1]*		*2,1*	*2,11*	*2,79*	*2,27*	*2,4*	*1,66*
Services sociaux	*0,83*	*1,06*	*1,59*	*1,60*	*3,10*	*2,53*	*3,64*	*2,52*
Services juridiques	*0,43*	*0,55*	*0,78*	*0,79*	*1,30*	*1,06*	*1,27*	*0,88*
TOTAL	**78,36**	**100,00**	**99,32**	**100,00**	**122,85**	**100,00**	**144,35**	**100,00**

[1] Les emplois dans l'éducation supérieure sont comptabilisés dans les écoles primaires et secondaires.
[2] Projection fondée sur une estimation moyenne de la croissance des Etats-Unis.
[3] Cette rubrique comprend le consulting et différents services de management.
[4] Les emplois dans l'éducation supérieure sont comptabilisés dans l'administration.

Source : *United States Statistical Abstracts,* 1997

Figure 1.7. Évolution de l'emploi par secteur aux États-Unis.

Comme nous l'avions précédemment remarqué, l'agriculture et l'industrie sont toutes deux en baisse. Si le secteur agricole ne représente plus que 2,8 % en 1996 contre 3,46 % en 1970, celui de l'industrie connaît une décrue plus dramatique de 10 % en 26 ans. Il est toutefois intéressant de constater que le nombre absolu d'emplois dans ces deux secteurs reste quasiment inchangé.

Au sein du secteur tertiaire, les services publics et de distribution occupent le haut du pavé avec respectivement 31 millions et 35 millions d'emplois. Mais, l'évolution la plus remarquable est sans doute celle des services destinés aux producteurs intermédiaires dont le pourcentage double en l'espace de 26 ans. Cette croissance est en grande partie imputable à l'importance prise progressivement par les services sous-traités (*business services*) qui passent de 1,79 % en 1970 à 6,58 % en 1996.

Si l'on considère enfin le développement de l'emploi dans les services au cours des prochaines années, on peut anticiper une stabilisation, voire une réduction, des services à la personne et des services de distribution, une légère progression des services publics essentiellement due à un accroissement des services de santé, et une hausse encore accrue des services destinés aux producteurs intermédiaires qui pourraient représenter 22,61% des emplois civils aux États-Unis.

D'autres études montrent que, d'une part, le taux de croissance le plus rapide concernera les travailleurs du savoir et les professions libérales, tandis que la plus forte croissance en nombre d'emplois concernera les postes les moins qualifiés. La plupart de ces nouveaux emplois n'offrira que peu de perspectives de carrière. Il est vraisemblable que les employés de la restauration rapide, les employés de bureau, les agents de nettoyage, les serveurs et les chauffeurs, entres autres, connaîtront de façon permanente ce type d'emploi avec peu de possibilités d'évolution.

3. LES LIMITES DE CES CLASSIFICATIONS

L'enseignement obtenu grâce à cette classification est-il plus utile ? La distinction faite entre les différents types de services a, certes, permis d'analyser plus précisément leur impact sur nos économies, mais pouvons-nous aller au-delà de ces simples constats ? Cette seconde classification n'a-t-elle pas les défauts de la première ?

La première approche consistait à exclure les activités considérées comme n'étant pas du domaine des services, puis à rechercher le point commun entre celles qui restaient. Or, la classification améliorée ne permet pas de mieux comprendre la spécificité des services ; nous avons simplement des catégories d'activités plus homogènes.

3.1. Caractère artificiel de la distinction entre service et industrie

En fait, la distinction entre industrie et services est peu pertinente. De toute évidence, ces deux secteurs évoluent en symbiose : les services ne peuvent prospérer en l'absence d'un secteur industriel puissant et l'industrie dépend des services. La production de masse des automobiles et la construction d'infrastructures routières ont permis la révolution du transport ; la fourniture fiable d'électricité et la production à la chaîne des téléviseurs ont permis de diffuser un divertissement de masse. Au fur et à mesure que les processus de production deviennent de plus en plus complexes et concurrentiels, l'industrie doit compter sur un plus grand apport des services. De même, les services fondés sur le traitement et l'échange d'informations sont-ils considérablement dépendants de l'infrastructure des télécommunications.

Ce qui fait qu'inévitablement dans le monde d'aujourd'hui, la distinction entre industrie et services devient artificielle et vaine. Bien que le fabricant d'ascenseurs fournisse aussi des services de maintenance, la totalité de son activité est classée en « industrie ». Et pourtant, lorsqu'une autre entreprise exerce spécifiquement ces mêmes activités de maintenance, elle est classée dans les « services ». Ce sont de telles anomalies qui expliquent que les services financiers et d'assurance soient l'un des principaux « produits » de General Motors.

Les produits peuvent être considérés comme la matérialisation des services fournis : les voitures permettent un transport commode, les téléviseurs procurent un divertissement. Comme le notait Theodore Levitt :

> *« Des millions de forets [de perceuses] d'un centimètre de diamètre sont vendus, non pas parce que les consommateurs veulent des forets d'un centimètre, mais parce qu'ils veulent des trous d'un centimètre. »*

Au fur et à mesure que les biens produits ressemblent à ceux de leurs concurrents, le seul moyen d'obtenir un avantage concurrentiel réside inévitablement soit dans le développement de la dimension service de l'offre, soit dans l'adjonction de nouveaux services. Il devient de plus en plus évident qu'aucun fournisseur de biens ne devrait laisser à un intermédiaire le soin de gérer l'intégralité de sa relation avec le consommateur final de son produit.

Et, tout comme les producteurs de biens se rapprochent des services, de la même façon, les producteurs de services tentent d'« industrialiser » leurs activités, comme le montre l'évolution de la chaîne McDonald's. Il y a bien évidemment des limites à l'extrapolation de cette tendance étant donné le manque de flexibilité et de personnalisation qu'une telle industrialisation entraîne.

3.2. Caractère artificiel de la distinction entre matière première et information

Si l'on en croit certains auteurs d'ouvrages professionnels, l'industrie est essentiellement la transformation de matières premières en produits finis. Toute autre activité, comme le traitement de l'information ou la gestion du savoir, est considérée comme du service.

D'après cette définition, la majorité de ceux qui travaillent dans l'industrie, notamment les spécialistes des systèmes d'information, les concepteurs, les ingénieurs méthodes ou les comptables, appartiendrait au secteur des services. Mais ce serait également le cas des opérateurs de machines qui passent maintenant beaucoup de temps devant un terminal d'ordinateur ou à enregistrer ou à analyser des statistiques. Il devient dès lors évident que cette définition de l'industrie est bien trop réductrice pour être utile. L'industrie doit comprendre le traitement de l'information, aussi bien que le traitement des matières premières. L'information n'est qu'une matière première particulière.

La répartition en trois secteurs des activités économiques comportent donc un vice fondamental : elle suppose une distinction claire et non ambiguë entre produit agricole, produit industriel et service. Tel n'est pas le cas. Des tentatives pour affiner cette tripartition sont donc vaines. Cette approche empirique ne peut aboutir à une définition claire et opérationnelle des services. La démarche inverse doit être adoptée : il nous faut d'abord construire la notion de service ou d'industrie pour ensuite opérer une classification.

4. LES SERVICES « PURS » : LA DÉMARCHE DÉDUCTIVE

Probablement la meilleure façon de comprendre la différence entre service et industrie consiste à opposer deux extrêmes : la fabrication d'un produit et la prestation d'un « service pur ». Dans le cas d'un service pur, le personnel et le système qui délivrent la prestation entrent en **interaction** avec les clients ou leurs biens. Dans le cas de l'industrie, il n'y a pas ce type d'interaction directe.

La prestation d'un service implique un contact, une interaction entre le prestataire et le client. Le client fait partie intégrante du système de délivrance du service car il participe également à la réalisation du service par l'information ou les matières premières qu'il procure.

D'après Leonard Berry (1984), un produit est un objet, un appareil, une chose tandis que le service est un acte, une **prestation unique**. Bien que la réalisation de la plupart des services s'appuie sur des éléments matériels, l'essence de ce qui est acheté est la prestation que réalise l'une des parties pour l'autre.

Dans *Service Management and Marketing* (1990), C. Grönroos donne sa propre définition du service qui peut se résumer ainsi :

> « *Un service est une série d'activités qui normalement donnent lieu à* **interaction** *entre le client et les structures, les ressources humaines, les biens et les systèmes qui sont fournis en réponse aux besoins du client.* »

Cette relation peut être illustrée par une « boîte noire » : ce qui entre dans la boîte, c'est un client avec son besoin ou son problème. Ce qui en sort (dans le meilleur des cas !), c'est le même client mais transformé. Le service proprement dit se réalise dans l'avant-scène, les actes du prestataire de services affectent directement le client. Parce que la **prestation** de service concerne avant tout le client, elle est essentiellement **immatérielle**, même si elle peut inclure des éléments concrets, tels que des biens manufacturés ou de l'information.

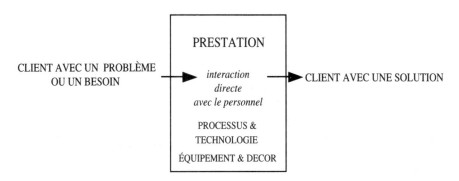

Figure 1.8. Interface ou avant-scène.

Dans un restaurant, par exemple, un client entre affamé et ressort rassasié. De même dans un hôpital, un patient entre malade et il sort guéri. On peut multiplier les exemples. Tout comme une chambre d'hôtel devrait avoir une influence positive sur le confort du voyageur, un conseil juridique devrait avoir un effet bénéfique sur l'éventuelle responsabilité de son client.

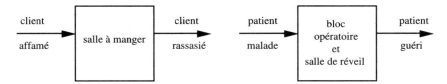

Figure 1.9. Exemples pour un restaurant et un hôpital.

Cette interaction a lieu dans **l'avant-scène** du prestataire de service, dans ce qu'on peut également appeler **interface** ou **«** *front office* **»,** si l'on veut garder l'expression anglaise. En fonction du type de service, le niveau de contact peut être assez élevé ou dense, comme dans un restaurant gastronomique. Dans d'autres cas, il peut être bref et sporadique, comme pour les prestations standardisées propres à certaines transactions bancaires ou opérations d'entretien et de réparation. D'autres fois, le contact peut être moins dense s'il se fait par téléphone ou par le truchement d'un ordinateur.

Revenons maintenant au processus industriel : la boîte noire symbolise la transformation des matières premières ou de l'information en produits finis ou en informations traitées. Ces activités ont lieu dans l'usine, dans **l'arrière-scène**, ou **«** *back office* **»,** selon l'expression anglaise, et en dehors de la présence du client.

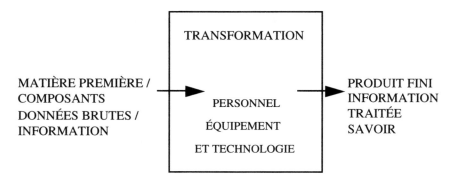

Figure 1.10. Arrière-scène ou support.

Production ou service purs sont des cas extrêmes, théoriques. Dans les faits, qu'il s'agisse d'une prestation de service ou de la production d'un bien, aussi bien l'avant-scène que l'arrière-scène sont concernées. C'est leur relative implication qui déterminera si l'activité est essentiellement concentrée sur la prestation d'un service ou sur la production d'un bien.

5. LA « SERVICILISATION » : « NOUS SOMMES TOUS DANS LES SERVICES À PRÉSENT »

Cette idée selon laquelle tout système de production industrielle ou toute prestation de service implique des activités qui se partagent entre l'avant-scène et l'arrière-scène a été avancée par Theodore Levitt dès 1972 dans un article de *Harvard Business Review* qui a fait date :

> « *Les industries de services, ça n'existe pas. Il y a seulement des industries dont la dimension service est plus importante ou moins importante que celle des autres industries. Tout le monde est dans les services.* »

Nous sommes tous dans les services à présent et nous le serons bien davantage à l'avenir. Nous sommes dans une société de services, conséquence inévitable du degré accru de personnalisation et d'interaction dans un environnement déréglementé et concurrentiel, où les consommateurs deviennent chaque fois plus exigeants. Pour illustrer ce développement, nous avons forgé l'expression de « servicilisation » qui, malgré l'image de servilité qu'elle évoque, offre un bon résumé de la situation. Comme nous avons tenté de l'expliquer, les anciennes définitions empiriques ne sont pas adaptées. Une évolution aussi nette exige une nouvelle définition qui permette de mieux comprendre et de gérer plus efficacement le domaine des services.

Le prochain chapitre développera cette nouvelle définition et montrera comment elle peut permettre de formuler et concevoir des services performants. Une démarche nécessaire pour survivre et gagner dans un univers en constante évolution.

Chapitre 2

LE SERVICE SE JOUE SUR L'AVANT-SCÈNE

Nous avons vu combien il était artificiel d'isoler les trois secteurs de l'économie. Une activité n'appartient jamais complètement à un seul secteur, mais doit plutôt être considérée comme un composite. La restauration, par exemple, s'organise autour de deux éléments : la salle et la cuisine. La salle, l'avant-scène du restaurant, est « orientée client ». Elle constitue une « zone service », une interface entre le client et le serveur. La cuisine, l'arrière-scène du restaurant, est « orientée production ». Elle représente la « zone produit » où s'opère une transformation physique.

Comparons cette situation avec ce qui se passe dans une banque. Au guichet d'une agence, l'employé répond aux demandes de renseignements ou opère des transactions financières en contact direct avec le client. Certains services ne peuvent cependant pas être rendus immédiatement et, dans ce cas, la demande du client est transformée en un document écrit ou un dossier informatique qui est transmis à l'arrière. L'information est alors traitée comme à l'usine et passe successivement d'un poste de travail au suivant avec des stockages intermédiaires.

Prenons, comme troisième exemple, le cas du transport aérien. Au cours d'un vol Paris-New York, les passagers voyagent à l'intérieur de l'outil de production du voyage lui-même : ils consomment le voyage au moment même où la compagnie aérienne le produit. Et visiblement, dans ce cas, tout décalage entre production et consommation est complètement absurde. Dans la mesure où le passager est directement impliqué dans le processus de production, aussi bien avant, pendant le trajet ou après, de nombreuses interactions interviennent : les visites aux agences de voyage, la réservation téléphonique, les procédures d'embarquement, la conversation avec les hôtesses, la collecte des bagages et ainsi de suite. Chacun de ces contacts constitue, selon l'expression forgée par Richard Normann (1984) et souvent citée par l'ex-directeur général de la *Scandinavian Airlines*, Jan Carlzon, un « moment de vérité ». Il faut également souligner qu'aussi bien à l'aéroport qu'à bord de l'avion, le passager n'est que vaguement conscient des systèmes de support dans l'arrière-scène – manutention des bagages, entretien de l'avion, contrôle du trafic aérien ou préparation des repas.

Chaque activité comporte ainsi à la fois une interaction, une partie purement service, et une transformation, une partie purement produit. C'est le poids respectif de ces deux éléments qui rendra l'aspect service de l'activité plus ou moins prononcé. Cette distinction est essentielle, comme il sera démontré par la suite, car les modes de gestion de l'interaction directe sont très différents des modes de gestion de la transformation.

C'est sur cette distinction fondamentale que nous avons construit notre concept de service. Mais cette distinction entre avant-scène et arrière-scène est-elle réellement utile ? En partant de la diversité des activités économiques, nous avions une classification qui ne nous renseignait pas beaucoup sur la vraie nature d'un service. En partant du concept relatif de service, nous disposons d'une définition plus solide, mais encore faut-il vérifier sa validité et son utilité et voir s'il est possible d'opérer une classification significative.

1. IDENTIFIER LA COMPOSANTE SERVICE

Examinons l'importance relative de la composante service en balayant les différents secteurs de l'économie sur la Figure 2.1.

Considérons, tout d'abord, des **biens relativement « purs ».** Il s'agit essentiellement des produits standard de base tels que l'acier, le papier, le verre, l'aluminium, des produits agricoles ou chimiques ou encore des biens conditionnés, tels que la nourriture, le savon ou le dentifrice vendus dans les supermarchés ou dans des distributeurs automatiques. La part interactive de service, essentiellement la vente et le marketing, reste assez limitée car il ne s'agit que de simples transactions. Mais, comme nous le verrons dans le Chapitre 13, la tendance actuelle est d'accroître la partie service pour disposer d'un moyen de personnaliser et de différencier le produit.

La catégorie suivante est celle des **biens de consommation durables**, tels que les voitures ou les appareils électriques. Le service y est essentiel à la fois pour développer la relation avec la clientèle (en fournissant des services spécifiques, tels qu'un livret d'utilisation intelligible ou un conseil téléphonique) et pour l'entretien du produit. Lorsqu'il s'agit d'équipements et de machines sophistiqués, tels que des robots, cela implique à la

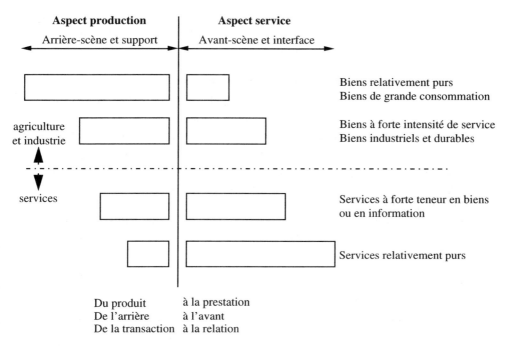

Figure 2.1. Importance de la composante service selon les secteurs de l'économie.

fois une relation particulière avec l'acheteur et les utilisateurs, ainsi que des services spécifiques dans le domaine de la logistique, de la distribution et de l'entretien. Il s'agit d'instaurer une relation durable et de développer un partenariat avec le client.

En dessous de la ligne pointillée qui sépare le secteur industriel du secteur des services, on trouve deux autres catégories : les **services à forte teneur en biens et en information** (les restaurants, les hôtels ou les banques) et les **services relativement purs** (la coiffure ou le conseil juridique). On voit bien que, dans ces cas, c'est l'interaction et la relation avec le client qui sont primordiales. Ainsi, ce qui entre en ligne de compte dans le choix d'une banque, ce sont la pertinence du conseil donné et la qualité de la relation avec le gestionnaire du compte. Par contre, le client n'est pas prêt à payer cher ou à se déplacer pour une transaction standard. C'est ce qui explique le développement des banques directes par téléphone ou par informatique. Pour réduire les coûts, l'interface est réduite au minimum et c'est le client qui fait le travail. Le service « s'industrialise » nettement.

Notre conclusion est que la ligne pointillée séparant le secteur industriel du secteur des services est moins significative que la ligne continue qui distingue l'avant-scène et l'arrière-scène.

Quel enseignement pouvons-nous alors en tirer ?

Les services relativement « purs » (tels que la coiffure ou le conseil) sont à forte teneur en main-d'œuvre. Nous savons alors qu'il n'offrent que peu de perspectives de gains de productivité, la durée du contact pouvant être difficilement réduite. Par contre, certains services à forte teneur en biens et en information peuvent offrir de meilleures perspectives si l'interaction peut être simplifiée (notamment en remplaçant le face à face par un contact téléphonique, direct ou informatisé), automatisée (par le recours à un distributeur automatique) ou si des économies d'échelle peuvent être obtenues dans l'arrière-scène par un traitement de masse ou une bonne utilisation des capacités.

Baumol (1985) distingue ainsi trois types de services :

- **les services stagnants** (la santé, l'éducation, les services à la personne), où des gains de productivité sont difficilement réalisables parce que la qualité est grandement proportionnelle au temps passé en contact avec le client. Dans ces secteurs, le recours aux nouvelles technologies améliore la qualité du service, mais n'en accroît pas la productivité.

- **les services évolutifs** (services de communication), où le contact client-producteur peut être réduit et standardisé permettant une grande amélioration de la productivité et une forte pénétration des technologies les plus sophistiquées.

- **les services en phase de stagnation** (télévision, radio et informatique), dont la productivité après avoir crû de façon spectaculaire dans les premiers temps, grâce à l'automatisation des activités de support, se réduit graduellement au fur et à mesure qu'augmente le volume d'interactions à forte teneur en main-d'œuvre.

2. Mesurer l'intensité du service

Comme le montre clairement l'analyse rapide des quatre catégories de la Figure 2.2., la partie service d'une activité peut beaucoup varier. L'intensité de service peut être mesurée par le coût de l'interaction, ou sa valeur ajoutée.

$$\text{Intensité de service} \; = \; \frac{\text{Coût de l'interaction (personnel + équipement)}}{\text{coût total}}$$

$$\text{ou} \; = \; \frac{\text{Valeur ajoutée de l'interaction}}{\text{Valeur ajoutée totale}}$$

$$\text{ou} \; = \; \frac{\text{Heures passées avec le client}}{\text{Total heures utilisées}}$$

Figure 2.2. Mesure de l'intensité de service.

3. LA GESTION DE L'ARRIÈRE-SCÈNE ET DE L'AVANT-SCÈNE

Nous avons donc abouti à une classification significative. Nous allons maintenant montrer en quoi la délivrance d'une prestation en avant-scène est différente de la transformation physique à l'arrière ?

3.1. La transformation dans l'arrière-scène

La fabrication de pièces en usine, le traitement d'information dans les bureaux d'une banque ou la préparation d'un repas en cuisine, ont tous ceci de commun qu'ils se déroulent dans l'arrière-scène. Les activités de production ont donc comme particularités :

1) d'avoir pour objet la transformation d'un bien relativement tangible,
2) de se dérouler hors de la présence du client,
3) de faire appel à un marketing « transactionnel ».

Développons successivement ces trois points.

3.1.1. La transformation d'un bien relativement tangible

A. La tangibilité

Les matières premières sont transformées en produits finis. Le résultat de cette transformation est concret, mesurable et spécifique, même lorsqu'il s'agit d'informations ou de données digitales ou électroniques.

B. La gestion des stocks

Les stocks de matières premières, d'en-cours et de produits finis reflètent un déséquilibre entre les processus ou entre la capacité de production et la demande. Si la demande est supérieure à la capacité, des stocks devront être constitués à l'avance. Dans le cas inverse, des stocks s'accumuleront. De toute façon, les stocks agiront comme des tampons utiles, même à l'ère du juste-à-temps.

C. La gestion de la qualité : le zéro défaut

Les produits peuvent être vérifiés, inspectés et modifiés tout au long du processus de fabrication. Intégrer la démarche qualité lors de la conception du produit ou au cours de sa fabrication permet de réduire les rebuts, les contrôles et les coûts de réparation ou de garantie. Toutes ces démarches ne sont pas visibles par le client, mais l'objectif final est le zéro défaut.

3.1.2. L'absence du client

A. La standardisation

Les biens sont produits selon des standards et des spécifications bien précises. Les produits sont conçus et contrôlés soigneusement en fonction d'un cahier des charges et de normes à chaque étape de la transformation, de la vérification des matières premières jusqu'aux contrôles ultimes. Le principal objectif est de maîtriser et réduire les écarts et d'assurer des caractéristiques rigoureusement constantes.

B. La faible participation du client

La nécessité d'accroître constamment la productivité a conduit à la production de masse et à l'éloignement du site de production du consommateur final. Produire plus, c'est également privilégier la recherche de nouveaux clients et la rentabilité à court terme au détriment parfois du contact et de la participation des clients acquis.

C. Production centralisée et circuits de distribution

Pour réduire le coût des matières premières, de la main-d'œuvre ou du transport, la production est souvent centralisée dans des usines construites très loin du consommateur final. Dans de nombreux cas, la vente et le service au consommateur final ont été confiés à des circuits de distribution indépendants de l'entreprise productrice.

3.1.3. Le marketing transactionnel

A. Le marketing mix classique

Le mix classique, désigné par les quatre P (Produit, Prix, emPlacement (i.e. *Place*), Promotion), a principalement pour objet de conquérir de nouveaux clients. Il repose sur une communication de masse auprès de personnes considérées davantage comme des unités statistiques dans le segment visé, que comme des individus nécessitant un traitement particulier.

Selon S.Vandemerwe (1993)

> « *D'une façon générale, les relations entre producteurs et consommateurs étaient essentiellement transactionnelles dans les années 60. Elles étaient du ressort de professionnels de la vente qui étaient censés vendre en quantité autant de « choses » que possible. Une approche « plus relationnelle » est apparue dans les années 70, lorsque le marketing a tenté de mieux comprendre ses marchés et ses clients. A la fin des années 80, les observateurs appelaient de leurs vœux une relation dite « interactive », en exigeant notamment l'établissement de liens plus forts et plus durables entre l'entreprise et ses clients.* »

B. La maîtrise des circuits de distribution

Les circuits de distribution, grossistes, revendeurs, négociants ou détaillants, distribuent des biens produits en usine. Leur éloignement et leur indépendance leur donnent, toutefois, un très grand pouvoir et a pour effet d'interdire quasiment tout contact entre l'usine ou le lieu de transformation et le client final.

3.2. La prestation sur l'avant-scène

Un service « pur » se caractérise essentiellement par son absence de tangibilité. Il n'y a pas transformation d'une chose, mais établissement d'un lien entre prestataire et client. Nous en tirons trois caractéristiques :

1) le service est une **prestation unique** au cours de laquelle le client entre en interaction et « utilise » le personnel en interface.
2) le client est **présent** soit physiquement en face à face, soit indirectement grâce aux nouveaux moyens de communication ou d'automatisation.
3) dans la mesure où la prestation est fondée sur une relation particulière avec le client, le **marketing** d'un service devient **relationnel**.

Développons ces trois points.

3.2.1. Le service est une prestation unique

A. L'immatérialité du service

Par définition, les services ne sont pas tangibles. Les clients ne peuvent toucher que les biens matériels qui y sont associés (par exemple les plats préparés dans la cuisine d'un restaurant). Ce qu'ils reçoivent et perçoivent passe par différentes interactions avec le personnel, le matériel, les locaux et le cadre, les autres clients, etc.

Un service ne peut donc pas être présenté, possédé ou acheté de la même façon qu'un bien. Il ne peut pas non plus être protégé par le dépôt d'un brevet. Une des seules façons de présenter un service est d'en donner un échantillon ou un avant-goût (l'avant-première d'une pièce, des extraits d'un film, le témoignage d'un ami ou l'avis d'un expert).

Cette immatérialité a de profondes conséquences. Si le marketing des produits de grande consommation peut promouvoir l'objet au moyen d'associations abstraites et d'images (par exemple, l'association parfum et plaisir ou Coca-Cola et authenticité), les services étant immatériels ont besoin de faire appel à des éléments concrets. Comme l'a écrit Jan Carlzon dans « *Moments of Truth* » :

> " *Chez SAS, nous avons écarté les slogans publicitaires vagues et indéfinis tels que : « ouvrir le monde aux Suédois ». Nous les avons remplacés par des messages concrets et simples : « Pas de file d'attente », « Des salons d'accueil pour la classe affaires », Aussi proche que possible de la première classe avec un billet économique !* "

Chez McDonald's, le message est basé sur des éléments matériels faciles à vérifier : partout le même cadre, les mêmes couleurs, le même graphisme ou les mêmes tenues.

B. Un service est périssable et ne peut être stocké : la gestion de la capacité

Le service étant une prestation, on ne peut ni se l'approprier, ni le stocker. Il doit être consommé au moment de sa production. Il n'existe pas en dehors de la prestation et pour paraphraser la fameuse citation de McLuhan « *Le média est le message et le message est le média* », nous pourrions dire que « le processus de délivrance est le service et le service est le processus ».

Les services ne peuvent donc figurer à l'inventaire ou être thésaurisés. Il est évidemment impossible de détenir une représentation de théâtre ou le vol *Paris-Rome* de la semaine dernière. Les services non consommés sont définitivement perdus. Si la demande excède l'offre, le client est soit « stocké » dans une file d'attente, soit perdu. Dans le cas contraire, une partie de la capacité reste inutilisée (lits d'hôpital inoccupés, chambres d'hôtel vides et personnel en trop). Il s'agit donc essentiellement d'ajuster l'offre à la demande et de maximiser l'utilisation de la capacité.

C. La qualité de la prestation : l'objectif zéro défection

Parce que le service est une prestation unique en présence du client, il doit être réussi du premier coup, au moment même de l'interaction. Contrairement à ce qui se passe dans une usine, une fois que le service a été produit, il est trop tard pour l'améliorer ou le corriger. La prestation ne peut être mesurée, contrôlée ou corrigée en cours de la délivrance sans que le client en soit conscient.

Savoir ce que ressent le client lors de l'interaction est également problématique. Sa perception est immédiate, subjective et qualitative. Si quelque chose se passe mal au cours de la prestation, le client doit être « réparé », nous disons ici « récupéré ». Ainsi, si l'objectif de l'arrière-scène est le zéro défaut et celui de l'avant-scène le **zéro défection** (Reichfeld et Sasser, 1990).

En fait, chaque « moment de vérité » peut être composé de plusieurs interactions : interaction avec le personnel (ce qu'il dit et fait, comment il le dit et le fait) ; interaction avec les différents moyens techniques et physiques (distributeurs automatiques, salles d'attente, cadre, matériel et équipe-ment) ; interaction avec le processus (attente, participation, prise de rendez-vous, réclamation…) et interaction avec les autres clients concernés par le même processus au même moment. En un mot, le « quoi », le résultat de la prestation, est conditionné par les quatre « comment » de la Figure 2.3.

Les clients ont une perception globale du service. A chaque fois que quelque chose se passe bien, ils créditent le « compte satisfaction ». Par contre, à chaque fois que leurs attentes sont déçues, ils débitent ce compte et, malheureusement, un débit vaut plusieurs crédits. Si le solde reste positif, les clients restent fidèles et expriment une opinion globalement favorable telle que : « J'aime faire mes courses dans ce magasin » ou « J'aime ce restaurant ».

Comme l'a dit Jan Carlzon dans « *Moments of Truth* » :

> « *L'an dernier, chacun de nos dix millions de clients a été en contact en moyenne avec cinq membres du personnel de Scandinavian Airlines, et chaque contact a duré en moyenne 15 secondes. Ainsi Scandinavian Airlines « existe » dans l'esprit de nos clients cinquante millions de fois par an pendant quinze secondes à chaque fois. Et ce sont ces cinquante millions de moments de vérité qui vont déterminer si l'entreprise Scandinavian Airlines va gagner ou perdre. C'est au cours de ces moments de vérité que nous devons prouver à nos clients que Scandinavian Airlines est leur meilleur choix possible.* »

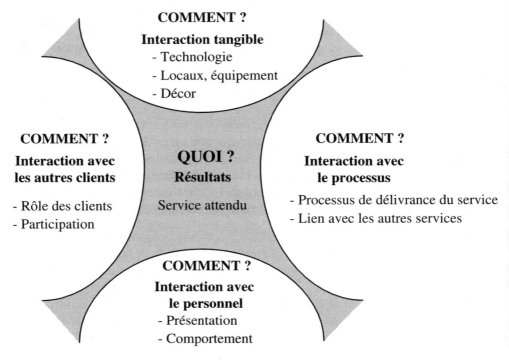

Figure 2.3. Quatre "Comment ?" pour un "Quoi ?".

3.2.2. La présence du client

A. La diversité et la volatilité des clients

La présence du client à l'intérieur du processus de prestation crée une source d'incertitude majeure. En effet, lors de la prestation, le personnel est appelé à entrer en interaction avec des clients dont le comportement est difficilement prévisible. Ces derniers, loin d'être passifs, constituent une « matière » particulièrement réactive et difficile à contrôler. Un même service est ainsi confronté à une grande variété de demandes : demandes d'une même personne qui peut changer d'avis d'une prestation à l'autre ou au cours de la prestation, demandes de personnes différentes. Les différents termes utilisés pour désigner un client illustrent d'ailleurs la très grande variété des rôles qu'il peut jouer : *usager, abonné, bénéficiaire, spectateur, contribuable, numéro, patient, hôte, visiteur* etc. Cela rend difficile, voire impossible, toute standardisation.

B. L'implication du consommateur

Les clients font partie intégrante de la prestation et ont donc un rôle majeur à jouer. Celui-ci peut être de pure routine ou demander un effort particulier, tel que fournir des informations pour aider au diagnostic, participer à la recherche d'une solution. Les clients guident et contrôlent le prestataire et peuvent même intervenir avant ou après le contact. Tel est, par exemple, le cas d'étudiants devant préparer leurs cours et faire leurs exercices par la suite. Ainsi, loin d'être des « choses » sur lesquelles s'exercerait un processus de transformation aveugle, les clients peuvent contribuer à améliorer la conception du service et sa prestation. Leur participation, source d'incertitude, peut donc se révéler essentielle pour améliorer l'efficacité du service. Les clients peuvent, à cet égard, être considérés comme de véritables employés à temps partiel (Mills, 1986). Ils sont co-producteurs.

C. Localisation et Réseaux

Les services étant produits et consommés en même temps, il est essentiel de disposer d'un emplacement adéquat pour être proche des consommateurs. Remplir cette condition est particulièrement nécessaire en ce qui concerne les hôtels, les restaurants ou les magasins pour lesquels l'emplacement est un facteur-clé du succès.

Il n'y a pas pour les services, comme cela existe pour les biens de grande consommation, de circuits de distribution. Les services sont produits et distribués simultanément à travers des réseaux d'unités décentralisées, telles qu'agences, chaînes de restaurants ou de magasins. Facilité d'accès et emplacement privilégié jouent toutefois un rôle moins important lorsqu'on peut se passer de la présence physique du client grâce aux différents outils de communication.

3.2.3. Le marketing relationnel

Dans le cas de la production industrielle, la vente du bien est postérieure à sa production et antérieure à sa consommation. L'objet est vendu (et donc promu) parce qu'il existe. Dans le cas d'une prestation de service, ce rapport est inversé : le service est vendu avant d'être produit et consommé. Sa promotion porte ainsi sur un « produit » qui n'existe pas encore.

A. Un marketing mix étendu

L'objectif du marketing est de faire connaître un bien aux consommateurs et de les convaincre de l'acheter. Toutefois, le marketing mix classique (les « quatre P ») utilisé pour promouvoir un bien matériel se révèle insuffisant dans le cas d'une prestation de service.

La **Promotion** d'un bien tangible, effectuée par le biais des media classiques, se révèle d'abord moins efficace pour la vente d'un service pur que le bouche-à-oreille né de l'expérience du client. L'**emPlacement** de la prestation est, ensuite, celui de son lieu de production et non celui fourni par un circuit de distribution. La sensibilité au **Prix** est également différente : d'une façon générale, le client accepte plus facilement le prix qu'on lui propose pour un bien tangible que pour un bien immatériel. Enfin, et il ne faut pas l'oublier, la prestation recouvre non seulement le **Produit** qui est le résultat attendu du service, mais également le **Processus de délivrance**. Les clients ont, en effet, beaucoup de mal à dissocier le « produit » lui-même du processus et de l'interaction avec le personnel.

Aussi pour prendre en compte cette dernière donnée, certains auteurs ont ajouté deux nouveaux P au marketing mix (Produit, Promotion, Place, Prix) : les **Participants** – le personnel et les clients - et le **Processus de délivrance**.

L'objectif du marketing ne se borne pas à attirer de nouveaux consommateurs. Il doit également transformer la clientèle acquise en acheteurs fidèles et même, si possible, en défenseurs de la marque. Dans le cas d'une prestation de service, le marketing transactionnel peut plus facilement évoluer vers un marketing relationnel lorsque s'établit et se construit la relation avec le client.

L'importance de la relation client est souvent ignorée ou mésestimée. Un employé de banque, par exemple, estime souvent que son rôle se borne à vendre des produits alors qu'en fait, il vend une relation, une expérience. Ses clients aiment avant tout avoir affaire à des systèmes connus et à un visage familier. Les sociétés de service qui renforcent l'interaction et l'adéquation aux besoins de leurs clients peuvent ainsi créer de puissantes barrières d'entrée sur leur marché et justifier des prix plus élevés.

Le marketing devient donc une **fonction intégrée** : le contact est du ressort du personnel et celui-ci occupe une fonction de **marketing à temps partiel** (Grönroos, 1990). Cette rencontre entre les clients et le personnel au cours de l'interaction est souvent illustrée par un triangle : la firme est placée sur le sommet du triangle, les clients et le personnel sont placés sur un même niveau. L'employé fournit, contrôle et commercialise la prestation ; le client participe au processus de production (co-production), contrôle et éventuellement commercialise cette même prestation (par le bouche à oreille).

Ce triangle illustre la très forte relation qui existe entre la satisfaction du client et la satisfaction du personnel : si l'un est heureux, l'autre l'est aussi.

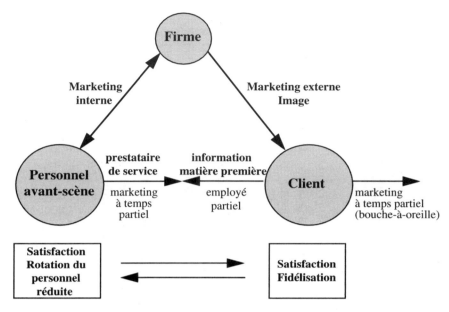

Figure 2.4. Le triangle des services.

En un mot, clients et personnel ont des fonctions de marketing et de production à temps partiel.

Le succès d'une société de service dépend donc clairement de sa capacité à établir une relation satisfaisante avec chacun de ses clients. Non seulement elle les fidélisera, mais encore elle leur vendra davantage de services. De ce fait, elle pourra réduire ses coûts de deux manières : soit par ce que nous appellerons **économie d'élargissement (*economy of scope*),** c'est-à-dire par la vente d'une gamme de service plus large au même consommateur, soit par des **économie de relation** lorsqu'il sera possible de réduire les coûts en vendant régulièrement le même service.

C. Le marketing interne

Si le personnel joue un rôle primordial dans la promotion de la prestation, encore faut-il qu'il ait bien compris son rôle et qu'il soit prêt à avoir un comportement adéquat. Avant toute promotion externe, il faut donc vendre le service à ceux qui vont le fournir, faire œuvre de marketing interne. Il est primordial que toute nouvelle campagne de communication pour un nouveau service vise à la fois le personnel, client interne et les clients externes. L'effort consenti sur ce marketing interne doit être comparable à celui que fait le fabricant pour son réseau et ses circuits de distribution.

« Produits Purs » en arrière-scène	« Services Purs » en avant-scène
I. Transformation A) Un bien relativement tangible B) Contrôle de la demande : Gestion des stocks C) Gestion de la qualité : l'objectif zéro défaut	**I. Prestation** A) Une prestation intangible B) Contrôle de la demande : Gestion de la capacité C) Gestion de la qualité : l'objectif zéro défection
II. Absence du client A) Standardisation B) Peu de participation du client C) Production centralisée et circuits de distribution	**II. Présence du client** A) Chaque client est unique B) Participation (voire co-production) du client C) Localisation près du client
III. Le marketing transactionnel A) Le marketing mix classique (4 P) B) Le contrôle des circuits de distribution	**III. Le marketing relationnel** A) Le marketing mix étendu (6 P) B) Le marketing interne

Figure 2.5. Comparaison produits purs et services purs.

CONCLUSION

La comparaison entre les « services purs » en avant-scène et les « produits purs » en arrière-scène nous a permis de voir la différence qu'il existe entre leur mode de gestion respectif. Nous les résumons sur le tableau ci-dessous.

Il semble donc utile de bien séparer les activités de l'arrière et de l'avant. Les enseignements tirés de la fabrication ne s'appliquent pas forcément à l'interface et vice versa. Une compagnie d'assurance peut investir des sommes considérables dans ses activités de support pour réaliser des économies d'échelle, mais cet effort perdra son efficacité si elle néglige le service au client en interface. Comprendre la différence entre avant-scène et arrière-scène ne signifie pas pour autant qu'il faille les séparer. Notre distinction volontairement forcée par souci pédagogique ne doit pas nous amener à déformer la réalité. Ces deux composantes sont étroitement mêlées. Elles font toutes deux partie du même système et les activités de l'arrière sont là pour soutenir l'avant. L'intensité de l'interaction en interface est une variable que la direction doit contrôler de façon à mettre produit et service en adéquation avec le besoin du client et ce qu'il est prêt à dépenser.

Nous reprochions à la démarche empirique de partir des faits pour aboutir à une définition imparfaite des services. Nous avons adopté la démarche inverse en définissant d'abord un « service pur », puis en montrant que la distinction entre avant-scène et arrière-scène au sein de chaque activité était significative. Il nous reste à démontrer que cette nouvelle définition est opérationnelle tout au long des prochains chapitres.

Chapitre 3

POSITIONNER LE SERVICE :
LA MATRICE D'INTENSITÉ DE SERVICE

Au cours des prochains chapitres, nous allons examiner la création et la conception d'un service. Tout commence par le positionnement du service en fonction des besoins du client. Un premier positionnement peut se déduire facilement de notre définition des services.

1. LE POSITIONNEMENT DES SERVICES SUR LA MATRICE D'INTENSITÉ DE SERVICE

Dans le chapitre précédent, nous avons montré que le service se jouait sur l'avant-scène. Cette possibilité constitue, en quelque sorte, un premier axe de positionnement. Celui-ci est toutefois incomplet : il rend compte uniquement de la façon dont le client est traité et non du résultat qui sera obtenu. Ainsi, lorsqu'un client choisit un restaurant il s'intéresse autant au type de nourriture qu'il aura dans son assiette qu'à la façon dont il sera servi.

Le premier élément d'une prestation se rapporte donc au « résultat », à ce que le client reçoit. Le second élément correspond au mode d'interaction, à l'intensité de contact avec processus de délivrance et le personnel. Ce sont deux « dimensions » essentielles qui devront être prises en compte lorsque sera esquissée la conception du service. Examinons-les successivement.

1.1. L'importance du résultat

Lorsqu'un client achète une prestation, il recherche d'abord un résultat. Cette dimension « produit » peut se mesurer en prenant en compte le niveau de personnalisation du service proposé.

Ainsi, tout service peut être positionné sur un premier axe, un axe « produit ». A l'une des extrémités, le service est unique et fortement personnalisé, dépendant étroitement des désirs particuliers du client. A l'autre extrémité, lorsque le service est devenu banal et bien compris par le client, la prestation devient standard.

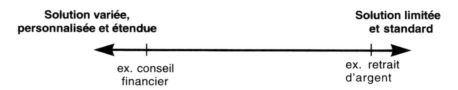

Figure 3.1. La dimension Résultat.

1.2. L'importance du mode d'interaction

Dans les services à fort niveau de contact, tels que ceux fournis par les cabinets d'avocats, les institutions financières ou les hôpitaux, l'interaction est forte : les clients participent à la réalisation de la prestation en en facilitant ou en en contrôlant l'exécution. Dans les services à faible niveau de contact, tels que les points de vente de restauration rapide ou les banques de réseau, l'implication du client est, par contre, relativement faible. Les clients savent ce qu'ils doivent faire et les employés ont des rôles bien définis.

L'intensité de l'interaction peut être mesurée de différentes manières. On peut prendre en compte la durée du contact. Cette durée sera, par exemple, d'une semaine dans un village du Club Med ou d'une minute pour l'achat d'un billet de train. On peut également considérer la fréquence d'utilisation du service, sa nature (face à face ou à distance par téléphone) et le niveau de compétence engagé. Dans le cas d'une simple transaction bancaire, le face-à-face avec un expert est trop coûteux. Le client peut se contenter d'un échange téléphonique ou d'une simple interaction avec un ordinateur ou un distributeur automatique. Il faut souligner que lorsque la transaction est effectuée par correspondance, il n'y a plus d'interaction en temps réel avec l'interface, les transactions relèvent alors uniquement des activités de support à l'arrière.

Il est ainsi possible de positionner n'importe quel service sur un second axe qui mesure l'intensité de l'interaction.

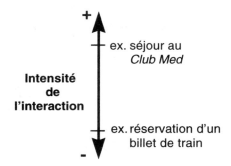

Figure 3.2. La dimension Interaction

1.3. La matrice d'intensité de service : positionnement et focalisation

Grâce à ces deux variables, il est alors possible de réaliser un premier positionnement très général du service. Une **matrice d'intensité de service,** dont l'axe horizontal montre l'étendue et la personnalisation du service proposé et l'axe vertical correspond à l'intensité de l'interaction, pourra nous permettre de comparer différentes prestations entre elles.

La partie supérieure gauche de la matrice correspond aux services nécessitant une forte implication du personnel pour répondre à une demande personnalisée. C'est le cas des services proposés par les cabinets d'avocats, les institutions financières ou les hôpitaux. Les réponses mieux préparées pour des besoins clairement définis se situent plus bas sur la diagonale, et les services simples et standardisés, tels que les transactions bancaires ou la restauration rapide, ne nécessitant qu'un contact limité, se situent dans la partie inférieure droite de la matrice. Dans certains cas, comme celui du retrait d'argent d'un distributeur, le personnel n'a même plus besoin d'être présent puisque les clients savent exactement ce qu'ils doivent faire.

Nous avons déjà fait remarquer l'étroite relation qui existe entre le « produit », ou la solution attendue par le client, et le « processus » ou mode d'interaction correspondant. Comme nous l'avons déjà évoqué : « le processus est le produit et le produit est le processus ». On peut donc s'attendre à trouver une forte corrélation entre ces deux dimensions. Les services auront tendance à se situer essentiellement le long de la diagonale de la matrice.

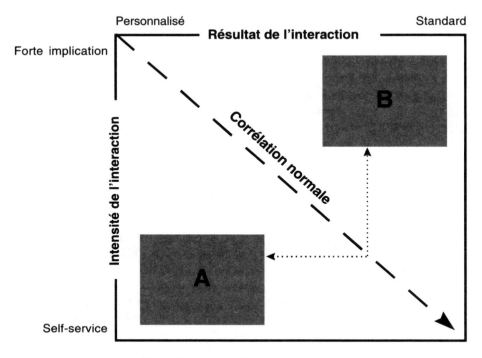

Figure 3.3. Matrice d'intensité de service.

Cette diagonale permet aussi de rendre compte du phénomène bien connu selon lequel une prestation, bien qu'étant au départ personnalisée, a tendance à s'uniformiser au fur et à mesure qu'elle se diffuse et entre dans les moeurs. On observe alors une baisse concomitante de son prix. En effet, plus un service se standardise, plus il devient nécessaire de baisser son prix car c'est le seul moyen de le différencier. Cette diminution du prix entraîne à son tour une réduction de l'interaction qui a pour effet de conduire à un service encore plus standardisé. Ce cercle vicieux, qui conduit en général à une guerre des prix, se lit sur notre matrice comme un déplacement vers le bas, le long de la diagonale.

Comment éviter alors cette logique dangereuse et quitter la diagonale ? La Figure 3.3. semble nous indiquer deux voies :

1) La première consiste à évoluer vers la zone A, c'est-à-dire à assurer une prestation plus personnalisée avec le même niveau de contact. Cette solution a l'avantage de permettre un contrôle des coûts lorsqu'il est possible d'opérer une certaine automatisation des activités de support (grâce notamment à l'informatique).

2) La seconde voie consiste à aller vers la zone B, c'est-à-dire à augmenter l'interaction tout en gardant un produit relativement standardisé. Cette solution apparaît clairement comme la plus instable. Le client doit dans ce cas accepter de payer plus cher un service dont le résultat est relativement standard.

La matrice peut donc jouer un double rôle : elle peut être utilisée pour positionner une prestation et pour mieux focaliser le type de service proposé. Une entreprise qui essaierait de tout faire pour tous les clients dissiperait son énergie et réussirait moins bien qu'une entreprise qui concentrerait ses efforts et focaliserait des unités spécialisées sur certains marchés. Plus le marché cible est homogène, plus le processus peut être précis et maîtrisable. Ainsi, la compagnie d'assurance *Hartford Steam* a concentré ses services d'inspection et d'assurance sur certains secteurs industriels. Comme l'ont expliqué Heskett, Sasser et Hart dans leur livre *Service Breakthroughs* :

> « *Hartford Steam concentre une armée d'ingénieurs sur certains clients industriels et ces équipes recueillent et développent une somme considérable d'expérience sur un concept de service étroit concernant l'inspection et l'assurance des chaudières et de leurs équipements immédiats. Des programmes de maintenance préventive constants permettent de garantir que le matériel assuré ne court que peu de risques et la compagnie d'assurance Hartford Steam règle moins de sinistres aux mille clients que ses concurrents.* »

Hartford Steam n'a pas beaucoup de clients, mais elle peut se développer en proposant davantage de services à chacun de ses clients. Elle réalise alors des **économies d'élargissement** en capitalisant sur chaque client.

En descendant vers la partie inférieure droite de la matrice, nous trouvons d'abord des sociétés qui offrent des services modulaires (personnalisation de masse), puis des entreprises qui proposent des solutions standard. Ainsi, *Federal Express* propose la livraison le lendemain matin de documents et de petits colis. Ce service très standard n'implique que peu d'interaction avec le client. Le facteur clé de succès est la maîtrise de la logistique et le traitement de l'information lors de l'acheminement du colis à l'arrière. Les entreprises de messageries rapides ne peuvent se développer qu'en augmentant la population desservie pour obtenir des économies d'échelle dans les activités logistiques à l'arrière. Elles se bornent à ne faire qu'une seule chose très bien pour un nombre très important de clients.

Ce principe de focalisation peut être étendu à différentes activités à l'intérieur de la même entreprise, car il n'est pas optimal d'utiliser le même niveau d'interaction et de ressources pour des besoins différents. Ainsi, un face-à-face avec le responsable de la clientèle d'une banque est le bon niveau d'interaction pour des clients aux besoins financiers complexes, mais ce mode n'est pas adapté à des transactions courantes qui peuvent être prises en charge par un automate. **Focaliser des activités de services signifie ajuster le processus de délivrance au service attendu.**

2. LE POSITIONNEMENT DES BIENS INDUSTRIELS

Les activités de transformation dans l'arrière-scène peuvent être décrites par une matrice analogue. La Figure 3.4. représente la matrice produit/processus utilisée pour la production de biens industriels (Hayes et Wheelwright, 1979).

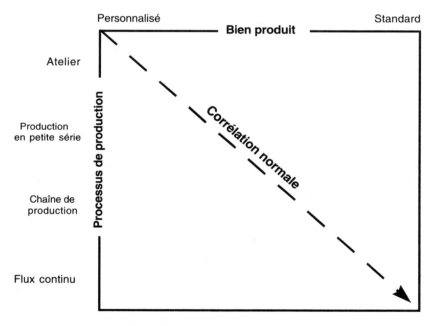

Figure 3.4. Matrice produit/processus.

L'axe horizontal représente l'évolution du produit depuis son lancement, alors qu'il est personnalisé et fabriqué en faible quantité, jusqu'à son stade de maturité, lorsqu'il est devenu un article courant vendu en volumes importants. L'axe vertical illustre les processus de production successifs depuis le travail en atelier jusqu'au flux continu.

On retrouve sur la diagonale de cette matrice la corrélation entre le niveau de standardisation et le processus de production. Les produits sur mesure sont, en effet, fabriqués dans des ateliers où les activités sont regroupées en secteurs homogènes, selon les métiers. C'est le cas des imprimeries, des garages ou des cuisines des grands restaurants. Bien que cela soit avantageux sur le plan de la flexibilité, les coûts sont élevés en raison de la complexité de l'ordonnancement de la production, de la sous-utilisation des moyens et de l'obligation de disposer d'un personnel qualifié. A l'inverse, la chaîne de production, qui peut produire davantage de produits plus standardisés à plus faible coût, n'est pas aussi souple.

En suivant la courbe d'expérience sur la diagonale, on trouve des modes de production de plus en plus standardisés. Pour gagner en productivité, il faut investir davantage en moyens de production de plus en plus massifs au détriment de la flexibilité (par exemple, production de l'acier, du verre plat ou du papier). Au fur et à mesure que les produits se standardisent, la seule différenciation possible vient du prix et le cercle vicieux s'enclenche : la réduction de coûts entraîne une capacité accrue qui, à son tour, entraîne des réductions de prix, puis de coûts et ainsi de suite. Pour éviter ce piège, le processus doit gagner en flexibilité pour permettre une personnalisation à faible coût. Cette flexibilité peut être obtenue grâce à l'informatique, l'automatisation et la robotisation.

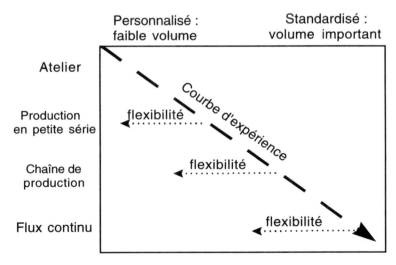

Figure 3.5. Utilisation optimale de la matrice.

3. Des exemples de positionnement

3.1. Les services à la personne : l'exemple de la restauration

Les restaurants gastronomiques proposant des menus sophistiqués dans un cadre agréable ont un haut niveau d'intensité d'interaction et de personnalisation. De façon à assurer la flexibilité nécessaire, la cuisine est donc organisée comme un atelier, regroupant chaque type de préparations par métier, la pâtisserie dans un coin, le poisson dans un autre, les sauces d'un côté. Ces restaurants se positionnent ainsi sur l'extrémité gauche des diagonales.

Dans la restauration rapide, la faible intensité de l'interaction correspond au niveau élevé de standardisation de la nourriture servie. Dans la cuisine, les plats sont préparés sur des chaînes de production classiques. Les fast-food se situent donc aux extrémités droites des diagonales des deux matrices.

Le concept des restaurants japonais Benihana est différent. Huit convives placés autour d'une table regardent le chef préparer et cuisiner sous leurs yeux. Bien que le spectacle soit relativement standard, l'interaction est intense. Dans la cuisine, par contre, le travail est relativement simple. Les matières premières sont préparées à l'avance en lots, prêtes à être livrées à la salle à manger. Ce type de service peut donc être positionné dans ce que nous avons appelé zone B de la matrice d'intensité de service (Figure 3.6.).

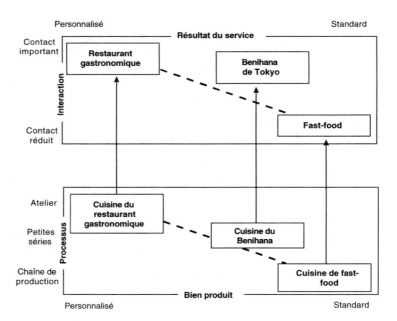

Figure 3.6. Correspondance entre positionnement service et production.

Comme nous l'avons déjà vu, la situation de la restauration rapide (partie inférieure droite de la matrice) n'est pas très confortable. Pour éviter de sombrer dans une guerre des prix meurtrière, il existe trois possibilités :

1) accroître la variété des repas présentés, comme l'a fait, par exemple, McDonald's lorsqu'il a décidé d'ajouter au fameux hamburger-frites standard les beignets de poulet, *chicken McNuggets*, les préparations de poisson, les salades ou le breakfast ;

2) donner davantage de « service », à savoir accroître l'intensité de l'interaction, ce qui a été le choix de la chaîne Benihana en mettant les chefs dans la salle ;

3) réduire l'intensité de l'interaction et repositionner l'activité davantage dans la distribution alimentaire que dans la restauration, comme l'ont fait Domino's Pizza et Taco Bell.

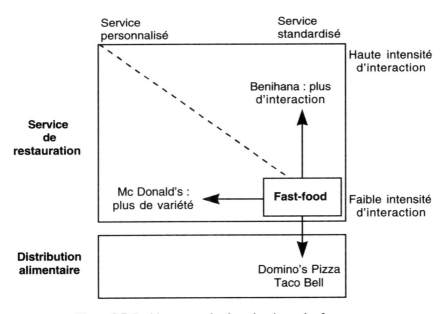

Figure 3.7. Positionnement le plus adapté pour les 3 marques.

La livraison de pizza à domicile telle que pratiquée par Domino's Pizza est bien évidemment un autre type de service : il se situe dans le secteur de la distribution alimentaire avec une production centralisée pour réduire les coûts. De son côté, Taco Bell, qui est une chaîne de restauration rapide mexicaine, a réussi une remarquable transformation en réduisant la taille de ses cuisines qui ne font plus que de l'assemblage. La production est centralisée pour obtenir des économies d'échelle appréciables et un meilleur contrôle de la qualité. Les points de vente ont pu alors se multiplier, sous toutes les formes (restaurants, camions, kiosques, etc.), à moindre coût car il ne leur restait plus qu'à conditionner et livrer des plats déjà préparés.

3.2. Les services de distribution

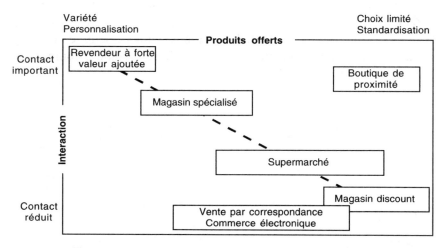

Figure 3.8. Matrice interaction/produits offerts en distribution.

Les boutiques de proximité se trouvent en position délicate. Leurs clients ne sont pas toujours prêts à payer plus cher pour des articles standard qui pourraient être obtenus à moindre coût dans un supermarché. Leurs avantages principaux sont la situation de l'emplacement, les horaires d'ouverture tardifs, ainsi que la qualité de leur relation avec la clientèle.

3.3. La banque de réseau

A l'aide de la même matrice, il est également possible de représenter les différentes activités d'une banque de réseau. Chacune d'entre elles nécessite des niveaux d'interaction différents allant du face-à-face à la transaction automatisée ou informatisée (Figure 3.9.).

Cet exemple montre clairement l'ajustement naturel du niveau de l'interaction par rapport à la complexité de la transaction. Le coût du face-à-face

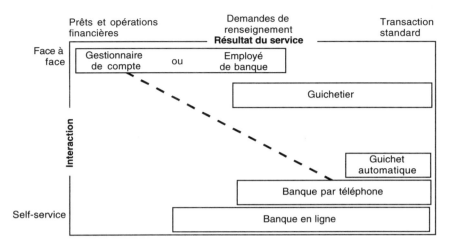

Figure 3.9. Matrice d'interaction pour les banques de réseau.

pour des transactions courantes (partie supérieure droite de la matrice) ne se justifie plus. Le recours au traitement informatique est évident. Mieux encore, la flexibilité des applications informatisées de la banque à domicile permet une grande personnalisation des opérations (ce qu'illustre le glissement vers la partie inférieure gauche de la matrice). Les clients sont plus réticents à se déplacer et à faire la queue dans une agence bancaire et dans le même temps souhaitent une plus grande amplitude d'ouverture et le contact avec un interlocuteur. C'est pour cette raison que First Direct au Royaume-Uni a lancé un service téléphonique joignable 24 heures sur 24, tous les jours de l'année. Des professionnels bienveillants, disposant en temps réel des informations détaillées nécessaires et de l'historique du client, sont facilement joignables et assurent un service rapide et personnalisé.

3.4. Les services de soins

Les unités de soins intensifs, qui fournissent les soins les plus spécialisés, font intervenir différents spécialistes sur le même patient. A l'autre extrême, des traitements relativement standard peuvent être pratiqués en dehors de l'hôpital par le patient lui-même s'il y a été formé, comme c'est le cas pour les dialyses rénales (Figure 3.10.).

L'hôpital *Shouldice*, très ancien établissement privé de Toronto, ne traite qu'un seul type de patients : ceux qui souffrent d'une hernie inguinale. L'hôpital a poussé la spécialisation à un tel point qu'il refuse les obèses

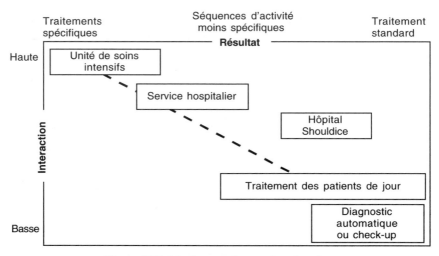

Figure 3.10. Matrice pour les services de soins.

souffrant d'une hernie ou ceux qui ont des antécédents cardiaques lourds. Avec un tel degré de spécialisation, les chirurgiens sont devenus des experts très productifs. Le traitement est presque standard ; les patients subissent une anesthésie locale et sont généralement en mesure de se lever et de marcher immédiatement après l'opération. Malgré cette extrême standardisation, en raison de la remarquable organisation de la prestation et de la qualité de l'interaction, les patients parlent de leur séjour comme ayant été positif et mémorable. Ils nouent des amitiés avec les autres malades, apprécient le cadre agréable et profitent du jardin et du solarium de l'hôpital.

CONCLUSION

Nous avons évoqué deux dimensions très significatives de l'interface : le degré de personnalisation ou de standardisation et l'intensité de l'interaction, deux dimensions que nous évoquerons souvent tout au long de cet ouvrage. Ce sont là les deux aspects les plus déterminants dans la gestion de l'interaction. Malgré sa simplicité et sa rusticité, la matrice que nous avons décrite peut être utile dans n'importe quel secteur d'activité et peut être le point de départ pour concevoir une stratégie de service. Elle permet donc un premier positionnement du service. Il est toutefois possible d'aller plus avant dans ce positionnement, grâce, notamment, à la segmentation de la clientèle et à la définition d'une proposition de valeur. Nous examinerons ce point dans le chapitre suivant.

DEUXIÈME PARTIE

L La démarche

Chapitre 4

SEGMENTER ET PROPOSER DE LA VALEUR

Grâce à la matrice, nous sommes en mesure d'effectuer un premier positionnement et de commencer à réfléchir au **concept** du service. Quel genre de service voulons-nous proposer, à quel niveau de standardisation ou d'interaction ? Il est clair qu'il nous faut maintenant réfléchir en fonction de la cible choisie.

La cible idéale est le client unique. Mais pour des raisons évidentes de prix, il nous faut considérer un segment de clientèle suffisamment large et homogène. Il se pose alors une question de méthode : faut-il commencer par une segmentation du marché avant de définir des concepts de service attrayants pour chaque segment ou peut-on au contraire partir d'un concept intéressant et rechercher s'il correspond à un segment intéressant ? (Figure 4.1.).

La première démarche a été celle de la banque *Comercial Portuguès.* En créant en 1986 une division focalisée sur une clientèle aisée, elle se devait de proposer des produits personnalisés et innovants ainsi que des services plus sophistiqués. Cette stratégie impliquait donc un haut niveau d'interaction au sein des agences : les locaux devaient être conçus et décorés avec goût et l'espace distribué de façon à faciliter une interaction optimale entre les clients et les chargés de clientèle. Lorsque la même banque lança son *Nova Rede* (nouveau réseau) de 21 agences en 1989, elle décida d'élargir sa cible au segment des revenus moyens. L'offre de service se devait alors d'être plus standard et les prestations fournies moins interactives. La banque offrait, par contre, un accès plus direct à ses services grâce notamment à une plus grande informatisation. La segmentation permet ainsi de formuler un concept de service en termes de produits et de solutions, mais aussi en termes de modes d'interaction et de prix.

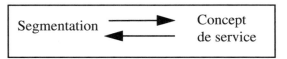

Figure 4.1. Première étape de l'offre de service.

A l'inverse, le point de départ d'un nouveau service peut venir d'un concept initial qui peut ou non déboucher sur une segmentation du marché. Ainsi, Fred Smith a lancé Federal Express dans les années 70 grâce à un concept que l'on pourrait résumer par « la livraison garantie de porte à porte de petits colis dans les 24 heures ». Le segment de marché correspondant était très large et facile à définir : quiconque avait besoin de faire livrer un petit colis dans les 24 heures et qui était prêt à payer pour ce service.

Avant toute formulation de l'offre, il est donc fondamental d'envisager le rapport entre le concept de service et la clientèle qui doit lui correspondre. Ce n'est qu'ensuite qu'il sera possible de procéder à un positionnement plus précis du service.

1. LA SEGMENTATION

Dans un univers très concurrentiel, il est de plus en plus coûteux de donner à tous les clients le même niveau de service sans tenir compte ni de leurs besoins particuliers, ni du prix qu'ils sont prêts à payer. Le but de la segmentation est d'identifier des catégories de clients homogènes qui soit assez étroites pour pouvoir être satisfaites par la même proposition de service et suffisamment larges pour être rentables.

1.1. Services standards et segments assez larges

D'un côté, on trouve les clients sensibles au prix qui acceptent un service de masse qui satisfait un besoin courant, standard et bien connu. La chaîne Domino's Pizza en offre un exemple simple. Son marché cible correspond aux consommateurs qui préfèrent la pizza aux autres types de plat et qui veulent la voir livrée à domicile. Les seuls autres articles figurant au menu sont des boissons gazeuses. Dans l'interaction, le client n'intervient qu'à deux moments, au moment de la commande initiale et au moment de la livraison garantie dans les trente minutes. Le marché cible est donc essentiellement fonction de l'emplacement de la boutique où sont produites les pizzas. La réduction de coûts provient des économies d'échelle réalisées sur la conception, l'achat, la production ou la formation grâce aux 5000 points de vente.

Face à ce type de clientèle, une plus grande différenciation et une meilleure adéquation aux besoins du client peuvent créer un avantage concurrentiel si la personnalisation peut être obtenue à faible coût. Celle-ci est plus facilement réalisable et moins chère dans les services à forte teneur en information tels que les assurances ou les banques. En fait, le moyen le plus simple d'adapter l'offre à chacun des clients est de le faire au cours de la prestation, au moment où l'entreprise entre en contact direct avec le client.

On peut dès lors imaginer un point médian, appelé « personnalisation de masse », où le service de base reste standard mais où la personnalisation se fait dans l'interaction. C'est ainsi qu'un service relativement standard comme un hôtel peut personnaliser sa prestation en appelant le client par son nom lors de l'accueil ou en gardant trace de ses préférences et en s'y référant lors de son retour. De même, en avion les passagers sont sensibles à un personnel attentionné, spontané et capable de résoudre rapidement leurs problèmes sur place.

1.2. Services personnalisés et segments plus étroits

A l'autre extrémité, nous trouvons des services personnalisés, tels que ceux proposés par les consultants ou les avocats. Là, chaque projet ou chaque cas est différent et nécessite l'intervention de professionnels hautement qualifiés et expérimentés. Le segment de marché correspondant est donc relativement étroit. Une firme de consultants peut choisir, par exemple, de développer des relations exclusives et sur le long terme avec seulement quelques grandes entreprises et n'accepter que des missions d'envergure.

1.3. Focalisation et segments multiples

Voyons à présent le cas d'une population cible moins homogène. Dans ce cas, il peut être intéressant de segmenter en proposant des services spécifiques pour chaque segment. Un voyagiste peut ainsi décider de se concentrer sur les segments suivants : les hommes d'affaires, les vacanciers aux destinations lointaines, les jeunes et les sportifs.

• Les hommes d'affaires ont besoin d'informations sur les horaires, les programmes de fidélité et les hôtels appropriés. Ils ont donc besoin d'un service très accessible, rapide et fiable ;

- Les vacanciers aux destinations lointaines recherchent des périples originaux, le tourisme, la qualité de l'hébergement et des guides qualifiés. Ils ont donc besoin d'un haut niveau d'interaction ;
- Les jeunes et les sportifs sont en quête d'aventure à bas prix. Ils se contenteront d'une interaction réduite et rechercheront la plupart des informations eux-mêmes.

Dans la mesure où ces trois segments ont des besoins de services différents, non seulement en termes de « produit », mais également en ce qui concerne le type d'interaction souhaitée, il serait donc très difficile de les satisfaire tous avec la même proposition et le même mode de prestation. Par contre, le voyagiste peut maximiser la valeur perçue par son client et dans le même temps réduire ses coûts en ajustant les différentes propositions et les différents modes d'interaction à chacun des trois segments.

1.4. Les critères de segmentation

La segmentation des produits est généralement effectuée selon des **critères socio-économiques** ou **démographiques** : patrimoine et revenus (consommateurs haut de gamme ou économes), éducation et profession (hommes d'affaires ou étudiants), âge, sexe, etc. Mais lorsque l'aspect service augmente, d'autres critères interviennent :

- **La localisation** : comme les services sont produits et consommés simultanément, l'emplacement et la commodité d'accès jouent un rôle significatif. Ainsi les restaurants Benihan sont-ils localisés en centre ville et les premiers McDonald's au Japon furent installés à Ginza, principale artère commerciale de Tokyo.
- **L'occasion et le rôle** : La façon dont les clients utilisent un service varie selon l'occasion. Les hommes d'affaires peuvent ainsi voyager pour leur plaisir pendant les week-ends et les vacances. De même, les consommateurs peuvent avoir des besoins différents en matière de service téléphonique lorsqu'ils sont en déplacement ou selon qu'ils appellent leur famille ou leur patron. Les habitudes téléphoniques peuvent également être différentes selon que les clients travaillent, font leurs courses ou voyagent.
- **L'utilisation et la fidélité** : Les clients peuvent être divisés en gros utilisateurs (habitués, voyageurs de commerce), en utilisateurs modérés, occasionnels ou non-utilisateurs. Certains consommateurs peuvent être intéressés par une relation de longue durée avec le service concerné. La vitesse de réaction peut être un autre critère de segmentation. Par exemple, ABB Turbo Chargers, une entreprise qui fabrique et entretient des

turbo chargeurs (des turbines fonctionnant avec les gaz d'échappement des moteurs) proposait à tous ses clients un seul délai d'intervention de 48 heures. Cette entreprise offre à présent trois options à des prix différents : une intervention dans les 24 heures, dans la semaine ou dans le mois. Au lieu de segmenter les passagers en hommes d'affaires, touristes et employés de l'aéroport, les restaurants d'aéroport ont intérêt à segmenter leurs clients en fonction de la rapidité du service, selon qu'ils sont pressés ou non.

• **Le profil psychologique** : cette méthode de segmentation comporte une analyse du style de vie, des attitudes et de la personnalité des clients. Ainsi, les investisseurs qui sont disposés à prendre des risques financiers ont généralement une approche agressive de la gestion de leur portefeuille tandis que d'autres plus conservateurs recherchent des revenus plus stables. Certains clients aiment à être servis et sont prêts à en payer le prix, tandis que d'autres sont disposés à mettre la main à la pâte et à participer à la prestation. Certains touristes s'intéressent aux sports, d'autres aux excursions culturelles.

Qu'est-ce qui finalement rend un segment attractif ? Il faut d'abord considérer la taille et le potentiel de vente, de croissance et de rentabilité. Deuxièmement, chaque segment doit être relativement facile à identifier et à définir. Il doit recouvrir une population relativement homogène et être discriminant pour exclure les clients les moins rentables. Un troisième critère concerne le niveau de concurrence : il ne devrait pas être trop difficile d'accéder au segment choisi et de s'y maintenir.

2. LA PROPOSITION DE VALEUR

A ce stade, il devient possible d'affiner le concept de service de façon à mieux le positionner sur le segment choisi. Il convient pour cela de prendre en compte les besoins des consommateurs, les ressources et les compétences de l'entreprise et la situation de la concurrence. Du concept de service, nous pouvons alors aboutir à une **proposition de valeur**, proposition qui définit ce à quoi les clients attachent de la valeur. Autrement dit, celle-ci décrit les bénéfices et les résultats attendus par les clients (Figure 4.2.).

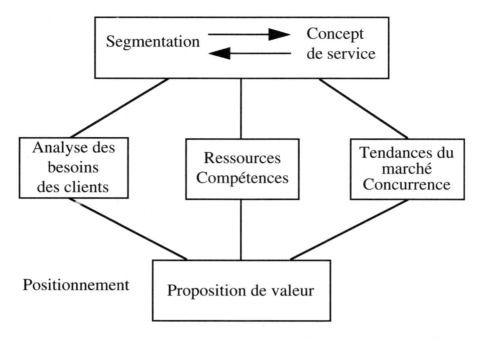

Figure 4.2. Description des bénéfices et résultats attendus par les clients.

2.1. Les composants de la proposition de valeur

Quels sont les éléments qui constituent une proposition de valeur ? Tout d'abord, les consommateurs analysent ce que l'entreprise a l'intention de faire pour répondre à leurs besoins spécifiques ou pour résoudre leur problème. Ils sont également sensibles au mode de délivrance de la prestation, c'est-à-dire, d'une part, à l'interaction avec le processus et, d'autre part, à celle avec le personnel. Les clients s'attendent ensuite à ce que le service corresponde à la promesse qui leur a été faite, et plus le service est immatériel, plus ils doivent faire confiance au professionnalisme de la société. Enfin, ils veulent payer le service le moins cher possible.

La proposition de valeur devra donc se composer de cinq critères: le résultat (le quoi ou solution), l'interaction avec le processus, l'interaction avec le personnel, la crédibilité et la fiabilité de la prestation, le prix. Examinons successivement ces cinq éléments.

2.1.1. Les résultats de base et l'étendue de la solution

Le premier objectif d'un service est de répondre au besoin primordial du client, par exemple, pour un restaurant, offrir un repas. Ce service de base peut ensuite être personnalisé. Une plus grande variété de plats peut être ainsi proposée sur la carte. Il est également possible de faire preuve d'une certaine souplesse en modifiant, par exemple, l'accompagnement normalement servi avec une viande à la demande du client. D'autres caractéristiques peuvent aussi différencier ce service : on peut ainsi proposer des mets traditionnels ou exotiques.

Les clients peuvent toutefois vouloir plus qu'un simple repas. Ils peuvent souhaiter réserver une table, garer leur voiture, prendre un verre avant le repas etc. Il est alors nécessaire d'**étendre la solution proposée** en procurer, par exemple, des services additionnels : réservation, parking ou bar. L'offre d'un **ensemble plus ou moins étendu de services** constitue donc une autre forme de différenciation.

Fournir un service à un client, c'est réaliser à sa place un certain nombre d'activités. La meilleure façon de décider des activités à couvrir consiste à analyser le **cycle d'activité** du client (S. Vandemerwe). Le cycle d'activité d'un client dans l'hôtellerie est illustré en Figure 4.3. Les besoins fondamentaux sont notés en gras.

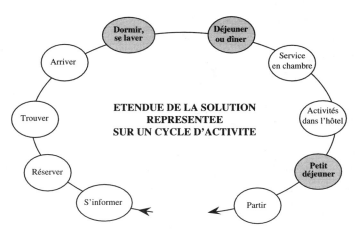

Figure 4.3. Cycle d'activité d'un client.

En partant de la connaissance de l'intégralité du cycle d'activité, il est alors possible de préciser l'étendue de la solution proposée en déterminant les activités qui seront utiles au client recherché. Les hôtels de luxe doivent, par exemple, couvrir l'ensemble du cycle de la Figure 4.3. en offrant un haut niveau de personnalisation et d'interaction pour un prix élevé de plus de 1500 francs par nuit. Dans le secteur de l'hôtellerie touristique, et plus particulièrement dans les hôtels destinés aux voyageurs qui souhaitent avoir un service purement « fonctionnel », la proposition de valeur ne peut comprendre que le restaurant en plus des activités de base pour moins de 300 francs par nuit.

2.1.2. L'interaction avec le processus

Trois aspects essentiels de ce type d'interaction ont été ici isolés :

• **Le temps de réponse** : La rapidité d'intervention est souvent liée à l'existence de files d'attente ou de cycles.

• **La facilité d'accès** dépend de la situation de l'emplacement et des horaires d'ouverture. La société de service doit être facilement accessible. Le service doit être d'une utilisation aisée en minimisant le temps et les efforts des clients sans créer de complications inutiles. En un mot, il doit être convivial, faisant appel à des procédures simples et non bureaucratiques.

• **Le cadre matériel**, c'est-à-dire,
– les facteurs d'environnement (degré de confort, de bruit…)
– la conception d'ensemble (le décor, la technologie, les tenues…)
– les éléments matériels (les produits, les échantillons,
  la documentation …)

2.1.3. L'interaction avec le personnel

Le personnel doit faire preuve d'un certain nombre de qualités fondamentales :

• **Empathie, attention et considération**
  Cette rubrique recouvre la bienveillance, l'attention et la considération pour le client. Le personnel doit savoir comment aider et orienter le client, le traiter avec courtoisie et respect, agir en toute bonne foi.

• **Réactivité et disponibilité**
  Le personnel doit rester souple dans l'application des procédures. Il doit être capable de détecter, de comprendre et de résoudre les problèmes et les difficultés des clients. Il doit se montrer spontané, prêt à apporter son aide, à donner des explications précises (sur les factures par exemple) ou à le documenter sur les activités proposées.

- **Permanence de la relation**

  Pour l'assurer, une prise en charge professionnelle de la relation est nécessaire. Pour le personnel, cela peut venir de la connaissance accumulée sur le client (en l'appelant par son nom, en se souvenant de ses préférences …). La permanence de la relation vue par le client a également pour conséquence une familiarité avec le lieu, les procédures et le personnel (économies de relation). L'unicité de la relation est un autre aspect important. Elle peut se faire soit en prévoyant un seul contact pour toutes les opérations (le même responsable de clientèle pour toutes les transactions) ou en créant une notion de club, permettant une relation particulière, une certaine exclusivité et une certaine confidentialité.

- **Expérience enrichissante**

  Il s'agit de créer une bonne ambiance grâce à la participation des clients, la convivialité ou la bonne humeur.

2.1.4. La crédibilité des résultats et la fiabilité

- **Crédibilité et réassurance**. Comme il est difficile d'apprécier le service avant qu'il n'ait été fourni (et même dans ce cas, certains aspects peuvent rester intangibles), les clients seront très attachés à tout ce qui peut renforcer leur confiance et leur sécurité.

  Cette réassurance peut se réaliser de différentes façons : par le professionnalisme et la compétence du personnel, en apportant des preuves matérielles au moyen de références ou d'expériences précédentes et de façon générale, par l'image et la réputation. Certaines sociétés vont même jusqu'à offrir une garantie totale de satisfaction (*satisfait ou remboursé !*).

- **La fiabilité** est un besoin primaire. Le client compte sur le fournisseur pour lui procurer le service promis, chaque fois, à l'heure dite et sans faute. Tenir ses promesses est au cœur même de la qualité du service. Nous y reviendrons dans un prochain chapitre.

- **La récupération** est liée à la fiabilité. Le client s'attend à ce qu'en cas d'incident, le prestataire sera en mesure « de rattraper » la situation en lui donnant rapidement réparation.

Bien que la fiabilité et la récupération ne puissent être considérées avant la prestation, nous les avons fait figurer ici parce qu'elles constituent des critères importants de l'attente et de l'appréciation du client.

2.1.5. Le prix

Il est clair que les clients veulent payer le moins cher possible. Mais, malgré son importance, le prix n'est pas un élément nécessairement déterminant dans la décision d'achat. Il doit être considéré dans sa valeur relative. La valeur perçue par le client peut s'estimer en faisant le rapport entre les éléments clés de la proposition de valeur et le prix qu'il est prêt à payer.

Ce qui importe en l'occurrence, c'est de répondre aux questions suivantes :

⇒ Etant donné sa dimension immatérielle, comment fixer pour le service un prix reflétant sa véritable valeur pour le client ?

⇒ Comment amener le client à payer pour l'ensemble de la prestation qu'il reçoit ? Le prix doit-il être global ou les différents services de l'ensemble doivent-ils être détaillés et payés séparément ?

2.2. Le profil de la proposition de valeur

A partir des cinq éléments que sont **les résultats, le processus, le personnel, la fiabilité et le prix**, le profil de la proposition de valeur peut être déterminé. Cela ne signifie évidemment pas que chacun de ces critères soient satisfaits au même niveau. Le rôle de la proposition de valeur va être, au contraire, de déterminer lesquels devront être considérés comme les plus importants pour le segment visé.

Certaines dimensions fondamentales seront alors définies comme communes à toutes les propositions d'un certain type de service; d'autres serviront plutôt à différencier la proposition de valeur dans l'esprit du consommateur. De toutes les façons, le nombre de dimensions à prendre en compte devra être limité car les consommateurs ne peuvent en mémoriser un trop grand nombre.

Grâce au cycle d'activité, que nous pourrons également nommer cycle de valeur, il est possible d'analyser dans le détail les différents éléments de la proposition de valeur. La Figure 4.4. reprend la Figure 4.3. en détaillant l'essentiel des besoins du client d'un hôtel.

La proposition de valeur va donc pouvoir se construire en décidant ce qui a de la valeur pour le client à chaque étape du cycle d'activité, et ceci en fonction des cinq critères de notre mix : le résultat attendu et le niveau de personnalisation, le mode d'interaction du client avec le processus et le personnel, comment assurer la crédibilité et la fiabilité, et le niveau de prix acceptable.

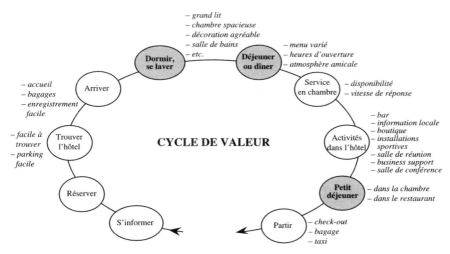

Figure 4.4. Détails des besoins du client d'un hôtel.

En l'occurrence, si les clients du segment ne recherchent qu'un minimum de service (avoir accès à leur chambre, se laver et dormir), il suffira de mettre à la réception une machine qui saisira un certain nombre d'informations, acceptera leur carte de crédit pour le paiement et leur fournira un code d'accès pour leur chambre.

Le cycle de valeur se réduit dans ce dernier cas à sa plus simple expression, comme le montre la Figure 4.5.

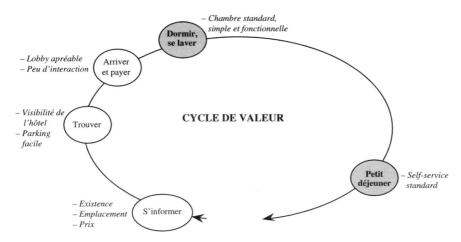

Figure 4.5. Cas d'un service minimum.

A l'inverse, Jan Carlzon, le directeur général de *Scandinavian Airlines*, voulait couvrir tous les besoins de ses passagers de classe affaires sans rupture visible depuis la demande d'information et l'achat du billet au retour à leur domicile ou à leur bureau (Figure 4.6.).

Avec un objectif aussi ambitieux, il est primordial de s'assurer que l'on dispose en interne des ressources et des compétences nécessaires ou que l'on puisse se les procurer grâce à des alliances ou à des ententes avec d'autres entreprises.

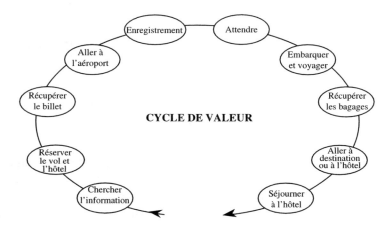

Figure 4.6. Service complet pour le transport aérien d'un voyageur.

3. DEUX EXEMPLES DE PROPOSITION DE VALEUR

3.1. La chaîne de restaurants Benihana

Lorsque « Rocky » Aoki, fondateur de la chaîne Benihana, débarque en Amérique, il a un rêve : faire connaître la cuisine grillée à la japonaise aux Américains. Son concept de service peut être résumé en une phrase : le client aura une expérience mémorable et rassurante de la cuisine japonaise à un prix raisonnable en étant servi et diverti par un chef et à un prix raisonnable.

Ce concept peut être décortiqué en une proposition de valeur selon nos cinq critères :

• **Les résultats de base et l'étendue de la solution**

L'offre de base consiste à proposer la cuisine dite Hibachi. Les clients prennent place autour d'une grande table dotée en son centre d'un gril en acier et attendent l'arrivée du chef. Ce dernier arrive en portant les entrées et les différents condiments présentées dans des petits paniers. « Soudain l'homme se transforme en une sorte de derviche tourneur, zip, zip, zip, son couteau étincelle entre les mets. Les crevettes semblent danser au centre du gril. Avec des gestes amples, il saupoudre les crevettes de poivre fraîchement moulu… Enfin, vient le moment de vérité. Il lance une crevette crépitante directement sur votre assiette. Vous éprouvez comme une sorte d'extase. »

Pendant que les clients attendent leur table, ils peuvent se détendre en prenant un verre au bar. Parmi les autres services offerts, on compte un parking et un service de réservation.

• L'interaction avec le processus

– Le cycle de production est court : le repas dure entre trois quarts d'heure et une heure, avec la possibilité de s'attarder au bar si les clients le souhaitent.

– L'accès est facile : les restaurants Benihana sont situés en plein centre de grandes villes, ce qui constitue un élément précieux de segmentation par la localisation ou par l'occasion de consommation.

– Le cadre et le décor sont spécifiques : les restaurants jouissent d'une atmosphère typiquement japonaise.

• L'interaction avec le personnel

– Les chefs et les serveurs ont pour consigne de traiter les clients avec amabilité et courtoisie.

– La réactivité et la flexibilité sont de moindre importance, puisque le service fourni est relativement standardisé.

– La permanence de la relation n'est probablement pas un élément déterminant.

– L'expérience est enrichissante et conviviale grâce au rôle du chef et au désir de participation des convives.

• La crédibilité des résultats et la fiabilité

Un repas japonais constituait dans les années 70 une expérience « exotique » insolite. Rassurer les clients et gagner leur confiance sont ainsi des facteurs de différenciation majeurs. D'où l'idée de cuisiner devant les clients et de rendre le processus totalement transparent.

• Le prix

Les clients sont disposés à payer relativement cher dans la mesure où ils ont l'impression de recevoir un bon service, surtout grâce à la forte interaction avec le personnel et le processus.

3.2. L'hôpital Shouldice

Comme nous l'avons évoqué au Chapitre 3, le créneau défini par l'hôpital Shouldice est relativement étroit : il s'agit de patients souffrant d'une hernie inguinale sans complication. Immédiatement après l'intervention, les patients opérés peuvent s'asseoir sur une chaise roulante et en quelques heures, se sentent suffisamment en forme pour aller faire une promenade dans le parc. En fait, Shouldice ressemble davantage à un club à la campagne qu'à un hôpital. Et, pour la plupart des patients, leur séjour à Shouldice reste un bon souvenir.

Le concept, là aussi, peut être détaillé selon les cinq éléments du mix :

• **Les résultats de base et l'étendue de la solution** : une hernie s'y soigne mieux que dans d'autres établissements en raison de la spécialisation et de l'expérience des chirurgiens. Les patients reçoivent, en outre, un éventail plus large de services depuis le diagnostic préliminaire jusqu'à la visite post opératoire gratuite plusieurs années après l'intervention.

• **L'interaction avec le processus**

– Le temps de réponse : La récupération des malades est rapide et l'intervention n'entraîne que deux à trois jours d'hospitalisation.

– L'accès : Bien que la plupart des patients viennent d'ailleurs que du Canada, il n'y a qu'un seul lieu d'intervention. La facilité d'accès n'est pas optimale et pourrait être mieux satisfaite en ouvrant d'autres établissements dans d'autres parties du monde. Toutefois, la direction de Shouldice s'y est toujours opposée pour des raisons à la fois d'éthique et de ressources.

– Le cadre : L'hôpital est entouré d'un grand parc ; il a été construit et conçu de telle sorte que les patients oublient qu'ils sont dans un hôpital.

• **L'interaction avec le personnel**

– L'empathie : l'ambiance est agréable et détendue ; l'ensemble du personnel, y compris le personnel administratif et les employés du nettoyage, comprend la situation du patient et l'encourage à faire ses exercices.

– La réactivité : le personnel donne des explications aux patients à chaque stade du traitement, ce qui contribue à diminuer leur angoisse.

– La permanence de la relation : les patients sont invités à donner de leurs nouvelles. Ils peuvent participer à une réunion annuelle après une visite post opératoire gratuite. Chaque année, quelque 1500 patients s'y retrouvent en patientant dans des files d'attente pour leur visite avant le dîner et le spectacle. Certains anciens patients sont venus plus de trente fois à ces réunions.

– Une expérience enrichissante : les patients passent finalement un bon moment et ont l'occasion de rencontrer d'autres personnes de différents pays. Même si elle ne dure que deux à trois jours, cette expérience commune peut déboucher sur une longue amitié, qui n'est pas sans ressembler à celle qui unit les anciens combattants.

• **Crédibilité et fiabilité**

De nombreux facteurs, tels que le professionnalisme et l'expérience du personnel, le cadre et l'interaction avec d'autres patients, permettent de rassurer le patient et de réduire son angoisse.

• **Le prix**

L'intervention coûte beaucoup moins cher que dans d'autres établissements. Et bien que ce soit là un élément important (notamment pour les compagnies d'assurance), il n'est toutefois pas déterminant dans la décision du patient.

CONCLUSION

Au cours de ce chapitre, nous avons essayé de mieux faire ressortir la spécificité du marketing des services en disséquant le processus sous-jacent à la proposition de valeur. Le concept de service a d'abord ainsi été rapporté à un segment de clientèle pour permettre un positionnement plus précis en cinq éléments. En s'appuyant sur le cycle d'activité, il a enfin été aisé de comprendre comment et quand il était possible d'adapter ce positionnement à chaque moment de vérité.

Chapitre 5

FORMULER UNE OFFRE DE SERVICE

Dans la proposition de valeur, nous avons défini un ensemble de résultats et de bénéfices que notre clientèle cible était prête à acheter. La prochaine étape doit nous permettre de **formuler** une offre, c'est-à-dire de définir les principaux éléments des services qui seront effectivement fournis. La perspective est différente puisque nous prenons maintenant le point de vue de l'entreprise et non plus du client. C'est à ce stade que les décisions fondamentales concernant le marketing, la production, les ressources humaines et la structure du service seront prises. La conception détaillée du système de délivrance se fera sur ces bases. La proposition de valeur décrivait les résultats et les bénéfices perçus par les clients, la formulation du service définit les produits, les services et les systèmes que la société de service va concevoir et fournir.

Revenons à la proposition de valeur pour un hôtel économique évoquée dans le chapitre précédent.

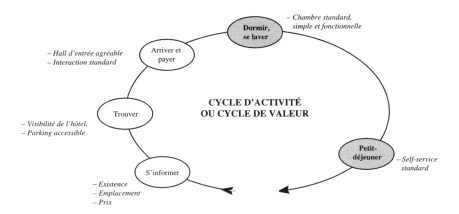

Figure 5.1. Cas d'un hôtel économique.

Comme le montre la Figure 5.2., cette analyse peut utilement servir à formuler l'offre : en prenant des décisions à chaque étape du cycle, nous pouvons la concrétiser.

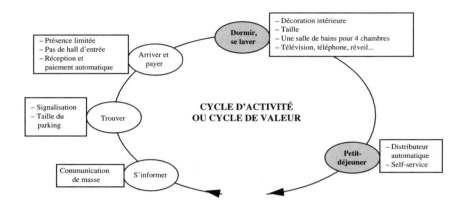

AUTRES DÉCISIONS-CLÉS

Marketing	Opérations	Ressources Humaines
Emplacement	Nombre de chambres	Organisation familiale
Prix	Équipement technologique	Peu d'employés, temps partiel
	Systèmes informatiques de support	
	Organisation de l'arrière-scène	

Figure 5.2. Liens entre la proposition de valeur et la formulation de l'offre.

1. LA FORMULATION

La formulation du service consiste à définir les principaux éléments de l'offre et les décisions-clés qui vont permettre de maximiser la valeur perçue par le client tout en minimisant les coûts. A ce stade, nous sommes toujours au niveau des principales options, à savoir l'allocation stratégique des ressources de façon à dégager une première ébauche de l'offre et du mode de prestation. Rappelons que l'étape suivante correspond à l'analyse et à la conception détaillée du processus et fera l'objet du chapitre 7.

Le meilleur moyen d'expliquer la relation entre la proposition de valeur, que nous avons esquissée précédemment, et la formulation du service est de les représenter sur une matrice. A l'aide de cette matrice, nous pourrons nous concentrer sur les décisions fondamentales qui vont maximiser la valeur et les résultats pour le client tout en assurant entre elles une cohérence optimale. Nous pouvons voir sur la Figure 5.3. comment les décisions concernant le marketing, la production, les ressources humaines ou la structure vont avoir une incidence sur les différents aspects de la proposition de valeur et contribuer à accroître la valeur perçue. Deux exemples concrets à la fin du chapitre nous donneront l'occasion de mieux le démontrer.

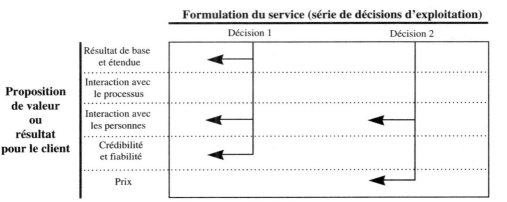

Figure 5.3. L'impact sur l'entreprise.

Dans la Figure 5.4. de la page suivante, nous avons ajouté quelques lignes à notre matrice pour y intégrer l'impact de ces mêmes décisions sur l'efficacité interne de l'entreprise et sa capacité à se différencier. Une bonne formulation de l'offre doit non seulement permettre de maximiser la satisfaction du client, mais également contribuer à réduire les coûts, à accroître la productivité et la compétitivité (avantage concurrentiel ou barrière d'entrée). Notons que les barrières traditionnelles placées dans la partie industrielle à l'arrière, telles que la technologie, les normes ou les investissements en capitaux, sont moins efficaces dans la partie service à l'avant. Il est probable que, dans ce dernier cas, la meilleure protection à long terme provienne des compétences du personnel et de la solidité de la relation client, ce qui est au cœur même de la formulation de l'offre.

Deux exemples vont nous montrer comment la matrice peut être utilisée pour **conforter le positionnement du service**.

1.1. La formulation des restaurants Benihana

Nous avons déjà vu comment se positionnait la proposition de valeur de Benihana par rapport aux autres restaurants. Résumée en sept attentes-clés,

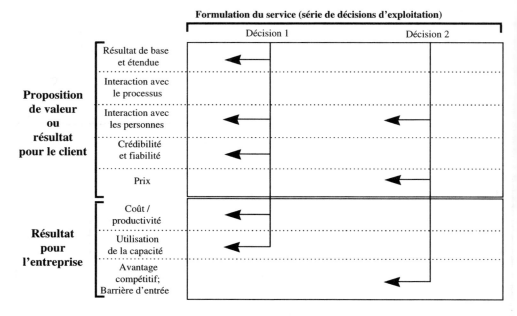

Figure 5.4. Présentation de la matrice complète.

elle recouvre une expérience interactive de restaurant exotique, un repas rapidement servi (trois quarts d'heure à une heure), une facilité d'accès, une ambiance typiquement japonaise, une expérience enrichissante, la présence rassurante du chef et des prix raisonnables.

Voyons à présent les principales décisions de fonctionnement qui vont optimiser l'impact de cette proposition.

Les décisions marketing

La première décision concerne **les services de base** et **les services additionnels** : une carte simple et courte, avec peu de variantes de façon à mieux maîtriser la qualité et la rapidité du service. Le spectacle, bien rodé avec quelques variantes possibles, contribue à rendre l'expérience enrichissante. La cuisson de la viande sous les yeux des clients les rassure. La simplicité et la standardisation de la carte réduisent forcément le coût de la nourriture, tandis que le spectacle n'engendre aucun frais supplémentaire. Les chefs cuisinent simplement dans la salle au lieu de le faire dans la cuisine. Mais dans le même temps, c'est un important facteur de différenciation et éventuellement une barrière d'entrée.

Le bar, le service de réservation, le parking, le vestiaire et la caisse sont des services de confort additionnels. Le bar fait fonction de tampon pour écluser les variations de la demande. Lorsque les clients attendent au bar, la salle (qui constitue la partie la plus onéreuse du service) fonctionne à plein régime. Le bar constitue un « stock » de clients qui prennent un verre au lieu de s'impatienter en attendant qu'une table se libère. Les clients qui souhaitent rester au-delà de 45 minutes peuvent s'attarder au bar avant et après le repas. Ainsi le bar contribue à la fois à maîtriser la rapidité de la prestation et à en faire une expérience réussie pour le client. Les boissons sont facturées à part.

On peut alors porter ces données sur la matrice formulation/résultats, comme indiqué sur la Figure 5.5.

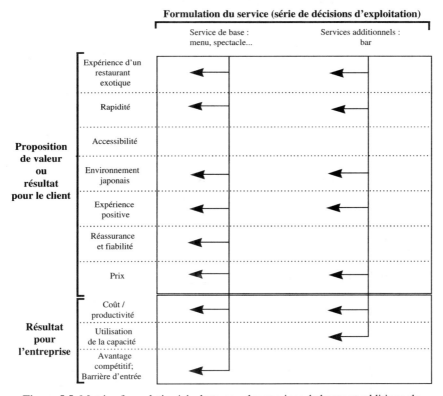

Figure 5.5. Matrice formulation/résultats pour les services de bases et additionnels.

Les décisions opérationnelles

Analysons à présent la formulation du **processus de production**. Benihana a pris quatre décisions majeures : l'emplacement du restaurant, les tables de huit couverts, un chef pour deux tables, un cadre japonais et des tables Hibachi avec gril incorporé.

L'emplacement des restaurants dans un quartier animé garantit une meilleure utilisation de l'espace. La table de huit accélère le service et permet aux clients de passer un bon moment en se parlant entre eux, elle accroît la productivité et assure une meilleure utilisation des locaux.

La décision d'avoir un chef pour deux tables signifie qu'il sera pleinement occupé. Le chef maîtrise également le rythme du service. Lorsque le repas est terminé, il fait une révérence très polie, mais il indique aux clients par ce geste que le moment est venu de partir !

Finalement, l'apport de l'authenticité japonaise et les tables Hibachi sont des éléments concrets qui ont un fort impact sur ce que perçoit le client.

En intégrant ces données à la matrice, on obtient les résultats suivants :

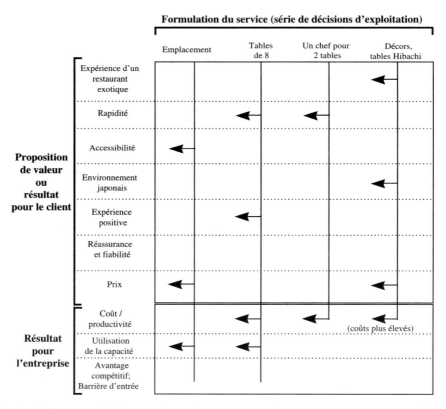

Figure 5.6. Matrice formulation/résultats pour le processus de production.

Les décisions concernant les ressources humaines

Le prochain élément de la formulation concerne le **personnel** et notamment le choix des chefs. Ils sont recrutés et formés au Japon et, une fois opérationnels, jouent plusieurs rôles ; ils prennent les commandes, cuisinent, servent, animent le dîner, contrôlent la qualité de l'interaction et informent que le repas est terminé.

Comme le montre la Figure 5.7., ces décisions majeures de gestion ont une incidence directe sur les résultats.

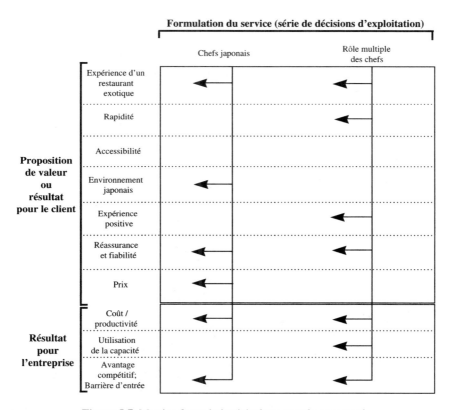

Figure 5.7. Matrice formulation/résultats pour le personnel.

Formulation générale

En regroupant toutes les décisions sur la même matrice, il est possible de faire ressortir l'extrême cohérence et la parfaite intégration de la stratégie de Benihana. C'est cette cohérence dans la prise de décision qui fait toute la différence entre un excellent et un bon service.

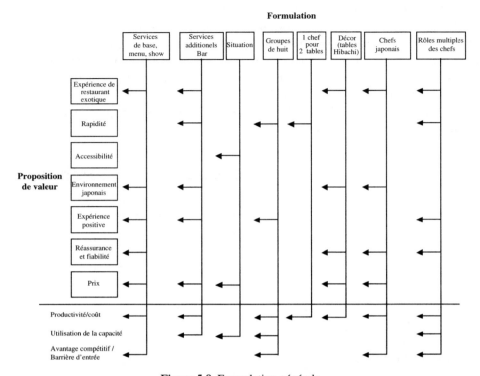

Figure 5.8. Formulation générale.

Prenons un second exemple.

1.2. La formulation de l'hôpital Shouldice

Dans le dernier chapitre, nous avons décrit les sept caractéristiques majeures de la proposition de valeur de Shouldice : le traitement de la hernie, un séjour court et agréable, dans une ambiance détendue, la permanence de la relation, une expérience positive, la réassurance et le faible risque et des prix raisonnables.

Voyons à présent comment les principaux éléments de la formulation ont été choisis pour maximiser la valeur perçue par les patients tout en réduisant les coûts.

• Les services de base :

L'opération de la hernie est pratiquée selon une technique particulière, constamment améliorée par une équipe de chirurgiens spécialisés, qui font chacun au moins 700 interventions par an. Cette technique se contente d'une anesthésie locale et le patient est en mesure de marcher jusqu'à une chaise roulante immédiatement après l'opération. Ainsi, la durée de l'hospitalisation peut être limitée à trois jours ou moins.

Le rôle des infirmiers est non seulement d'aider les malades à faire les tests, leur donner des renseignements et les assister dans leurs exercices, mais également de seconder et décharger les médecins en s'acquittant de petites tâches administratives.

• Les services additionnels :
– Les patients sont logés en chambre double sans téléviseur, ce qui favorise les contacts sociaux et rend le séjour agréable tout en jugulant les coûts.
– Les repas sont pris dans un restaurant en self-service, là encore pour encourager les patients à se fréquenter et pour réduire les coûts.
– Le personnel de nettoyage participe en aidant les patients à faire leurs exercices et en créant une ambiance détendue.
– Les papiers et la facturation ont été simplifiés.
– Les anciens malades sont invités chaque année à une réunion qui comprend une visite de contrôle gratuite, suivie d'un dîner et d'un spectacle.

• Les décisions marketing :
– La sélection des patients : Shouldice n'accepte pas les patients obèses ou ayant des antécédents cardiaques.

• Les décisions opérationnelles :
– Il y a une liste d'attente de quelques semaines. L'hôpital est toujours plein.
– Une intervention chirurgicale dure en moyenne une heure, 90 minutes lorsqu'il s'agit de cas plus complexes, ce qui garantit l'utilisation optimale des salles d'opération.
– L'hôpital est entouré d'un parc où les patients peuvent se dégourdir les jambes. Il est équipé d'un solarium où ils peuvent se détendre, de vélos d'appartement pour ceux qui veulent rester en forme. Les escaliers ont des petites marches. Contrairement à la plupart des hôpitaux, les chambres sont moquettées et il n'y a pas d'odeur de désinfectant. En se limitant à des interventions très standardisées, Shouldice s'est épargné l'obligation d'installer des équipements chirurgicaux plus sophistiqués.

• Les décisions de personnel :
– Les chirurgiens sont recrutés et formés selon des méthodes qui favorisent le travail d'équipe. Leur professionnalisme et leur expertise dans la

méthode Shouldice contribuent à rassurer le patient et à garantir la qualité de l'intervention.

– Les patients : leur participation au processus est essentielle pour créer une ambiance constructive et réduire le niveau d'angoisse. Les malades qui viennent d'être opérés sont invités à parler aux nouveaux venus et des amitiés durables naissent parfois de cette expérience commune.

Il n'est pas toujours nécessaire de tracer la matrice complète de la formulation/résultats qui, dans ce cas, serait relativement complexe. Il suffit de garder présente à l'esprit la logique de la démarche et, à chaque fois que l'on est appelé à prendre une décision ou à envisager une nouvelle option, d'imaginer l'impact qu'elle aura sur la proposition de valeur, selon la figure ci-dessous :

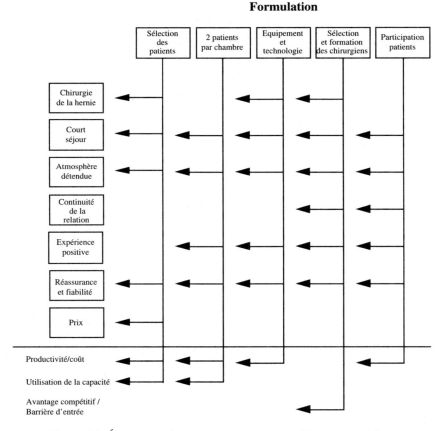

Figure 5.9. Éléments de formulation dans le cas de l'hôpital Shouldice.

2. LES DÉCISIONS CONCERNANT LA FORMULATION

Il ne serait pas réaliste de tenter d'énumérer de façon exhaustive toutes les décisions possibles. Aussi, nous nous contenterons d'en énoncer les principales catégories. Il faut se souvenir que le principe de chaque décision est soit de maximiser la valeur pour le client, soit de minimiser les coûts pour l'entreprise. Les décisions concernant le marketing, les opérations, le personnel et la structure sont tout aussi importantes. Elles doivent être prises simultanément et en parfaite cohérence les unes avec les autres.

2.1. Les décisions marketing

• **Services de base et services additionnels**

L'ensemble des « produits » proposés peut être analysé selon deux critères :

– **L'étendue des services offerts au client** (telle que décrite dans le cycle d'activité). Par exemple, l'ensemble de services proposés par le Club Med vise à donner au client une impression de continuité du début à la fin.

– **Le niveau de personnalisation ou de standardisation**. Dans les parcs Disney, chaque attraction a un niveau de standardisation différent, précisé dans un document qui ne laisse place qu'à très peu de variations. Le découpage du service en modules relativement standard permet d'assurer un service plus personnalisé en combinant les modules selon les clients. Les voyagistes, par exemple, conçoivent un voyage en assemblant plusieurs modules.

Le cahier des charges des services de base et des services additionnels peut être illustré de façon séquentielle. Le cycle d'activité général représenté sur la Figure 5.10. donne un exemple général de séquence de services de base et de services additionnels.

• **L'emplacement**

Nous avons déjà évoqué l'importance de la proximité du client. C'est particulièrement important pour les services à forte interaction comme les hôtels, les restaurants ou les salons de coiffure.

• **La sélection des clients, l'exclusivité**

Nous avons déjà effleuré ce sujet en parlant de la segmentation. L'hôpital Shouldice ne traite que les patients souffrant d'une hernie inguinale sans antécédents lourds. Certaines banques ne s'intéressent qu'aux hauts revenus en décourageant les petits dépositaires par leurs frais élevés. Le cabinet de

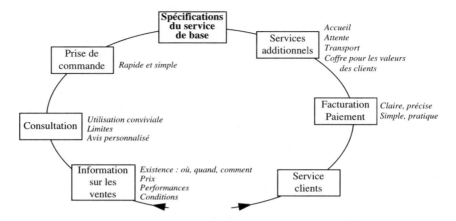

Figure 5.10. Séquence de services de base et de services additionnels.

conseil Bain sélectionne ses clients dans chaque secteur en analysant complètement leur situation avant d'accepter de travailler pour eux en exclusivité.

• La cohérence et l'intégration

Alors que le prestataire a tendance à fragmenter le service en éléments séparés, traités par des employés spécialisés, le client le perçoit comme un processus unique. Il est donc primordial de coordonner et d'intégrer toutes les interactions avec le client du premier au dernier contact. C'est le rôle du responsable de clientèle dans une banque ou celui de « chef de village » au Club Med. Ils peuvent être aidés par des systèmes spécifiques d'intégration informatisés ou non.

• Stratégie de communication et image

La promesse de l'offre doit être communiquée à la fois à l'extérieur, pour inciter les clients visés à essayer le service, et en interne pour préparer le personnel à fournir ce qui a été promis.

L'image est l'élément ultime de la confiance. Elle se crée jour après jour grâce à l'accumulation de tout ce que le client connaît et perçoit de l'organisation, ses locaux, son équipement, son personnel de service, ses autres clients, sa publicité, ses enquêtes, etc.

• La base client et la relation clientèle

Cette démarche comprend les politiques spécifiques visant à fidéliser le client qui a déjà testé le service.

Par exemple, un traitement particulier pour les habitués sous forme de services gratuits, de participation à un club exclusif, de lettres d'information, de marques d'attention particulières (vœux d'anniversaire), de l'enregistrement de données sur les goûts et l'histoire du client.

• Garantie

Il est possible d'augmenter la crédibilité du service en offrant des garanties. Celles-ci peuvent prendre des formes diverses jusqu'à la garantie sans condition.

• Prix

Le prix est un élément important. Comment s'articule-t-il par rapport aux coûts réels et à la valeur perçue par le client ? Tous les services devraient-ils être inclus ou certains devraient-ils être isolés et facturés à part ?
Il faut aussi rappeler que le prix a un impact sur les attentes des clients.

2.2. Les décisions opérationnelles

Nous traiterons ici les principaux types de décisions sans nous perdre dans le détail de l'analyse du processus qui sera traité ultérieurement.

• La facilité d'accès

La facilité d'accès dépend du nombre de points de vente ou d'agences d'un réseau, des horaires d'ouverture et de la rapidité de réponse.

• La capacité

L'adéquation de la capacité à la demande est une décision majeure qui fera l'objet du chapitre 12. Si la capacité est inférieure à la demande, il y aura soit perte des clients qui s'en iront, soit insatisfaction des clients qui doivent attendre pour un rendez-vous ou dans une queue. S'il y a surcapacité par rapport à la demande, la capacité excédentaire est perdue puisqu'elle ne peut être stockée.

Dans certains cas, il est possible de réaliser des économies d'échelle en servant plusieurs clients à la fois, comme le font les compagnies aériennes avec les gros porteurs, les universités avec leurs immenses amphithéâtres et les restaurants comme Benihana avec leurs tables de huit. Toutefois, lorsque la taille des lots augmente, les clients peuvent avoir l'impression que la qualité du service s'en ressent.

• La durée de l'interaction

Le meilleur moyen d'augmenter la productivité lors de l'interaction est d'écourter le contact. Cela peut être fait de différentes façons : en simplifiant ou standardisant les opérations, en regroupant les tâches ou en automatisant certaines (par exemple en ayant recours à la lecture optique aux caisses de supermarché), en faisant participer le client et en réduisant l'intensité de l'interaction (en remplaçant les visites par une liaison téléphonique) ou encore en transférant certaines tâches à l'arrière.

• La conception des postes

Il ne faut pas oublier que la spécialisation a des avantages. La plupart des patients préfèrent avoir affaire à un chirurgien qui réalise 50 fois la même intervention par mois que celui qui en fait à peine 5 ! Par contre, dans d'autres cas, la spécialisation et la division du travail peuvent conduire à une fragmentation nuisible à la bonne intégration des opérations et à l'orientation client. On peut pallier ces inconvénients par le travail d'équipe ou en modifiant les définitions de postes pour élargir les tâches et les responsabilités, comme chez Benihana où les chefs sont responsables de l'essentiel des contacts avec les clients.

Le Club Med a une politique de mobilité consistant à muter les G.O. tous les six mois sur un nouveau site de façon à éviter l'ennui et la routine.

• L'intensité de l'interaction de chaque service (en avant-scène)

La taille de l'interface et l'intensité de l'interaction sont des variables importantes. En élargissant l'interface et en demandant aux chefs de cuisiner dans la salle, Benihana offre un plus de service. Federal Express, par contre, en remplaçant l'interaction individuelle dans les agences locales par une plate-forme centralisée de réception des appels, anonyme mais professionnelle, abandonne un plus de service que le client n'était pas prêt à payer.

• La participation des clients

La participation du client affecte la valeur perçue et les coûts. Les exemples de self-service abondent, depuis la banque directe à domicile jusqu'aux cafétérias et stations-service.

• Le cadre et les éléments matériels

Le choix de l'équipement et de la technologie peuvent avoir un impact considérable. On peut citer le cas de Rural/Metro, l'une des plus grosses sociétés privées de protection contre l'incendie aux États-Unis. En décidant de se doter de petits camions contenant environ un mètre cube d'eau et équipés de larges tuyaux, elle a considérablement amélioré la rapidité et l'efficacité de ses interventions tout en réduisant ses coûts. Cela lui a procuré un avantage concurrentiel significatif. On pourrait citer également les distributeurs ou les machines automatiques, ainsi que les services de réparation minute et de développement rapide de photos.

• **Les systèmes de support**

Un service fiable et réactif doit reposer sur la fiabilité et la réactivité des systèmes et des processus de support.

Les systèmes et les réseaux informatiques nécessitent parfois de lourds investissements mais peuvent, par contre, constituer un avantage concurrentiel déterminant ainsi qu'une barrière à l'entrée des concurrents. C'est le cas des systèmes de réservation des compagnies aériennes, de Cosmos, le système de suivi des colis de Federal Express, ou des systèmes qui permettent au personnel d'avoir accès aux bases de données et aux outils de décision de l'entreprise.

• **L'organisation de l'arrière scène**

La centralisation des activités à l'arrière permet de réduire les coûts grâce aux économies d'échelle. Le cas Taco Bell qui a centralisé la préparation de ses plats en fournit un bon exemple. On ne doit toutefois pas oublier que les activités de support doivent garder une certaine flexibilité pour rester en phase avec les variations de volume et la personnalisation de l'interaction à l'avant.

• **Les fournisseurs : Faire ou faire faire ?**

Bien qu'il y ait des avantages évidents à conserver les activités appartenant au cœur du métier et à sous-traiter le reste pour réaliser des économies d'échelle ou pour pallier le manque de compétences nécessaires, cette décision ne doit pas nuire à la cohérence et à l'intégration du service.

2.3. Les décisions concernant les ressources humaines

• **Le choix et la formation du personnel**

Le personnel doit être en mesure à la fois de livrer le service promis avec les capacités et les compétences nécessaires, mais également de gérer l'interaction en adoptant le comportement, la réactivité et la disponibilité qui s'imposent. Cet aspect fondamental sera développé dans un prochain chapitre.

• **L'utilisation adéquate de spécialistes**

L'un des moyens d'améliorer l'efficacité des professionnels qualifiés qui coûtent cher est de les affecter exclusivement à des tâches qui demandent le jugement ou entraînent les risques auxquels ils sont préparés. Ils peuvent être assistés par un personnel moins compétent traitant les tâches plus simples, mieux connues et à faible risque. Remarquons qu'au fur et à mesure qu'un domaine d'étude ou un service se banalise, le rapport entre le niveau d'expertise et la délégation aux assistants doit être revu. Ce besoin de délégation est parfois refusé par les spécialistes eux-mêmes ou est interdit par la réglementation, comme dans les cas des ordonnances qui doivent être prescrites par des médecins et non des infirmières.

• **L'utilisation adéquate du personnel**

Les systèmes experts et les outils d'aide à la décision peuvent aider le personnel peu expérimenté ou peu formé à accomplir des tâches plus complexes.

2.4. Les décisions concernant la structure et le style de management

• **La responsabilisation du personnel en contact avec le client**

Le personnel de contact doit pouvoir réagir à des demandes variées de la part des clients, en fournissant une bonne prestation du premier coup ou en réglant les problèmes sur-le-champ, ce qui implique un mode de management assez participatif.

• **Le style de management et la structure**

Le management des entreprises a beaucoup évolué. Le style militaire qui traitait le personnel comme des pions interchangeables est de moins en moins accepté. Le personnel de contact vend l'entreprise à chaque interaction. Les responsables doivent donc créer un climat qui soutient l'initiative et fixer des objectifs tout en permettant le développement des compétences. La pyramide hiérarchique doit être réduite et même inversée, comme le propose Jan Carlzon, de façon à libérer l'énergie du personnel en contact avec le client. Cela conduit à une structure d'autant plus plate, que l'expertise et les compétences augmentent. Ce point sera repris dans les chapitres 9 et 10.

• **Les systèmes de contrôle**

En partageant le pouvoir et la responsabilité avec le personnel, les cadres ne doivent pas pour autant cesser d'assumer leur rôle et de fixer des objectifs. La délégation de responsabilité doit être accompagnée de systèmes de contrôle spécifiques, ainsi que de filets de sécurité, tels que la remontée des informations client, les études de marché, les rapports de visiteurs-mystère et ainsi de suite. Ces systèmes sont d'autant plus nécessaires que les réseaux comportent des centaines de succursales, agences ou de points de vente. Les systèmes et la technologie informatiques peuvent là encore jouer un grand rôle.

Nous voudrions en guise de conclusion souligner l'importance qu'il y a à structurer et à consolider la proposition de valeur par une formulation adéquate et cohérente.

Les décisions concernant le produit, le marketing, les opérations, le personnel et l'organisation doivent converger pour optimiser la perception du client, réduire les coûts et accentuer la différenciation (Figure 5.11.).

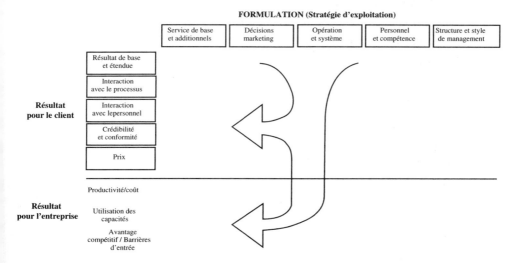

Figure 5.11. Adéquation et cohérence de la formulation avec la proposition de valeur.

3. L'IMPACT DES DÉCISIONS SUR LE PERSONNEL

Nous avons utilisé au Chapitre 2 le « triangle des services » pour illustrer le lien étroit qui unit les clients au personnel lors de l'interaction. Dans la mesure où le personnel est appelé à la fois à produire et à vendre le service, il est important de mesurer l'impact de la formulation sur lui. Quels sont les effets des décisions concernant l'emplacement, le cadre de vie, le découpage des postes de travail ou le style de management sur la motivation du personnel ?

Ces décisions peuvent influencer les préoccupations des employés par rapport à leur travail, mais également le regard qu'ils portent sur eux-mêmes et leur sens d'appartenance. Les éléments de la satisfaction du personnel sont de deux ordres :

3.1. Les préoccupations liées au travail

• **Carrière et contreparties**
– *Salaire, primes, avantages, intéressement*
– *Promotion et déroulement de carrière*
– *Sécurité et stabilité de l'emploi*

• **Qualité de vie au travail**
– *Conception des postes, conditions de travail, bien-être*
– *Fréquence des interruptions*
– *Plaisir lié au travail, possibilité de voyager (nomadisme du Club Med)*
– *Horaire aménagé*
– *Pression du client plus ou moins forte.*

• **Pouvoir, contrôle et participation**
– *Des objectifs clairs, possibilité de saisir la globalité de la mission et de comprendre l'objectif final*
– *La responsabilisation, l'implication et la participation*
– *La capacité et les moyens de parvenir à des résultats pour le client*
– *L'autonomie et l'initiative*
– *L'information à portée de main*
– *Un feed-back immédiat : l'impression de maîtriser les choses.*

3.2. Les motivations liées à la personnalité

• **Intégration sociale et esprit d'équipe**
– *Le sens de l'appartenance*
– *Le travail d'équipe et les relations sociales.*

• **L'estime de soi**
– *La quête de sens, être quelqu'un*
– *La fierté et la dignité*
– *Ne pas être servile, être traité avec justice et équité*
– *Etre considéré comme un véritable spécialiste, qui comprend la finalité de sa tâche*
– *L'appréciation et la reconnaissance pour le travail bien fait.*

• L'intérêt personnel et le professionnalisme

– *La satisfaction professionnelle. L'intérêt pour le travail et les défis qu'il pose*

– *L'occasion de travailler avec les meilleurs professionnels*

– *L'aspiration à s'épanouir, à développer de nouvelles compétences et à apprendre*

– *Le désir de servir et de s'occuper des autres.*

On peut ainsi construire une nouvelle matrice montrant comment la formulation du service est perçue par le personnel (Figure 5.12.).

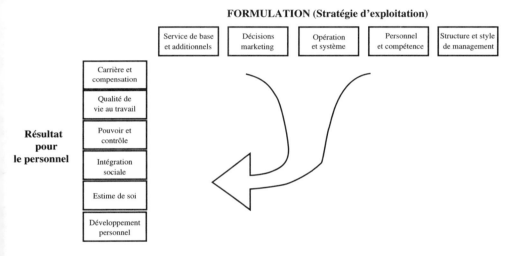

Figure 5.12. Perception de la formulation du service par le personnel.

Après avoir solidement positionné et différencié notre offre, il est temps de passer aux prochaines étapes : la conception détaillée du service et sa promotion.

Chapitre 6

LE MODE DE PRESTATION ET LES ÉCARTS DE QUALITÉ

Jusqu'à présent, le service a été envisagé sous un angle théorique : le positionnement comme la formulation n'ont fait que développer et tester le concept, sans en envisager l'application concrète. Or, la conception détaillée d'une prestation implique de déterminer l'aménagement des locaux, la capacité des différents éléments à répondre à la demande, le choix de la technologie et du matériel, les procédures et les définitions de postes, la tenue et le comportement du personnel et ainsi de suite.

Un tel passage à la pratique introduit deux nouveaux facteurs que nous avions jusqu'à présent négligés : le type d'activités sur lequel doit se « greffer » le service et surtout sa perception par le client.

Le premier facteur se rapporte donc à la diversité des types d'activité de service. Nous avons distingué quatre grandes catégories dans le Chapitre 2 : les biens relativement purs, ceux à forte intensité de service, les services à forte intensité de biens et les services relativement purs. Nous ne pouvons pas faire abstraction du type de service concerné pour en aborder la conception détaillée. Le second facteur concerne le client réel. Nous ne sommes alors plus face à un « segment », mais à une personne dont la perception et les attentes ne correspondent pas nécessairement au service conçu ou perçu. Envisageons successivement ces deux facteurs.

1. LE TYPE DE SERVICE DANS LA CHAÎNE DE VALEUR

Le concept de chaîne de valeur que Porter a contribué à faire connaître (*L'avantage concurrentiel*, 1985) énonce que chaque entreprise réalise un ensemble d'activités visant à concevoir, produire, vendre, livrer et entretenir ses produits. Ces activités peuvent être scindées en deux grandes catégories : les activités **opérationnelles** et les activités de **support.** Les premières correspondent à la transformation physique du bien, à son transport, à sa livraison, à sa vente et après-vente. Les seconds types d'activités se rapportent aux nombreuses fonctions transversales telles que l'approvisionnement, la conception ou la gestion des ressources humaines.

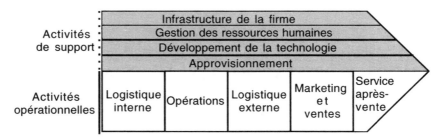

Figure 6.1. Cas de biens relativement purs.

La Figure 6.1. représente la chaîne de valeur pour des biens relativement purs. Les activités opérationnelles correspondent alors à une entreprise fabriquant et vendant des biens relativement standard dont la responsabilité de la promotion et de la distribution appartient aux départements marketing et vente. Les activités proprement service restent assez limitées. Ces dernières prennent, par contre, plus d'importance lorsqu'il s'agit de biens durables. Elles incluent le conseil, l'aide technique, l'entretien ou la formation.

Dans ce deuxième cas de biens à forte intensité de service, les produits sont plutôt fabriqués sur commande et vendus avant même d'être assemblés. La Figure 6.2. représente les activités opérationnelles associées. Chaque point de contact le long du cycle d'activité client, du pré-achat à l'après-vente, offre alors à l'entreprise la possibilité de développer des services et d'obtenir, par là même, un avantage concurrentiel déterminant.

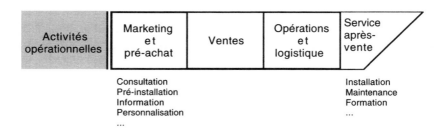

Figure 6.2. Cas de biens à forte intensité de service.

Dans le cas des services à forte teneur en biens et en information, tels que la banque ou la santé, il s'agit de commercialiser et de vendre un « produit » immatériel avant même son élaboration et sa délivrance. Les activités opérationnelles de la chaîne de valeur de ce type d'activité sont représentées par la Figure 6.3.

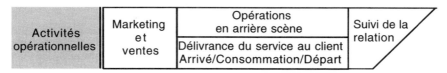

Figure 6.3. Concept des services à forte teneur en biens et en information.

Enfin, dans le cas des services personnalisés et relativement « purs », tels ceux des professions libérales, le client est impliqué dans leur conception et délivrance selon des séquences d'interaction entrecoupées de périodes de préparation et d'attente. Les activités de support (travaux de secrétariat ou production de documents) sont alors souvent minimes ou sous-traitées. Le travail est organisé, étape par étape, autour des projets et d'une série d'interactions pouvant se produire chez le client : diagnostic, analyse, recommandation et mise en œuvre. La chaîne de valeur de ces activités opérationnelles est représentée par la Figure 6.4.

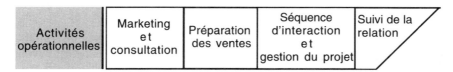

Figure 6.4. Cas des services personnalisés et relativement « purs ».

Ces quatre cas montrent donc à quel point la conception détaillée de la prestation dépendra du type d'activité concerné. Plus le niveau d'interaction est intense et complexe, plus il est important que la conception et la prestation soient effectuées par les spécialistes eux-mêmes, avec une structure et un encadrement légers.

Nous nous concentrerons, dans les prochains chapitres, sur les services à forte teneur en biens et en information, comme la banque ou la restauration, services que nous avons représentés par la Figure 6.3.

Les cas particuliers des services liés aux produits industriels et des services relativement purs comme le conseil seront traités dans les Chapitres 13 et 14.

2. LES QUATRE ÉCARTS DE QUALITÉ

Lors de la conception détaillée du système de délivrance de la prestation, il faut définir les caractéristiques finales du « produit » et du processus : l'aménagement des locaux, la capacité des différents éléments à répondre à la demande, le choix de la technologie et du matériel, les procédures et les définitions de postes, la tenue et le comportement du personnel, etc. Toutes ces décisions doivent se retrouver en phase avec la formulation du service. Il faut toutefois être conscient que quel que soit le soin apporté à la conception du service sur le papier, ce qui sera réellement fourni par le personnel sur le terrain et la perception qu'en aura le client seront bien différents, ce qui peut donner lieu à des écarts importants.

2.1. L'écart de conception

Le premier écart concerne la distorsion entre les besoins du consommateur et la conception du service. C'est **l'écart de conception**. Plus le service est standard, plus il sera facile de le spécifier par des normes et des procédures. Plus il est personnalisé, plus il dépendra de la performance et de l'expertise du professionnel (Figure 6.5.).

2.2. L'écart de délivrance

Un deuxième écart apparaît entre la délivrance du service par le personnel et la spécification telle qu'elle avait été définie. Cet **écart de délivrance** est négatif si la prestation n'est pas à la hauteur du cahier des charges. Par contre, si le personnel fait un effort supplémentaire pour ravir et surprendre le client, cet écart devient positif, comme l'illustre la Figure 6.5.

Plus l'organisation sera professionnelle, plus la conception (le quoi) et la prestation (le comment) seront du ressort des spécialistes. Dans la mesure où ils sont les détenteurs du savoir-faire et des compétences techniques, ils peuvent être tentés d'imposer leur propre approche aux clients qu'ils regardent parfois de haut en raison de leur manque de connaissances ou de leurs demandes mal fondées.

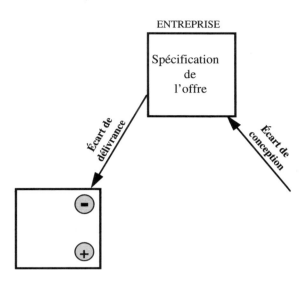

Figure 6.5. Écart de conception et écart de délivrance.

2.3. L'écart de perception

Le troisième **écart de perception** se situe entre la prestation telle qu'elle est délivrée par le personnel et sa perception par le client.

La qualité est ce qu'en dit le client et la perception du client est celle qui compte avant tout, puisque c'est lui qui achète le service. Or, celui-ci n'est pas un être purement passif, ni une entité statistique. Sa perception est active et ne prend en compte que la partie du service dont il est conscient. Ce qu'il ne perçoit pas a donc peu de valeur à ses yeux et il ne se sent pas prêt à en payer le prix.

Il y a ainsi toujours le risque que l'organisation reste dans le cadre étroit des spécifications qu'elle a conçues et perde de vue le client concret. Dans le secteur aérien, par exemple, la ponctualité est mesurée par l'écart entre l'heure de départ ou d'arrivée prévue et le moment réel du décollage ou de l'atterrissage. L'écart accepté par la profession est de quinze minutes. Or, pour de nombreux clients, ce retard est perçu comme important et surtout ne correspond pas au temps qu'ils perdent effectivement puisqu'il ne comprend pas le temps passé avant l'ouverture des portes de l'avion ou le temps nécessaire pour récupérer les bagages.

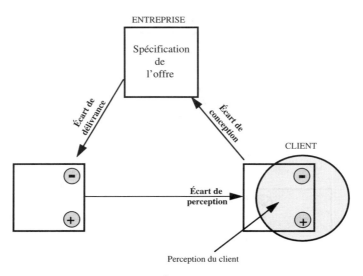

Figure 6.6. Écart de perception.

Il risque ainsi de ne pas y avoir de correspondance entre le service tel qu'il est envisagé du côté de l'entreprise et tel qu'il est perçu par le client. Il existe toujours une différence entre ce qui est montré et ce qui est vu.

On a parfois l'impression que certaines entreprises se font plaisir en punissant le client, en lui demandant, par exemple, de remplir de longs questionnaires très compliqués.

Pour comprendre comment les clients perçoivent le service, il faut essayer de prendre en compte leurs biais de perception que nous avons ramenés à trois filtres.

2.3.1. Le filtre du cadre de référence

Chacun de nous a acquis au fil des ans un cadre de référence, au travers duquel passent toutes nos perceptions. Ce cadre de référence constitue une carte perceptuelle qui provient de notre culture, de notre éducation, de notre expérience, de notre langue et de notre style de vie. Il a sa propre logique. Tout comme les cours d'eau découpent les vallées pour se jeter dans les fleuves créant ainsi une topographie particulière, de même nos impressions, notre expérience génèrent des cartes, des schémas mentaux spécifiques. Nous pourrions comparer ces schémas à des ornières qui se creusent de plus en plus au fur et à mesure que les roues des véhicules passent dessus.

Les cartes perceptuelles sont comme des filtres de couleur ou des lentilles au travers desquels se forment les impressions. Si vous demandez, par exemple, à une personne depuis combien de temps elle attend, sa perception du temps écoulé sera différente du temps réellement mesuré objectivement sur une montre. Et chaque personne aura une perception différente, selon les circonstances.

2.3.2. Le filtre du mode d'intégration

La perception est irrationnelle, teintée par les affects. Lorsque nous nous forgeons une opinion, nous n'accordons pas à tous les détails la même importance et un seul élément négatif peut gâcher toute l'expérience. Si la blouse blanche d'un médecin réputé est tachée, nous doutons de sa réputation ; parce que le caissier est désagréable, nous décidons de ne jamais remettre les pieds dans ce magasin ; le film semble moins bon lorsque les sièges sont inconfortables. Et il faudra de nombreuses impressions positives pour effacer une seule impression négative.

Le service fourni est souvent découpé en une série d'activités et de moments de vérité, mais, dans notre esprit, il se forme une seule impression globale. Les impressions successives s'agrègent pour constituer une opinion globale. Et plus le service comprend de points d'interaction et de moments de vérité, plus le risque d'échec est grand.

Si l'on en croit Carl Sewell (1990) :

> *« Cela fonctionne un peu comme un compte en banque. Chaque fois que nous faisons bien notre travail, le client crédite notre compte. Chaque fois que nous commettons une faute, il le débite. Mais un débit semble correspondre à dix crédits. Par contre, à partir du moment où nous avons un solde positif, il y a de grandes chances que le client nous pardonne. »*

Comme chaque impression compte, il faut penser au moindre détail. Et chaque détail veut vraiment dire chaque détail, même les détails que les clients ne sont pas censés voir, par exemple le coup d'œil dans la cuisine du restaurant.

L'image et la réputation influencent aussi la façon dont les clients perçoivent le service. Si l'image est bonne, des fautes mineures seront pardonnées. Dans tous les cas, le contact initial et le contact final sont primordiaux. Le premier contact donne le ton à l'ensemble de l'expérience. Les restaurateurs savent bien que le client qui n'est pas satisfait du premier contact peut faire des difficultés et se plaindre toute la soirée. Dans certaines structures, on appelle même le réceptionniste « le directeur de la première impression ». Dès que les clients se sont forgés une première impression soit par leur propre expérience, soit en fonction de la réputation ou du dire d'un expert, celle-ci reste fermement ancrée dans leur esprit et il est bien difficile de la changer. Le dernier contact laisse aussi une impression durable et les chasseurs aux portes des hôtels sont là pour ça.

2.3.3. Le filtre du processus de délivrance

Les deux questions principales que se pose le client après avoir donné sa voiture à réparer sont :
– Ont-ils vraiment réparé ma voiture ?
– Ai-je eu un bon service ?

La première question concerne **la qualité technique** du travail accompli et son résultat. La seconde s'interroge sur la **qualité du processus de délivrance.** Etait-ce facile d'obtenir un rendez-vous ? Le mécanicien a-t-il pris le temps de poser des questions pertinentes sur le problème rencontré ou d'expliquer ce qu'il avait trouvé ? La facture était-elle explicite ? Le personnel s'est-il montré attentionné et sympathique ? Et ainsi de suite.

Il est important de comprendre que les clients perçoivent différemment la qualité technique (le quoi) et la qualité du processus de délivrance (le comment) : il ne leur est pas facile d'apprécier la qualité technique car ce ne sont pas des professionnels, mais ils sont sensibles à la manière dont ils ont été traités. Selon l'expression de Mary Spillane dans *Colour me beautiful*, « Les électeurs n'entendent que 7 % de ce que les hommes politiques ont à dire. Le reste dépend de leur apparence ».

Ainsi, au travers du filtre du processus de délivrance (que nous pourrions appeler également le filtre quoi/comment), l'importance du comment est amplifiée aux dépens de la qualité technique. Et il n'est pas possible d'organiser l'interaction en ignorant ce biais.

Au-delà de la simple gentillesse et du sourire au client, la qualité du processus de délivrance recouvre les aspects qui vont permettre d'enrichir l'expérience et d'accroître sa valeur, ce qui peut être fait par :
• **des explications** : en informant les clients sur ce qui se passe ou ce qui va se passer, vous pouvez diminuer leur sentiment de risque et d'incertitude. Si, par exemple, ils doivent patienter, il vaut mieux leur dire pourquoi et montrer que tout est normal.
• **une communication claire** : le client sera rassuré par l'absence de jargon, une facture claire ou une documentation attrayante.

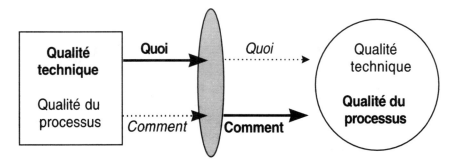

Figure 6.7. Filtre du processus de délivrance.

- **des éléments matériels** : plus un service est immatériel, plus il est néces-saire de le concrétiser par des éléments tangibles. Un hall d'entrée en marbre dans une banque peut donner une impression de puissance, de sé-curité et de confiance. Une étiquette de vin soignée peut conforter l'im-pression d'excellence, alors qu'un code barre peut avoir l'effet inverse. Ceux qui conçoivent le service doivent rechercher tout élément matériel qui pourra d'une façon ou d'une autre influencer le client : la technologie utilisée, les uniformes du personnel, les brochures, les rapports volumi-neux truffés d'illustrations, les cartes d'adhérent et ainsi de suite.

- **l'implication du client** : lorsque les clients participent à la mise au point, à la fourniture ou au contrôle d'un service, leur perception est favorable-ment modifiée par l'influence qu'ils peuvent exercer.

- **l'accessibilité et la réactivité du personnel** : après avoir effectué une enquête auprès de ses passagers, British Airways s'est aperçu qu'ils se plaignaient du manque de spontanéité du personnel, ce qui conduit main-tenant certains pilotes à faire des annonces spontanées et improvisées à bord plutôt que les déclarations standards habituelles.

Il est donc essentiel, lors de la conception, de tenir compte de ces trois fil-tres par lesquels le client perçoit le monde qui l'entoure (Figure 6.8.).

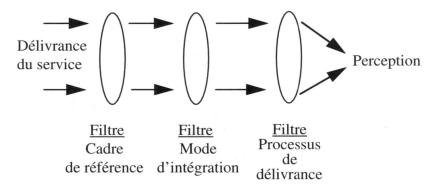

Figure 6.8. Les trois filtres de la perception.

2.4. L'écart de perception par rapport aux attentes

Dans la mesure où la satisfaction du client (Figure 6.9.) est fondée sur le rapport entre le résultat perçu et ses attentes, il y a un dernier écart à analyser. On pourrait le formuler selon l'équation suivante :

> Satisfaction de client = Qualité perçue – Qualité attendue

Dès que l'offre a été définie, elle est communiquée aux consommateurs chez lesquels elle suscite des attentes. Cette communication doit bien évidemment se fonder sur le concept de service et sa formulation. Les publicités, les descriptifs, les avis des uns et des autres vont contribuer à influencer les attentes et le prix est également un élément important. Une photo peut faire croire qu'un lieu de villégiature est un paradis, mais attention à la déception à l'arrivée !

Si le client a déjà utilisé le service, cette expérience jouera un rôle majeur sur ses attentes et, par le bouche-à-oreille, sur les attentes d'autres consommateurs. La transmission de l'expérience peut aussi se faire par le biais d'un critique indépendant, d'un « expert » sponsorisé par la société, de témoignages de clients ou de clubs d'utilisateurs.

Si les attentes du consommateur sont plus grandes que sa perception du service reçu, il va se sentir déçu, comme le montre la Figure 6.10. Par contre, si sa perception dépasse ses attentes, le client sera agréablement surpris et ravi.

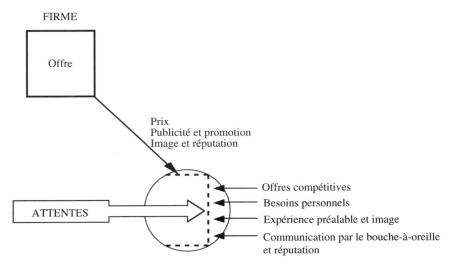

Figure 6.9. Mesure de la satisfaction client.

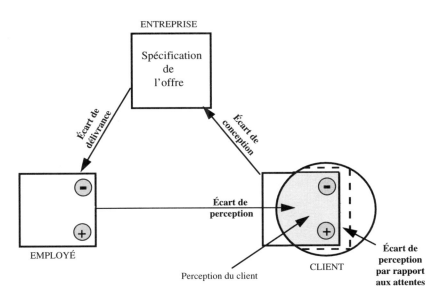

Figure 6.10. Cas d'une attente client déçue.

Il y a un problème quand on exprime la satisfaction du client en terme de différence. Car, lorsque la qualité perçue est égale à la qualité attendue, le résultat est nul. Pour éviter cette difficulté, il est possible d'exprimer la satisfaction du client par le rapport suivant :

$$\text{Satisfaction du client} = \frac{\text{Qualité perçue}}{\text{Qualité attendue}}$$

Ainsi, lorsque la qualité perçue est égale à la qualité attendue, le rapport vaut 1.

Maintenant que l'on a compris comment la qualité se crée, se délivre et se perçoit, on peut passer à la conception détaillée de chaque interaction. Ce sera l'objet du prochain chapitre.

Chapitre 7

LA CONCEPTION DU SYSTÈME DE DÉLIVRANCE DE LA PRESTATION

Comme nous l'avons vu dans les chapitres précédents, la création d'une prestation commence par une formulation cohérente des principales décisions à prendre. Malheureusement, la conception détaillée est souvent négligée et déséquilibrée : on consacre beaucoup d'attention aux considérations techniques et matérielles telles que les locaux, l'équipement ou les produits, alors que les aspects moins concrets, comme la cohérence de l'expérience pour le client, sont négligés. Trop souvent le client est perdu, contraint d'attendre ou déçu, parce que ces différentes considérations ne se complètent pas ou parce que sa perception individuelle a été quelque peu négligée.

1. Aperçu général et conception détaillée

Il faut commencer par passer en revue le service global et analyser les différents groupes d'activités que rencontre le client en suivant son itinéraire. En fonction de la complexité de cet itinéraire, il est possible de recourir à différents diagrammes ou cartes pour effectuer cette analyse.

Dans le cas d'un service relativement simple, comme celui du restaurant Benihana, les clients suivent un parcours linéaire. Il est donc facile de dessiner sur un diagramme de flux les interactions successives : arrivée au bar, déplacement vers la table, caisse et sortie. Dans la cuisine, le flux de matières premières transformées en produits semi-finis est encore plus évident à représenter.

Lorsque le service est plus complexe, comme dans le cas d'un village de vacances du *Club Med* ou d'un parc *Disney*, le parcours peut être subdivisé autant de fois que nécessaire : hôtels, restaurants, boutiques, attractions, systèmes de réservation, etc. Chaque prestation doit être conçue pour apporter le maximum de satisfaction au client, pour réduire les coûts et éviter les problèmes. Il faudra ainsi prendre un certain nombre de décisions se rapportant à chaque groupe d'interactions: capacité des locaux, disposition des lieux, matériel spécifique, décor, comportement et tenue du personnel, activités de support et ainsi de suite. Toutes ces décisions devront être compatibles avec la formulation de base du service.

L'exemple bien connu de la concession automobile pourra certainement éclairer notre propos. Les différents services ou groupes d'activités proposés comprennent la vente de véhicules neufs ou d'occasion, l'après-vente et les réparations. Ces différents services sont bien évidemment liés, et il est important d'en maintenir l'intégration de façon à maximiser la qualité de la relation avec la clientèle. Mais, lors de la conception, il est nécessaire d'analyser l'itinéraire suivi par le client dans chaque service.

Prenons d'abord le cas de la vente des véhicules neufs. Il a, par exemple, été décidé qu'un des éléments importants de la formulation était d'assurer qu'un seul vendeur gérerait la transaction avec un client, et ceci de la première visite à la livraison (ce qui est souvent contraire à la pratique courante, où le vendeur perd tout intérêt dès que la vente est conclue). C'est au vendeur qu'il appartiendra alors de coordonner les activités des secrétaires administratives ou commerciales et du technicien chargé de préparer la voiture. Regardons le cycle d'activité correspondant.

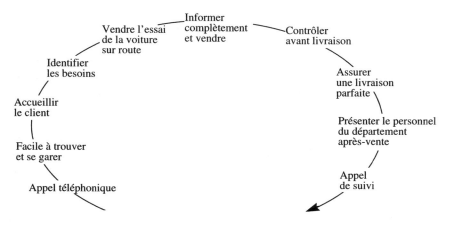

Figure 7.1. Cycle d'activité pour la vente de véhicules neufs.

Pour obtenir un bon service du premier coup, il est important que la qualité soit prise en compte dès la conception, et ceci selon quatre points de vue essentiels :

- Les locaux, les équipements, le cadre et l'environnement (1)
- Le processus de délivrance (tâches et procédures) (2)
- Les produits et les informations fournis, ainsi que les processus-clés de support (3)
- L'attitude et le comportement du personnel et des clients (4).

On procédera donc de façon systématique à la définition des tous les éléments se rapportant aux différents moments du cycle d'activité selon les quatre dimensions mentionnées plus haut. Quelques exemples, empruntés au cycle d'activité de la figure 7.1., peuvent sans doute aider à mieux comprendre notre propos (nous nous sommes ici inspirés de la méthodologie mise en place chez un concessionnaire de Ford France). Les chiffres entre parenthèses donnés à côté de chaque élément se rapportent à la dimension qualité correspondante.

1er élément du cycle : l'appel téléphonique

- nombre de lignes (1)
- type de standard téléphonique (1)
- temps de réaction et nombre d'opérateurs (2)
- procédures à suivre par les opérateurs (2)
- planning des disponibilités des vendeurs et systèmes de suivi permettant d'actualiser le planning (3)
- descriptif du comportement de l'opérateur (comment accueillir le client, l'informer, l'orienter …) (4)

3e élément du cycle : accueillir le client

- taille du hall d'exposition (gamme des véhicules), éclairage, ambiance, mobilier (1)
- disponibilité du matériel promotionnel (1)
- bureau des vendeurs immédiatement accessible dès l'entrée (2)
- horaires d'ouverture (affichés) (2)
- procédures pour nettoyer et préparer les voitures (2)
- enregistrement des visites des clients (3)
- procédures pour accueillir les clients (4)
- tenue, badges nominatifs et cartes de visite pour les vendeurs (4)

8ᵉ élément du cycle : assurer une livraison parfaite

– zone de livraison (1)

– une heure par livraison (2)

– pas de livraison après 17h 30 (2)

– pas plus de six livraisons par secrétaire commerciale (2)

– contrôle sur véhicule usagé (le cas échéant) (2)

– liste de contrôle signée par le client (3)

– information du client sur les procédures administratives (4)

Il est également nécessaire de prévoir des processus particuliers reliant l'avant-scène et l'arrière-scène. Ils comprendront la prise de commande par la secrétaire commerciale, l'établissement des papiers par la secrétaire administrative et la préparation de la voiture par l'atelier et le service des pièces détachées.

Cette revue détaillée montre l'intérêt d'être aussi exhaustif que possible pour pouvoir anticiper tout problème éventuel à ce stade de la conception. Il devrait à présent être clair que toutes les bonnes intentions et l'accueil chaleureux du vendeur ne pourraient compenser les problèmes qui se poseraient si le système en place n'est pas au point. Les procédures systématiques qui permettent au vendeur de fournir la qualité attendue par le client sont extrêmement importantes. En fait, elles sont responsables de 80 % du service au client.

Jusqu'ici l'approche est restée descriptive et statique. Il est donc intéressant de disposer d'un outil de conception qui permette de comprendre les interactions complexes entre avant-scène et arrière-scène, le long du parcours du client. Un simple diagramme de flux encore appelé **carte de service** peut faire l'affaire. Lyne Shostack (1984) en résume ainsi les avantages : « Cette carte permet à l'entreprise de vérifier ses hypothèses sur le papier et de travailler sur les points d'achoppement ».

2. LE DIAGRAMME DE FLUX COMME OUTIL DE CONCEPTION

Le principe du diagramme de flux est d'illustrer les deux flux parallèles, clients et matières premières, séparés par une ligne de « visibilité ». Pour l'avant-scène, on déroule horizontalement le cycle d'activité pour suivre le parcours du client d'une activité à l'autre – parcours ponctué éventuellement de files d'attente. Chaque activité est représentée par un cercle ou un rectangle et une file d'attente par un triangle (qui est le symbole utilisé pour représenter un stock). A l'arrière, nous trouvons le flux classique des matières premières avec des opérations de transformation et des stocks.

Les activités qui se trouvent au-dessus de la ligne de visibilité sont directement perçues par le client, tandis que celles qui se trouvent en dessous sont invisibles pour lui. Il est également possible de prévoir d'autres niveaux plus profonds de l'organisation tels que le management ou l'administration.

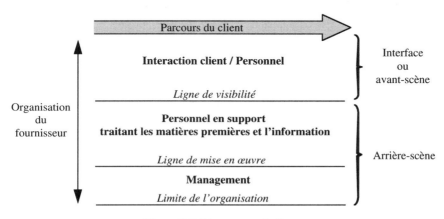

Figure 7.2. Diagramme de flux.

Grâce à cet outil, il est possible de tester l'interaction entre avant-scène et arrière-scène et de résoudre des problèmes aussi courants que :

– la fragmentation des opérations et leur manque de cohérence,

– la diversité de la demande client et la nécessité de focaliser les opérations,

– l'amélioration de la qualité de la prestation et de sa perception grâce à la prévention et à l'analyse des points de défaillance potentiels,

– le renforcement des aspects tangibles pour améliorer la perception de la valeur,

– l'amélioration de la productivité en trouvant les moyens de mieux utiliser la capacité, de réduire les coûts et les pertes,

– la mesure et la réduction des temps de réponse.

Illustrons notre propos en regardant le secteur après-vente de notre concessionnaire sur le schéma simplifié de la Figure 7.3.

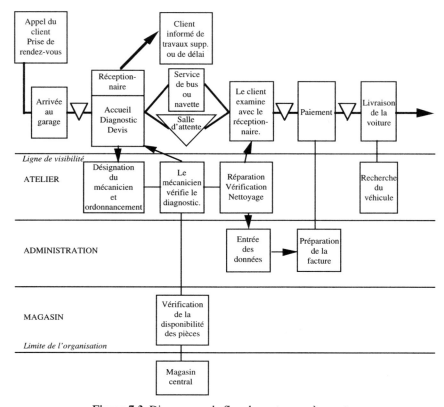

Figure 7.3. Diagramme de flux du secteur après-vente.

Nous avons tenté de donner une image complète du service. Ce qui frappe, c'est le nombre de points d'interaction et les queues éventuelles en interface : une première queue avant de rencontrer le conseiller en clientèle, des attentes intermédiaires, des queues pour payer la facture ou reprendre la voiture.

2.1. Focaliser les opérations

L'une des premières décisions à prendre lors de la conception concerne le niveau de variabilité que peut accepter le service. Prenons le cas d'une compagnie d'assurance qui rembourse à la fois de toutes petites sommes et des sommes très importantes. Si la compagnie utilise le même système pour régler toutes les transactions quel que soit le montant du sinistre, les frais de traitement risqueront dans certains cas d'être supérieurs à la somme à rembourser. L'une des solutions possibles est de segmenter les transactions. Supposons, pour simplifier, que l'on puisse distinguer deux types de transactions : les petites transactions et les grosses. Nous pouvons alors spécialiser nos opérations et concevoir deux processus différents : les petits montants peuvent être traités de façon simplifiée et standard avec une interaction réduite et un paiement automatisé, tandis que les transactions importantes passent par un processus plus complexe requérant une certaine expertise et un certain niveau d'autorisation.

Ce principe s'applique au service après-vente d'un concessionnaire. Le service sera plus satisfaisant, moins onéreux et plus homogène si l'atelier est divisé en trois secteurs. Le premier se concentre sur les réparations simples qui peuvent être effectuées sur-le-champ (un moyen astucieux de concurrencer les Speedy ou Midas), un deuxième se spécialise sur les réparations mécaniques ordinaires et un troisième se charge des plus grosses réparations sur le châssis et la mécanique.

L'atelier de réparation « minute » s'obtient en simplifiant considérablement le premier diagramme de flux de la Figure 7.3. Dans le nouveau schéma, les clients sont reçus sans rendez-vous et peuvent ensuite avoir un contact direct avec le technicien pendant le temps de la réparation. La séquence d'interaction est plus cohérente et plus simple, comme le montre la Figure 7.4. Le service est plus tangible, plus interactif et permet au client de participer ou du moins de comprendre ce qui se passe, ce qui peut accroître sa confiance et sa satisfaction.

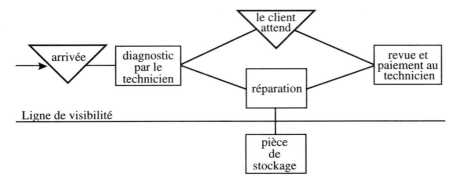

Figure 7.4. Cas de l'atelier de réparation « minute ».

2.2. Prévenir et analyser les problèmes potentiels

Il est possible sur le diagramme de flux de distinguer les points de défaillance potentiels ou les mesures spécifiques qui pourraient améliorer la
valeur perçue. Par exemple, essayons d'imaginer les problèmes que pourrait rencontrer le client le long de son parcours illustré sur la Figure 7.3.

– le client oublie qu'il doit entretenir sa voiture,

– le client ne trouve pas où se garer,

– l'arrivée du client passe inaperçue,

– le client attend l'arrivée du conseiller,

– le client n'a pas les papiers qu'il faut et oublie de signaler certains problèmes,

– le conseiller se trompe de diagnostic, d'estimation de coût ou de temps,

– la voiture de prêt n'est pas disponible,

– certaines pièces sont en rupture de stock,

– la réparation n'est pas complète, des détails ont été oubliés et le problème
n'est pas entièrement résolu,

– une erreur s'est glissée dans la facture : la facture n'est pas claire ou ne
correspond pas au devis.

Cette très longue liste illustre les coûts de prévention entraînés pour éviter
les problèmes potentiels, mais ces coûts de prévention sont bien inférieurs
aux coûts d'inspection, de défaillance, de correction ou d'insatisfaction du
client.

Donnons ici l'exemple d'une approche utilisée par les concessionnaires
Ford pour anticiper les problèmes. Les clients sont reçus sur rendez-vous
sur une zone spécialisée. Les rendez-vous se succèdent tous les quarts
d'heure et le conseiller dispose du temps et du matériel nécessaires pour
faire un diagnostic complet en présence du client. Les rendez-vous sont
pris essentiellement dans la matinée, mais peuvent déborder sur l'après-
midi, si nécessaire. La même procédure est utilisée lorsque les clients
viennent rechercher leur voiture. Le cycle d'activité du client illustré en
Figure 7.5. montre clairement le rôle central du conseiller en clientèle.

L'avantage de ce mode d'organisation est d'introduire une continuité dans
la relation et une cohérence des interactions successives. En passant un
quart d'heure au départ pour faire un diagnostic complet en présence du
client, le conseiller obtient une information plus complète, note chaque détail et dispose de suffisamment de temps pour faire une estimation relativement précise du temps nécessaire pour le travail et des coûts concernés,

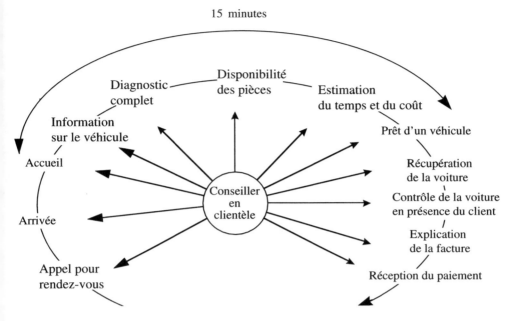

Figure 7.5. Rôle central du conseiller en clientèle dans le cycle d'activité du client.

tout en vérifiant que les pièces de rechange sont disponibles. Lorsque le client revient, il a affaire à la même personne, ce qui diminue les risques d'erreur et les mauvaises surprises.

Il convient de remarquer que cette démarche a l'avantage d'augmenter la facture moyenne, car le conseiller en clientèle peut signaler des problèmes négligés jusqu'alors et proposer des accessoires ou des produits complémentaires. En soignant particulièrement la première et la dernière impression du client, le conseiller est en mesure d'améliorer la valeur perçue.

Le diagramme de flux peut à présent être traduit en schéma d'implantation du garage lui-même, comme le montre la Figure 7.6. Après la rencontre avec le conseiller en clientèle sur les plates-formes 1 et 2, les véhicules sont réparés dans l'atelier.

2.3. Améliorer la productivité, réduire les coûts et les pertes

Il n'y a que peu de possibilités d'améliorer la productivité lors de l'interaction. On peut réduire la durée et l'intensité de l'interaction, faire participer le client (self-service) ou mieux utiliser les capacités physiques et le personnel.

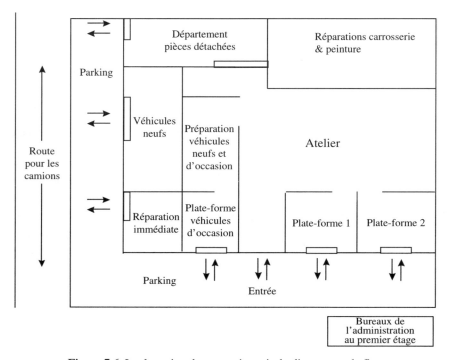

Figure 7.6. Implantation du garage à partir du diagramme de flux.

Il est plus facile d'accroître la productivité dans les activités de l'arrière et, en l'occurrence pour notre concessionnaire, dans l'atelier.

Tous les principes de la production au plus juste, particulièrement mis au point par l'industrie automobile japonaise, peuvent s'appliquer à l'atelier pour accroître la productivité et réduire les coûts et les pertes. En voici quelques exemples :

– En effectuant une étude sur les temps et les mouvements des techniciens autour d'un véhicule, il a été possible de découvrir qu'ils perdaient beaucoup de temps à chercher les outils et les pièces. Les techniciens se déplacent beaucoup trop autour du véhicule parce que les équipements et les outils sont mal assortis et que les pièces ne sont pas préparées à l'avance.

– A l'aide de techniques d'analyse du temps, on a découvert que les activités pouvaient être classées en activités à valeur ajoutée, en activités nécessaires (telles que le nettoyage, le transport des outils et les vérifications) et en activités inutiles (telles que les attentes ou les déplacements pour chercher un outil). La durée des tâches peut ainsi être considérablement réduite en éliminant les activités inutiles.

2.4. Mesurer et réduire les temps de réponse

La Figure 7.3. signale par des triangles les files d'attente entre les opérations. Les files d'attente peuvent être régulées en mettant en adéquation les taux d'arrivée des clients et les taux de service. Le temps total passé par le client dans le système dépend du nombre de fois où il doit attendre, donc du degré de fractionnement du système. Bien que le fractionnement du travail soit utile sur le plan de la spécialisation, il entraîne pour les clients des attentes plus longues et davantage de désagréments. Ce point sera traité dans le Chapitre 12, consacré à la gestion de la capacité.

Le temps de réponse peut également être tributaire des problèmes et des retards entraînés par le traitement physique à l'arrière. Dessinons, par exemple, le diagramme de flux d'un processus simple, un client appelant une société de service pour lui poser un problème ou lui faire une demande spécifique.

La Figure 7.7. montre clairement que le temps de réponse peut varier d'une façon considérable : de quelques minutes si l'employé peut gérer le problème immédiatement au téléphone, à quelques semaines ou quelques mois s'il doit attendre un renseignement ou une décision d'une autre organisation ou si le processus est trop fractionné (trop d'étapes de 1 à n).

Il est possible de réduire le temps de réponse en appliquant les principes suivants :

- simplifier le processus et réduire le nombre d'étapes en regroupant les opérations (travail en équipe ou opérateurs polyvalents),
- diminuer le nombre de défauts par la prévention et le contrôle à chaque étape,
- déléguer la responsabilité des décisions, jusqu'à un certain niveau,
- réduire les retards liés aux informations et aux décisions venant d'autres organisations,
- utiliser des tarifs différenciés et une bonne communication pour lisser les pics et les creux de la demande,
- automatiser certaines tâches.

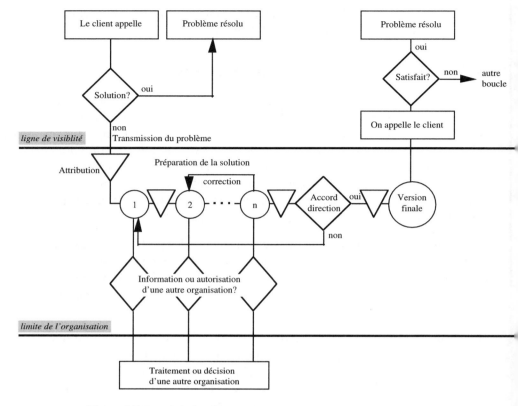

Figure 7.7. Degré de fractionnement du système et attentes pour les clients.

3. LES DANGERS D'UNE SPÉCIALISATION EXCESSIVE

Comme nous le savons tous, les règles, les normes et les procédures peuvent déboucher sur la bureaucratie et l'ennui. Elles peuvent, bien sûr, permettre d'assurer un niveau primaire de satisfaction, mais les clients attendent davantage qu'une conformité à des normes et des rôles stéréotypés. Les règles et les normes devront donc être constamment revues, actualisées, adaptées.

Selon Carl Sewell, le prestataire de service doit toujours être à l'écoute de son client et réajuster ses normes en fonction de ce qu'il apprend :

« Nous n'avons aucune règle qui dise que tous les clients doivent être accueillis dans les trente secondes ou que nous devons décrocher le téléphone à la deuxième sonnerie. Ces règles sont fixées par ceux qui pensent connaître ce que veut le client. Nous n'avons pas de préjugé, nous essayons plutôt de découvrir ce qu'il veut ».

Il s'agit de dépasser les attentes et de créer un avantage concurrentiel. Et un avantage concurrentiel significatif peut naître de subtiles différences telles que la réactivité, l'ambiance, le cadre ou l'aménagement des lieux.

4. L'ÉQUILIBRE DES POUVOIRS DANS LE TRIANGLE DES SERVICES

Si les normes et les procédures sont conçues par la hiérarchie et parachutées sur le personnel, il y a des risques que celui-ci se sente piégé et perde sa motivation. Pour éviter ce risque, il faut que le personnel soit impliqué dans la création et l'actualisation des normes et des procédures.

Mais il y a aussi le risque inverse que le personnel devienne plus autonome et profite de sa compétence pour s'affranchir des clients et asseoir son propre pouvoir, ce qui rendra difficile l'adéquation entre la prestation réelle et les promesses faites par l'entreprise. Et ceci nous ramène aux écarts de qualité et à la difficulté à équilibrer les pouvoirs dans le triangle des services.

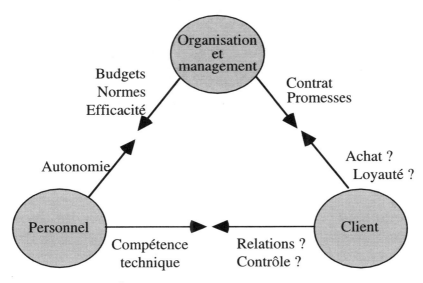

Figure 7.8. Équilibre des pouvoirs dans le triangle des services.

5. L'ANALYSE DE LA COHÉRENCE : TESTER LE SYSTÈME DANS SON ENSEMBLE

Lorsqu'un système comporte de nombreux points d'interaction qui impliquent du personnel sur de nombreux sites, il est essentiel de se souvenir que le client intègre l'ensemble de ses impressions et qu'il recherche une cohérence globale.

Cette intégration est possible par l'analyse globale du système, par des révisions régulières ou par la création d'un comité de coordination. Gérer un projet, c'est gérer des risques, c'est pourquoi il est essentiel d'identifier et d'anticiper tout problème éventuel de frontière entre différents éléments du système.

Mais, au lieu de se concentrer uniquement sur des études sur le papier, il vaut parfois mieux tester le projet de service en vraie grandeur à l'aide de projets pilotes et de prototypes. Plus il y de points d'interaction et d'incertitude, plus ces tests sont recommandés. C'est ainsi que le concept de restaurant Benihana a d'abord été testé dans deux restaurants avant d'être étendu à des dizaines d'autres sites.

Lorsqu'un test en vraie grandeur n'est pas possible, les différents éléments du service peuvent être testés séparément sur des sites existants ou faire l'objet de simulation « en chambre » ou sur ordinateur.

TROISIÈME PARTIE

Mesurer et maîtriser la qualité

Chapitre 8

LA MESURE DE LA QUALITÉ :
LE MODÈLE DU SEAU PERCÉ

Nous pouvons à présent mesurer le résultat des efforts que nous avons faits pour fournir un service adapté aux clients visés. Ont-ils été ravis ou déçus par le service proposé ? On peut en juger en mesurant la qualité du service proposé, la qualité telle qu'elle ressort de la conjonction entre la prestation et la perception.

D'un côté, la prestation est concrète et opérationnelle. Avec ses caractéristiques physiques et techniques (le matériel), les rôles et les comportements (l'humain) et les normes et les procédures objectives et précises (le processus), le service est bien carré, bien défini. C'est la partie carrée de l'offre. D'un autre côté, le client compare sa perception vécue à ses attentes. Nous tombons dans un domaine subjectif, spéculatif et fugace, circulaire en quelque sorte.

Nous avons déjà analysé ces deux univers au chapitre 6, mais il est important de les garder en mémoire.

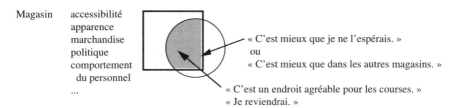

Figure 8.1. Rapport entre la réalité objective de la prestation
et l'univers subjectif du client.

La Figure 8.1. montre comment la qualité du service résulte de la conjugaison entre la réalité objective, carrée de la prestation et l'univers subjectif, rond du client. La qualité perçue résulte donc de la quadrature du cercle, de la façon dont l'offre réussit à couvrir les besoins du client. Le résultat s'exprime sous forme de jugements tels que « j'aime faire mes courses ici » ou plus positif encore « c'est encore mieux que je le pensais, je reviendrai. »

D'autre part, la qualité du service relie deux exigences fondamentales : attirer de nouveaux clients (ce qui est essentiellement du ressort du marketing) et les fidéliser (ce qui relève plus des opérations). Il faut d'abord faire connaître et vendre le service, mais, ce qui génère le réachat, c'est la satisfaction du client après la prestation. Nous avons développé un modèle fondé sur l'analogie du seau percé pour analyser cette double exigence (Figure 8.2.). On y voit clairement l'interaction dynamique entre marketing et opérations.

Figure 8.2. Modèle du seau percé.

1. COMPRENDRE LE MODÈLE DU SEAU PERCÉ

Les clients commencent par connaître et s'intéresser au service avant de l'acheter et de tomber dans le seau. S'ils en sont satisfaits, ils restent dans le seau pour former la base de la clientèle fidèle. S'ils ne sont pas satisfaits, ils ne renouvellent pas l'expérience d'où une fuite de clients insatisfaits s'échappant par un trou dans le seau.

Ce modèle peut être affiné comme on peut le voir sur la Figure 8.3. en y adjoignant deux notions essentielles : les réclamations et la récupération du client d'un côté, et l'effet du bouche-à-oreille de l'autre.

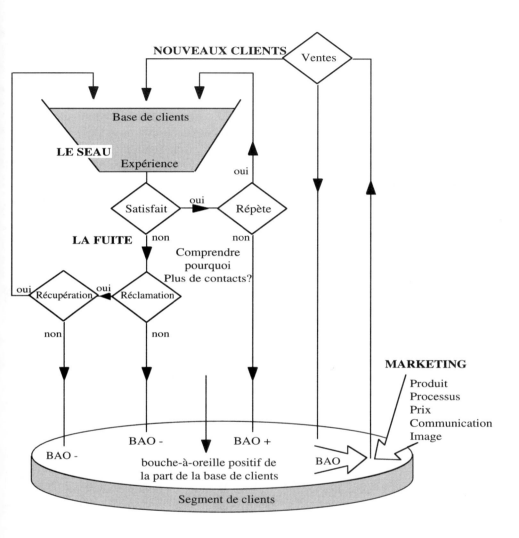

Figure 8.3. Interaction dynamique entre marketing et opérations.

Le cycle démarre avec l'effort marketing qui aspire un certain nombre de nouveaux clients venant d'une cible déterminée pour les mettre dans le seau où ils expérimentent le service. L'objectif du marketing est d'attirer de plus en plus de clients pour élargir la part de marché, générer des économies d'échelle ou d'utilisation des capacités. Les clients remplissent le seau, mais on ne sait pas encore combien d'entre eux sont satisfaits ou insatisfaits, combien ont été perdus et remplacés ou comment se situe le service par rapport à la concurrence. En fait, au fond du seau, il y a un trou par lequel s'échappent certains clients qui ne renouvellent pas l'expérience, en se plaignant ou non. Lorsqu'une affaire est bien gérée et que la qualité en est maîtrisée, le trou est très petit de sorte que la fuite se fait à un rythme plus lent que le remplissage. Mais si la prestation est médiocre, les clients sont de plus en plus insatisfaits et le trou s'agrandit, et les efforts du marketing risquent de ne pas être suffisants pour compenser la mauvaise qualité de service.

Le segment cible correspond aux clients que l'entreprise veut attirer et conserver. Il est primordial de se montrer sélectif et de choisir les segments les plus rentables. Les clients sont attirés par les différents éléments de la stratégie marketing (le produit, le processus, le prix, la communication, l'image, la garantie), mais ils sont également influencés par le bouche-à-oreille de ceux qui ont essayé le service, ainsi que par les offres concurrentes sur le même segment.

Au moment de la transaction, les clients reçoivent des informations, des explications et des promesses plus détaillées qui vont influencer leurs attentes et les « préparer » à l'interaction. Après consommation, les clients sont soit satisfaits et éventuellement prêts à renouveler l'expérience, soit insatisfaits et éventuellement prêts à se plaindre. Dans les deux cas, les clients communiqueront avec les autres par le bouche-à-oreille, qu'il soit positif ou négatif.

Le réachat crée une base de clientèle stable qui est un atout essentiel pour l'entreprise. Lorsque les clients se plaignent, l'entreprise doit tout faire pour éviter leur défection en essayant de comprendre la cause de leur insatisfaction et de les calmer en tentant de les récupérer pour qu'ils rejoignent la base de clientèle.

Améliorer la qualité du service permet non seulement de réduire l'importance de la fuite, mais aussi d'attirer de nouveaux consommateurs grâce à un bouche-à-oreille positif et une meilleure image. Le service se vend tout seul dans ce cas. Par contre, un service de moins bonne qualité dépendra davantage du marketing et de la vente pour compenser les pertes.

La part de marché à long terme s'obtient en multipliant le taux de création ou de pénétration dans les segments visés, par le taux de réachat :

> Part de marché à long terme = Taux de pénétration × Taux de réachat

Analysons à présent un à un les éléments de notre modèle.

2. INFLUENCER LES ATTENTES DES CLIENTS

2.1. Que faut-il communiquer ?

Les clients jugent de l'efficacité d'une société de service en comparant leur perception à leurs attentes, en fonction des principales caractéristiques de la proposition de valeur.

- résultats de base et étendue de la solution,
- résultats de l'interaction avec le processus : *temps de réponse, accessibilité, environnement physique*,
- résultats de l'interaction avec le personnel *: empathie, réactivité, continuité, apprentissage*,
- crédibilité des résultats et fiabilité : *confiance, cohérence, récupération*,
- prix.

Etant donné la très grande diversité des demandes, il est important que le positionnement et la communication des promesses soient en phase avec les caractéristiques auxquelles les clients accordent de l'importance. L'entreprise doit bien évidemment sélectionner les aspects spécifiques de l'offre qui contribueront le mieux à la différencier. Les clients sont particulièrement sensibles aux aspects matériels et aux résultats mesurables et seront mécontents de tout écart entre ce qui leur a été promis et ce qu'ils vivent – revoilà notre vieil ami : l'écart de la qualité entre perception et attentes. La règle de base est de promettre moins et de donner plus. La coupe de fruits que vous trouvez dans votre chambre d'hôtel est-elle prévue et comprise dans le prix ou est-ce une bonne surprise ?

Voici quelques exemples de telles promesses :

1) Les résultats de base

– Les plats à volonté : vous pouvez recommander le même plat autant de fois que vous le souhaitez.

– La perte de votre carte de crédit : vous recevez une nouvelle carte dans les 24 heures.

– Federal Express : absolument, certainement, demain matin.

2) Le processus

– Le Club Med : vous profitez des installations du village immédiatement. Vous êtes dans votre chambre dans le quart d'heure qui suit votre arrivée et toutes les activités sont accessibles à pied.

– Une flotte moderne d'appareils : âge moyen inférieur à deux ans.

– Nous répondons immédiatement à vos appels : tous les appels sont pris avant la troisième sonnerie.

3) L'interaction

– La tradition asiatique de service sur *Singapore Airlines* (les hôtesses !)

– La tradition française sur Air France (le champagne !)

4) La fiabilité

– Des contrôles réguliers par une tierce compagnie.

5) Le prix

– Le prix le plus bas : un système informatique calcule immédiatement le prix ou le tarif le plus bas dans le pays.

– Le forfait.

Comme le montrent ces exemples, il est plus difficile de faire des promesses concrètes et de les communiquer en établissant des normes de prestation lorsqu'il s'agit des éléments immatériels de la proposition de valeur tels que l'interaction avec le personnel. De plus, si ces promesses ne s'appuient pas sur de solides garanties et si elles ne sont pas renforcées par une image forte et un personnel professionnel, elles ne seront pas prises au sérieux. Certaines sociétés, surtout au début de leur existence, offrent une **garantie de service inconditionnelle.** Comme l'explique Christopher Hart (1988), une telle garantie vous force à vous concentrer sur vos clients et à fixer des normes précises, ce qui donne un feed-back rapide et vous aide à comprendre les raisons de vos échecs.

Ainsi, Bugs Burger Bugs Killers vous promet l'élimination de tous les insectes ou le remboursement sans condition en cas d'insuccès. Domino's Pizza garantit la livraison de votre pizza dans les trente minutes ou une réduction de prix s'il ne tient pas le délai.

Toujours selon Christopher Hart, une bonne garantie de service se doit d'être inconditionnelle, simple à expliquer, significative, facile à faire jouer.

2.2. Communiquer sur l'offre de service et fixer le niveau des attentes

• La communication de masse

Le rôle de la communication et de la promotion est de convaincre et d'attirer les consommateurs en les informant et en les rassurant. Toutefois, les médias classiques tels que la publicité, les mailings, les brochures, sont impersonnels et abstraits. Faire de la publicité à la télévision pour un produit comme une voiture ou un parfum a tendance à le rendre plus abstrait et à lui rajouter des qualités aussi subtiles que le pouvoir, le plaisir ou la beauté. Mais pour les services qui sont déjà immatériels, il y a un risque que les médias classiques les rendent encore plus abstraits et flous dans l'esprit du consommateur qui peut difficilement comprendre et apprécier un service qu'il n'a pas expérimenté.

Les meilleures publicités associent au service des preuves matérielles et concrètes faciles à appréhender, telles que les lieux, la technologie ou les équipements, des éléments visuels (expression graphique, signalisation, logo, style, documentation) ou même des personnes : un personnel souriant, des experts crédibles ou des clients satisfaits.

• La communication interactive

C'est au moment de l'interaction que la société communique le mieux. Tout ce que l'entreprise fait ou dit d'elle-même constitue une forme de communication, ceci concerne également tous les aspects de l'interaction entre les clients et le personnel. En conséquence, la délivrance des prestations doit être en phase avec les promesses et les attentes. La communication n'est plus seulement de la responsabilité d'un département marketing, mais également de chaque membre du personnel avant, pendant et après la prestation. Mais aucune de ces activités marketing ne peut être dissociée des opérations. Toute campagne de marketing doit donc être prévue et coordonnée avec le personnel qui, en contact avec le client, va concrétiser les aspects du service qui font l'objet de la publicité.

• La communication par le bouche-à-oreille

Le bouche-à-oreille, qui traduit l'expérience réelle du client, a beaucoup plus d'impact que les médias classiques. Le succès d'un film qui vient de sortir, par exemple, dépend davantage du bouche-à-oreille ou d'avis favorables de critiques reconnus que de la publicité. Le bouche-à-oreille peut être amplifié par les clubs d'utilisateurs ou d'admirateurs, ou encore par les réunions d'anciens.

Comme l'illustre la Figure 8.3., un flux négatif de messages véhiculés par le bouche-à-oreille peut réduire à néant une bonne communication produit. Quel doit donc être le montant du budget publicitaire pour pouvoir compenser les messages négatifs ? A l'inverse, un service de grande qualité et un bouche-à-oreille positif permettent de réduire le besoin de communication de masse. Il est généralement admis que l'effet multiplicateur d'un bouche- à-oreille négatif est bien supérieur à celui d'un bouche à oreille positif. Un client insatisfait parlera de son expérience malheureuse en caricaturant de petits détails et en communiquant des impressions et des opinions contrastées plutôt que des faits précis.

• L'image

Tous les modes de communication, la publicité à la télévision ou dans la presse écrite, le prix, le cadre, l'attitude du personnel, le vécu, le bouche-à-oreille, vont imprimer une image dans l'esprit du consommateur. Une fois que cette image établie, il devient très difficile de la modifier. Bien que la communication sur la marque soit un moyen efficace de créer une notoriété et une image, elle ne peut se substituer à l'expérience vécue.

L'impression fixée dans l'esprit du consommateur préparera ses attentes et influencera sa perception du service. Si cette image est positive, il aura moins conscience des erreurs ou des manquements ou les excusera aisément.

Nous avons résumé ces points sur la Figure 8.4.

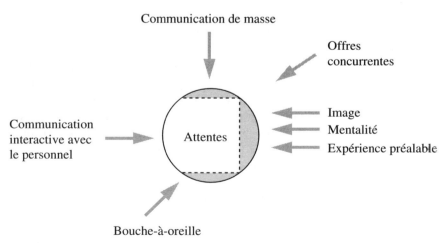

Figure 8.4. Formation des attentes.

3. MESURER LA SATISFACTION DU CLIENT

Il est nécessaire de mesurer la satisfaction du client pour la bonne raison que la fidélité dépend directement de cette satisfaction. Si vous détenez un monopole, vous n'avez aucun souci à vous faire, vous atteindrez facilement la quadrature du cercle : le cercle se déplacera vers le carré de l'offre. Mais dans un contexte de concurrence active, vous devez constamment évoluer et ajuster votre offre pour éviter la défection de vos clients. Sur l'avant-scène, nous parlons de défection de clients, dans l'arrière-scène, nous parlons de défauts.

Et vous ne serez pas en mesure de faire évoluer votre offre, d'éviter les défections ou d'accroître la fidélité si vous ne mesurez pas votre performance. Le meilleur moyen de mesurer la qualité de votre service est de connaître la perception qu'a le client de ce que vous faites, ou de la valeur qu'il en retire. Mais ne cherchez pas à deviner ce que pense le client. Il vaut mieux le lui demander et observer son comportement. Vous devez rendre tangible la perception intangible et pour cela vous avez besoin d'un instrument de navigation, d'un compas, pour vous guider.

Ce compas devra être fiable, simple et sensible aux aspects qui comptent dans la perception du client.

Mais comme vous ne mesurez pas une opinion mais plutôt un résultat, n'essayez pas d'être trop subtil : l'échelle de mesure ne devrait compter que quelques points. Le comportement du personnel a été correct ou non, l'avion a été à l'heure ou en retard, ou, peut-être, terriblement en retard.

Vous devez, tout d'abord, mesurer la satisfaction globale, car nous savons que les clients intègrent toutes leurs impressions pour se former un jugement global. L'échelle devrait compter quatre ou cinq points. La chaîne d'hôtels Mariott, par exemple, analyse par ordinateur la satisfaction de ses clients sur une échelle en cinq points :

Excellent   **Bon**   **Moyen**   **Médiocre**   **Mauvais**

Figure 8.5. Comment classeriez-vous globalement notre hôtel ?

Federal Express mesure la satisfaction de sa clientèle au moyen d'une enquête téléphonique trimestrielle sur 2 100 clients pris au hasard. Les appels sont effectués tous les jours et comptabilisés sur une échelle en cinq points, ce qui est bien plus efficace que leur échelle précédente qui allait de zéro à cent :

1	2	3	4	5
totalement insatisfait	plutôt insatisfait	ni satisfait, ni insatisfait	plutôt satisfait	totalement satisfait

Figure 8.6. L'échelle en cinq points de Federal Express.

Cette échelle peut également être graduée en écarts positifs ou négatifs autour de la médiane :

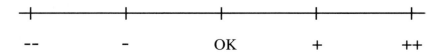

--	-	OK	+	++

Figure 8.6 bis. Échelle en écarts positifs ou négatifs.

Une échelle en quatre points contraint le client à prendre position en éliminant la possibilité de répondre ni satisfait ni insatisfait. On peut graduer cette échelle avec des plus et des moins, des sourires ou des grimaces.

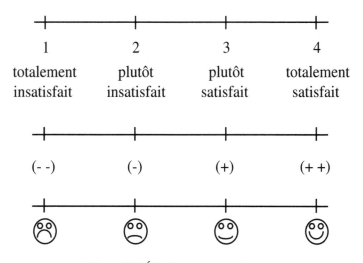

1	2	3	4
totalement insatisfait	plutôt insatisfait	plutôt satisfait	totalement satisfait

(- -)	(-)	(+)	(+ +)

Figure 8.7. Échelle en quatre points.

Certaines sociétés de service rassemblent « totalement satisfait » et « plutôt satisfait » pour obtenir un taux unique de satisfaction. Mais cela biaise l'analyse car le comportement de réachat des « totalement satisfaits » et des « plutôt satisfaits » peut être très différent comme l'illustre l'exemple suivant.

Considérons les 10 000 clients « totalement satisfaits » donnant une note de 4 ou de 5 sur une échelle en 5 points. La probabilité de leur réachat peut être très différente : 95 % de ceux qui ont attribué un 5 vont sans doute revenir, mais il se peut que seulement 60 % de ceux qui ont attribué un 4 renouvellent l'expérience. Les deux arbres de décision de la Figure 8.8. illustrent la probabilité globale de réachat lorsqu'on inverse les pourcentages : d'un côté, 90 % des 10 000 clients attribuent un 5 et 10 % un 4, de l'autre, 10 % des 10 000 clients attribuent un 5 et 90 % un 4.

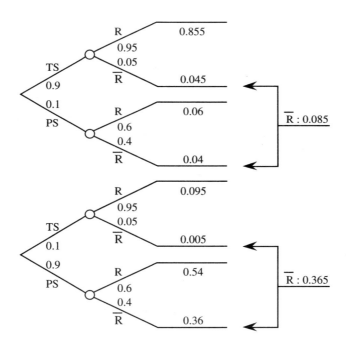

TS : totalement satisfait : « 5 »
PS : plutôt satisfait : « 4 »
R : réachat
$\overline{R}$: non réachat

Figure 8.8. Probabilité globale de réachat.

Lorsque 90 % des clients sont « totalement satisfaits », le taux de non réa-chat est de 0,085. Cela signifie que seuls 850 des 10 000 clients ne renou-velleront pas l'expérience. Dans la deuxième hypothèse, lorsque seuls 10 % attribuent un 5, 3 650 clients ne renouvelleront pas l'expérience. La diffé-rence est considérable. C'est pourquoi Federal Express a choisi d'utiliser la réponse « totalement satisfait » comme mesure de base de la satisfaction de ses clients. Son objectif : 100 % de clients totalement satisfaits !

Mais un instrument de mesure n'est utile que s'il permet d'agir. Il est donc important de comprendre comment se construit la satisfaction globale lors des différents « moments de vérité ». Le Club Med, par exemple, mesure la satisfaction à différents points d'interaction et par rapport à des critères comme le calme, la propreté et le confort.

	L'impression d'ensemble	L'organisation	L'accueil dans les bureaux du village	L'équipe de GO	La table	Le bar	L'école de ski	Le choix des distractions	Le calme	Le mini-club	Le baby-club	La station	Le confort	Le voyage club	La propreté		Renseignements fournis à l'inscription
EXCELLENT	6	6	6	6	6	6	6	6	6	6	6	6	6	6	6		6
TRÈS BIEN	5	5	5	5	5	5	5	5	5	5	5	5	5	5	5		5
BIEN	4	4	4	4	4	4	4	4	4	4	4	4	4	4	4		4
PASSABLE	3	3	3	3	3	3	3	3	3	3	3	3	3	3	3		3
MAUVAIS	2	2	2	2	2	2	2	2	2	2	2	2	2	2	2		2
TRÈS MAUVAIS	1	1	1	1	1	1	1	1	1	1	1	1	1	1	1		1

Figure 8.9. Mesure de la satisfaction à différents points d'interaction.

Cette information constitue le « baromètre du village ». Elle indique la situation de chaque village et permet au management central d'agir en conséquence au vu de l'ensemble des résultats (Figure 8.10.).
S'il y a trop de lumières rouges qui s'allument (résultats inférieurs à 75), une équipe peut être détachée sur place pour corriger la situation.

Nous avons vu comment Federal Express mesure la satisfaction de ses clients par une enquête téléphonique trimestrielle. Dans ce type de service à faible interaction, les clients sont extrêmement sensibles à la fiabilité du service. Federal Express a donc créé un autre indicateur, l'Indice de Qua-lité de Service (IQS), qui mesure 12 éléments différents affectant la qualité du service perçue par le client. Pour ne pas fausser la réalité, l'IQS enregis-tre le nombre absolu de clients qui rencontrent un problème plutôt qu'un

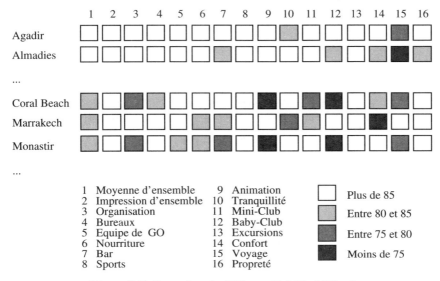

Figure 8.10. Baromètre des Villages Club Med (Hiver).

pourcentage. Un niveau de fiabilité de 99 %, qui pourrait paraître tout à fait satisfaisant, signifie en fait 10 000 incidents par jour (colis en retard, perdus, etc.), lorsque la société traite un million d'envois par jour.

La sélection et la pondération des douze critères de l'IQS ont été effectuées grâce à des enquêtes en profondeur auprès des clients. Le poids affecté à une défaillance est de 1, 5 ou 10 selon la gravité du problème pour le client et l'indice est la somme pondérée de tous les incidents journaliers. C'est un indice de démérite. Plus il est bas, meilleure est la performance. La Figure 8.11. illustre les moments de défaillance sélectionnés sur le cycle d'interaction. La Figure 8.12. donne un exemple de la façon dont l'indice est construit.

Il est intéressant d'observer que les différents types de défaillances sont exprimés dans une perspective client. Ainsi, l'indice mesure-t-il les réclamations sur des demandes de rectification de facture et non les erreurs de facturation ou bien les renseignements non fournis sur les colis perdus ou encore le nombre d'appels abandonnés, plutôt que le pourcentage d'utilisation du système.

En fixant des objectifs quantitatifs, la direction peut attribuer des priorités et indiquer les voies de progrès. Ce qui compte, c'est la tendance générale car des aléas, tels que grèves, coupure de téléphone ou intempéries, peu-

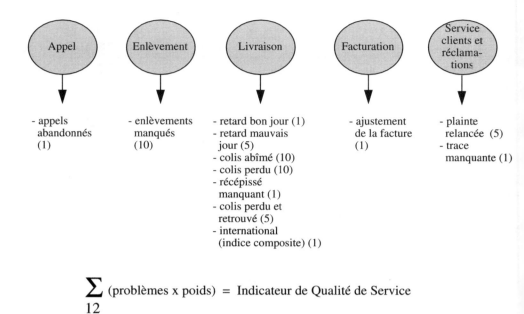

$$\frac{\sum (\text{problèmes x poids})}{12} = \text{Indicateur de Qualité de Service}$$

Figure 8.11. Mesure du démérite sur le cycle d'interaction.

vent influencer les résultats d'une journée donnée sans que le personnel y soit pour quelque chose.

Les taux de satisfaction de la clientèle et les indices moyens d'IQS peuvent figurer sur le même graphique comme on le voit sur la Figure 8.13.

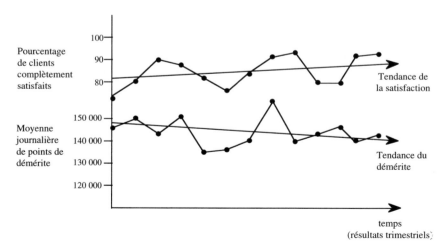

Figure 8.13. Tendances générales.

Type d'échec	Facteur poids	Incidents aujourd'hui	Echecs en points aujourd'hui	Moyenne quotidienne (mois)	Objectif quotidien moyen (points)
Appels abandonnés	1	9 232	9 232	8 531	5 000
Enlèvements manqués	10	121	1 210	1 120	1 000
Colis perdus	10	53	530	510	200
Colis endommagés	10	212	2 120	1 820	1 000
Retard mauvais jour	5	16 241	81 205	75 825	60 000
Colis en trop (identification perdue)	5	290	1 450	1 630	1 000
Retard bon jour	1	39 280	39 280	43 281	40 000
Récépissé manquant	1	3 251	3 251	4 020	3 000
International	1	2 120	2 120	2 311	2 000
Ajustement de la facture	1	14 287	14 287	12 583	5 000
Plainte relancée	5	730	3 650	3 510	2 000
Trace manquante	1	4 222	4 222	4 531	4 000
			------------	-----------	------------
Total moyen des points journaliers			162 557	159 672	124 000

Jusqu'ici, nous nous sommes attachés aux mesures centrées sur la perception et les attentes du client. Comme les clients abordent le service en ayant leurs propres attentes, on peut raisonnablement penser qu'elles se situent au milieu de l'échelle de mesure, notamment entre 3 et 4 sur une échelle en 5 points. C'est donc par rapport à cette référence, imprimée dans l'esprit du client, qu'il y a déception ou enchantement (Figure 8.14.).

Comme nous l'avons évoqué au Chapitre 6, les perceptions elles-mêmes sont faussées par les filtres perceptuels (cadre de référence, mode d'intégration et processus de délivrance) et, de fait, une partie du service n'est pas perçue. C'est ainsi que les clients peuvent ne pas être conscients de la différence entre une opération technique effectuée par un spécialiste éminent et celle réalisée par quelqu'un de tout juste compétent.

Et en l'occurrence, la quadrature du cercle est impossible. Il y a toujours un écart entre la prestation délivrée et la satisfaction ressentie par le client. Ainsi, même si 95 % des avions sont à l'heure (atterrissent dans les quinze minutes de l'heure prévue, selon la norme), il n'y aura peut-être que 40 %

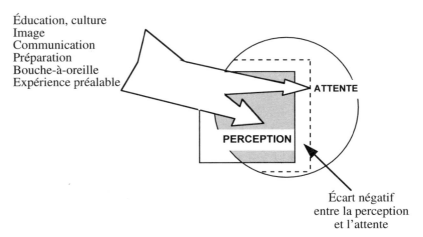

Éducation, culture
Image
Communication
Préparation
Bouche-à-oreille
Expérience préalable

ATTENTE

PERCEPTION

Écart négatif
entre la perception
et l'attente

Figure 8.14. Formation de l'écart entre perception et attentes.

de clients qui seront satisfaits et qui donneront une note de 5 sur 5. Ceci s'explique par le fait que, d'un côté, on a une norme opérationnelle objective, alors que, de l'autre, on a une perception subjective du temps (15 minutes, c'est déjà long) et une définition différente de l'attente (attente totale jusqu'à la récupération des bagages), ou même une perception subjective de la façon d'être traité (par exemple, l'impression que le personnel a pris tout son temps et n'a pas semblé concerné).

Tous ces aspects sont inclus dans ce que l'on a appelé **l'écart de perception de la qualité**. Mais comment maîtriser cet écart ? La meilleure façon est de remonter au processus de délivrance de la prestation et de comprendre la corrélation entre ce processus et les résultats perçus par le client.

Sur la Figure 8.15., nous avons représenté un schéma en arête de poisson qui relie les dimensions principales du processus à la satisfaction du client.

Ainsi, pour maintenir la régularité de la prestation et combler le client, il faut maîtriser les variables-clés du processus et comprendre comment elles influencent les résultats. On passe d'une mesure centrée sur le client à une mesure centrée sur le processus qui garantira les résultats et la pleine satisfaction du client. Cette maîtrise du processus est bien évidemment plus facile pour les services standardisés à faible interaction (restauration rapide, distribution, etc.) que pour les services plus professionnels comme ceux qu'offrent les consultants, les juristes ou les professeurs.

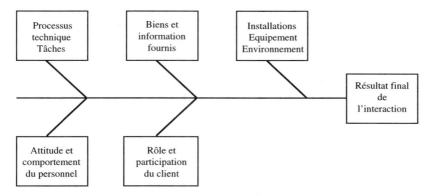

Figure 8.15. Processus de la satisfaction du client.

Prenons l'exemple des cartes de crédit universel de AT&T qui est devenu en quelques années, à partir de 1990, le second émetteur de cartes de crédit aux États-Unis, offrant les avantages d'une carte de crédit et d'une carte téléphonique. Après des études de marché approfondies, cette entreprise mit sur pied un système de mesure polyvalent qui suivait quotidiennement plus de 120 indicateurs. Pour chaque appel, les ordinateurs mesuraient le temps de réponse, le taux d'abandon et la durée. Afin d'évaluer les aspects plus qualitatifs de l'interaction tels que le professionnalisme, la précision ou la politesse, un contrôleur qualité ou un chef d'équipe écoutait l'appel pour mesurer ses dimensions qualitatives et en rendre compte au personnel. On mesurait ainsi chaque jour l'atteinte des normes fixées sur ces 120 indicateurs. Lorsque les normes de qualité étaient atteintes sur 95 % des indicateurs, l'ensemble du personnel remportait la prime de qualité de ce jour. L'écart entre les 95 % et 100 % représente ce que l'on a appelé l'écart de délivrance. L'objectif de la direction était de le réduire progressivement. La Figure 8.16. illustre une forme simplifiée du système. En contrôlant les variables-clés de chaque prestation, la société tentait de maîtriser les différents moments de vérité et la satisfaction globale qui en résultait.

Il y a cependant deux écueils à cette approche. Tout d'abord, il n'est pas facile de fixer des normes pour les rencontres à forte interaction et deuxièmement, lorsque la dynamique de l'interaction fait évoluer rapidement les besoins du client, les indicateurs deviennent vite obsolètes. Ainsi, par exemple, lorsque l'entreprise a ressenti le besoin de changer les normes ou de se rapprocher des 100 %, le personnel a réagi négativement et résisté au changement qui affectait leurs primes.

Si les mesures centrées sur le processus de délivrance peuvent être utiles pour guider l'action, elles ne peuvent remplacer la mesure directe de la satisfaction du client. Cette mesure peut se faire de différentes façons, par les cartes de commentaires laissées au client, par les enquêtes téléphoniques ou postales, par des études de marché, ou même par des clients-mystère. Les « *focus groups* » sont souvent très utiles pour dégager les facteurs-clés de la satisfaction du client. Un « focus group » consiste à réunir dix à douze clients. Au cours d'un entretien approfondi de quelques heures, on leur demande comment ils apprécient les services reçus, quels sont les points forts et les points faibles.

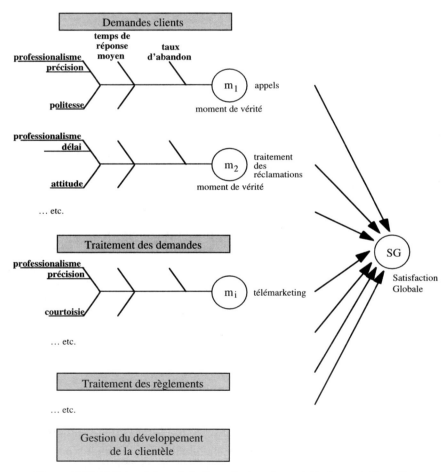

Figure 8.16. Maîtrise de la satisfaction client par le contrôle des variables-clés.

Mais pourquoi ne pas observer directement le comportement des clients lorsque c'est possible ? Nos clients sont-ils fidèles ou non ? Est-il possible de mesurer la fuite du seau ?

4. ÉVALUER LA FUITE

Il est parfois possible d'évaluer l'importance de la fuite directement en comptant le nombre de contrats rompus, de matériel retourné, de cartes de crédit annulés, de comptes inactifs, ainsi de suite. A partir du moment où l'on peut identifier les clients qui font défection, il est possible de travailler à les récupérer et ces « déserteurs » pourront en plus fournir des informations qui permettront d'aller à la racine du problème et de prendre des mesures préventives.

MBNA, America, une autre société de cartes de crédit, a vu grossir sa base clientèle et ses profits après avoir concentré ses efforts sur les défections en tentant de récupérer les meilleurs. En utilisant le feed-back de ces clients pour améliorer le processus, la société a pu faire passer le taux de rétention des clients qu'elle souhaitait garder de moins de 85 % à plus de 95 %. La communication et le marketing internes ont été renforcés par une politique de valorisation du personnel qui participait à cet effort. Une prime collective liée au taux de rétention a été mise en place. Chaque service était évalué par son taux de réussite sur les critères qui avaient le plus d'impact sur la rétention des clients.

OK Service, une société française de dépannage, a réussi à transformer le dépannage, qui est souvent un achat de détresse, en une relation durable en introduisant le concept d'abonnement. Chaque fois qu'un client appelle pour une réparation urgente, telle que la perte d'une clé, le technicien (dans un nouveau rôle de technico-commercial) essaye de transformer son client occasionnel en abonné, sa rémunération étant liée à son taux de conversion. Moyennant une cotisation modique, le client a le droit d'appeler le technicien autant de fois qu'il le souhaite à condition que chaque visite ne dure pas plus de deux heures. Comme le taux de défection (résiliation de l'abonnement) est important, de l'ordre de 3,5 % par mois, un employé suit régulièrement le taux de défection et appelle les clients qui annulent leur abonnement. Et l'employé reçoit une prime proportionnelle à sa capacité à faire revenir le client.

5. ESTIMER LE PRIX DE LA FIDÉLITÉ

L'un des meilleurs moyens d'illustrer l'importance de récupérer un client est de souligner le bénéfice que génère un client sur la durée.

Comme l'explique Carl Sewell (1990) :

> « Vous ne souhaitez pas avoir affaire à un client une seule fois ; vous souhaitez le conserver à vie. Vous ne souhaitez pas vendre une seule voiture à un client, mais dix ou vingt dans les prochaines années... Si une voiture vaut 150 000 francs, douze voitures valent 1 800 000 francs. Et vous avez en plus le prix de pièces et de la main-d'œuvre et cela peut atteindre des sommes considérables, en l'occurrence, environ deux millions de francs. Chaque fois que vous avez l'occasion de vendre à un client un article, qu'il s'agisse d'un paquet de chewing-gum ou d'une voiture, vous devez réfléchir au potentiel de ventes qu'il représente ».

Pour British Airways, la valeur d'un détenteur de la carte Argent sur sa durée de vie moyenne est d'environ 600 000 francs. Pour Domino's Pizza, le chiffre est plus faible, mais représente quand même quelque 50 000 francs.

La fidélisation permet de multiplier les ventes au même client au cours du temps et de récupérer les frais dépensés pour le conquérir. A cette base de réachat, il faut ajouter les économies d'élargissement : plus les clients restent longtemps, plus ils sont susceptibles de vous acheter plus et d'accroître votre chiffre d'affaires. D'autre part, plus vous vendez au même client, moins il vous en coûte en frais de fonctionnement – c'est ce que nous avons appelé les « économies de relation ». Les clients qui ont pris l'habitude de travailler avec une entreprise ont des contacts plus courts et plus fructueux. Les frais de marketing et de vente peuvent également être réduits, puisqu'il s'agit d'habitués. De plus, cette base de clientèle est encline à communiquer par le bouche-à-oreille qui, comme nous le savons, est la meilleure publicité qui soit. Encore faut-il ajouter que des clients heureux font des employés heureux . Un bon moral et de l'enthousiasme signifient plus de productivité et des coûts réduits en matière de rotation du personnel. Finalement, dans la mesure où le client est habitué à acheter auprès de la même société, il devient moins sensible au prix et peut même accepter des prix plus élevés.

Ceci est illustré par un schéma bien connu, utilisé notamment par F. Reichfeld et E. Sasser (1990) pour montrer qu'il peut revenir plus cher d'attirer un nouveau client que de le conserver.

Il est difficile de mesurer et de maîtriser la défection ou la fuite des clients. On peut suivre les réclamations, mais ce n'est pas très satisfaisant, car seule

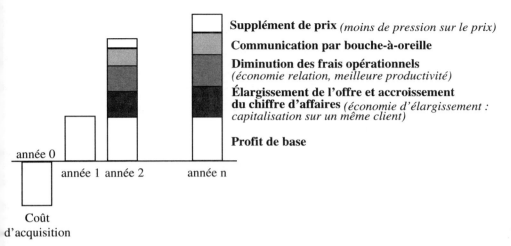

Figure 8.17. Intérêt de la fidélisation des clients.

une faible proportion des clients insatisfaits prennent la peine de réclamer. Mais, ceux qui le font sont souvent vos meilleurs clients, car ils veulent vous aider à vous améliorer. De toute façon, il faut faire en sorte que réclamer soit aussi facile que possible.

Nous avons déjà montré à quel point il était important d'augmenter le nombre de clients « totalement satisfaits ». Considérons à présent les clients insatisfaits dans leur ensemble sans les ventiler entre « plutôt insatisfaits » et « totalement insatisfaits », qu'ils fassent une réclamation ou non. En fonction de la réponse qu'on leur propose, ils peuvent décider de racheter ou non.

Prenons deux situations contrastées. Dans le premier cas, 5 % des clients insatisfaits se plaignent, 70 % reçoivent une réponse satisfaisante. Dans le second cas, la société parvient à rehausser le niveau des clients qui se plaignent à 30 %, et 95 % reçoivent une réponse satisfaisante grâce à un meilleur système de communication, à des postes d'écoute ou à la formation du personnel. Comme le montre le calcul de la Figure 8.18., il en résulte une baisse considérable du nombre de clients qui ne rachèteront pas, de 59 % à 49 %.

Appliquons ces résultats par un exemple concret. Prenons le cas d'une compagnie aérienne qui transporte 20 millions de passagers par an, dont 1 % d'insatisfaits. Dans le premier cas, 59 % des 200 000 insatisfaits ne vont pas renouveler leur achat. Par contre, si l'entreprise fait des efforts

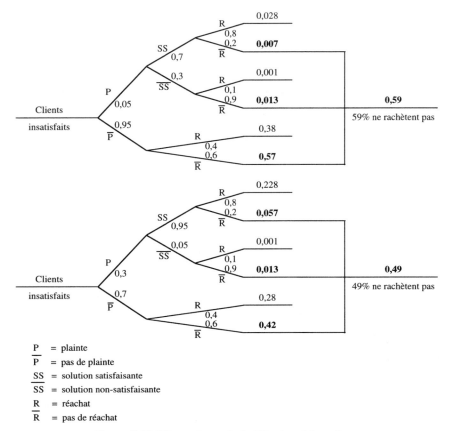

P = plainte
P̄ = pas de plainte
SS = solution satisfaisante
S̄S̄ = solution non-satisfaisante
R = réachat
R̄ = pas de réachat

Figure 8.18. L'importance de faciliter les réclamations.

particuliers pour récupérer ces clients et se retrouve dans le second cas, le taux de défection tombe à 49 %. Cet écart de 10 points signifie que la compagnie retiendra quelque 20 000 passagers de plus. Si chaque passager dépense en moyenne 2 500 francs par voyage, elle récupère ainsi 50 millions de francs. Cela suffit à justifier des investissements importants dans des systèmes de récupération sophistiqués.

CONCLUSION

Nous pensons avoir démontré l'importance de la mesure de la satisfaction du client pour maintenir et accroître le taux de fidélité. Mais comment peut-on maintenir un niveau régulier de qualité à chaque moment de vérité ? Comment peut-on créer une dynamique d'amélioration continue pour défendre ou développer son avantage concurrentiel ?

Dans ce chapitre comme dans ceux qui suivent, nous resterons focalisés sur l'interface, sur la partie du service qui se joue sur l'avant-scène. C'est toujours le fil conducteur de notre ouvrage.

Chapitre 9

LA MAÎTRISE DE LA QUALITÉ
À CHAQUE POINT D'INTERACTION

Après avoir planté le décor, voyons à présent comment les acteurs vont jouer leur rôle, et respecter les promesses faites. Ils sont au cœur du triangle des services. Car, s'il appartient à la communication externe, au marketing et au bouche-à-oreille de préparer ou de formuler la promesse, le service délivré aux clients viendra essentiellement du personnel de contact. C'est à lui de fournir la prestation promise dans le cadre des règles spécifiques et des contraintes budgétaires établies par l'organisation (Figure 9.1.).

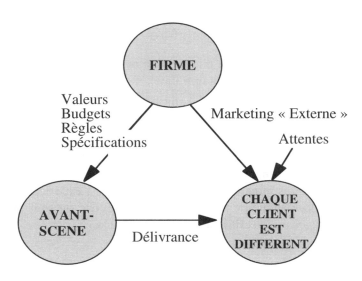

Figure 9.1. La délivrance de la prestation sur le triangle des services.

Nos acteurs sont-ils disposés et surtout en mesure d'assurer la prestation selon les règles, le cahier des charges, en un mot à réduire l'**écart de délivrance** ? Ajusteront-ils le service fourni à la demande particulière de chaque client de façon à minimiser l'**écart de perception** ? Pour ce faire, ils n'auront pas la tâche facile. N'oublions pas, en effet, qu'ils ne contrôlent qu'une partie de l'équation de qualité. La création des attentes n'est que partiellement de leur ressort. L'**écart de perception par rapport aux attentes** leur échappe en partie.

Il est évidemment plus difficile d'atteindre, de maintenir et de renforcer la qualité du service en interface plutôt que celle du produit fabriqué à l'arrière. Les clients veulent, en effet, non seulement des résultats conformes à leurs attentes, mais également une interaction agréable. Avec le temps, ils compareront les services reçus aux autres services proposés dans d'autres secteurs ou industries, et le meilleur service deviendra pour eux la nouvelle référence.

Pour pleinement saisir la spécificité de la qualité de service, il faut revenir au parcours du client et aux différents « moments de vérité » identifiés sur le cycle d'interaction. Après avoir analysé comment la qualité est délivrée à **chaque moment de vérité,** nous regarderons le **système dans son ensemble** pour voir comment la qualité est intégrée et maîtrisée globalement.

1. LES DIMENSIONS DE LA QUALITÉ DE SERVICE À CHAQUE POINT D'INTERACTION

La qualité expérimentée par le client doit être présente à chaque moment de vérité. Rappelons ce que cela implique :

- Il faut faire en sorte que le service soit bon du premier coup, conforme à la promesse. S'y reprendre à deux fois se voit et la récupération éventuelle du client coûte cher.
- Le moment de vérité est conditionné par la quadruple interaction du client avec le personnel, le cadre, le processus lui-même et les autres clients. Les clients remarquent tous les aspects de l'expérience : ils sont sensibles à un manque de motivation d'un employé ou sont influencés par les louanges ou les critiques des autres clients.

Toujours selon Carl Sewell (1990) :

> « La vente, c'est un théâtre. Nous voulons que les clients voient notre produit dans une mise en scène qui leur tire un cri d'admiration. Le mobilier, l'agencement, les lumières – chaque détail – doit contribuer à faire de leur visite dans nos locaux un spectacle divertissant ».

- Les clients exigent à la fois le « quoi » et le « comment », à la fois les résultats et une prestation impeccable. Ils veulent que l'organisation réponde à leur besoins, que le personnel soit ouvert, attentionné et réactif.
- La qualité est ce qu'en dit le client. Chaque client est unique, chaque client a ses propres attentes, ses propres idées et suggestions et peut choisir ou non de coopérer avec le prestataire.

Ces caractéristiques suffisent à montrer à quel point il est beaucoup plus complexe et difficile de définir et de maîtriser la qualité du service en avant-scène que la qualité du produit en arrière-scène. Comment s'y prendre ?

1.1. La conformité et l'assurance : procurer le niveau de qualité promis

1.1.1. Le cas d'une prestation relativement standard

Il est plus facile de maîtriser la délivrance d'une prestation relativement standard que celle d'une prestation personnalisée. Commençons donc par analyser le premier cas.

Le principe consiste à maîtriser chaque aspect du processus par la prévention ou plus spécifiquement *la maîtrise statistique du processus de production*. Selon cette approche, dès le départ, au stade même de la conception, le bon niveau de qualité et de flexibilité doit être défini pour chaque variable et chaque élément important du processus. Comme la majorité des problèmes de qualité résulte d'une conception défectueuse, les défaillances potentielles doivent être analysées à ce stade. En effet, dès qu'un défaut est intégré dans le processus, il y demeure, provoquant régulièrement la frustration des clients et du personnel.

Dès que la conception a été arrêtée, la qualité est assurée par la maîtrise des paramètres-clés qui conditionnent le résultat final. La conformité et la régularité sont ainsi obtenues par l'observation des règles, des procédures et des comportements standard qui ont été définis au préalable.

Revenons au schéma en arête de poisson que nous avons utilisé dans la Figure 8.15. du Chapitre 8.

Dans un service standard, les attentes des clients sont limitées parce qu'ils savent que le personnel a peu de marge de manœuvre. Les principales caractéristiques du processus de délivrance sont ainsi précisément définies et ne peuvent que très légèrement varier.

Le restaurant *McDonald's* en est un bon exemple. Considérons l'interac-

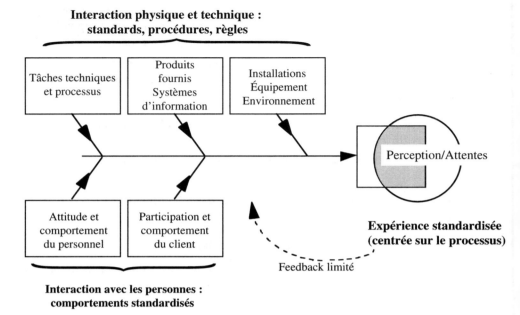

Figure 9.2. Processus de la satisfaction client.

tion au comptoir. Celle-ci est régie par des procédures qui décrivent chaque tâche : la prise de commande, l'assemblage, la présentation sur un plateau, etc. Les caractéristiques techniques sont aussi précisées : rapidité du service, nombre de serveurs par rapport au rythme des arrivées, etc. Les produits sont préparés, présentés et conservés selon des spécifications très strictes. *McDonald's* a même des normes pour le choix, le stockage et la cuisson des pommes de terre et a mis au point un matériel de friture spécifique. Le comptoir lui-même est doté d'équipements, de logiciels et de systèmes de support spécialement conçus.

L'interaction du personnel en contact avec les clients est définie par des procédures détaillées et des comportements spécifiques pour la présentation des produits, la façon de s'habiller ou l'accueil. La participation des clients est relativement limitée car ils ont appris à limiter leurs exigences.

McDonald's peut ainsi garantir la **conformité et la régularité** du résultat final. Certaines règles, le nombre de minutes avant qu'un hamburger invendu soit jeté par exemple, sont impératives et sans équivoque. D'autres, telles que la gentillesse et la courtoisie, sont plus « discrétionnaires » et moins concrètes.

La satisfaction finale du client se mesure alors selon les trois dimensions bien connues : le résultat, l'interaction avec le processus et l'interaction avec le personnel.

• Le résultat standard

– On livre bien la nourriture et les boissons qui ont été commandées, selon la qualité attendue, à la bonne température,

– le prix est correct, sans erreur d'addition,

– etc.

• L'interaction avec le processus

– On attend moins de trois minutes dans la file d'attente,

– le cadre est propre, agréable et conforme,

– etc.

• L'interaction avec le personnel

– Le bon niveau de courtoisie et d'attention, une certaine réactivité aux demandes des clients,

– etc.

L'approche de *McDonald's* est très clairement **centrée sur le processus**. La maîtrise de la délivrance de ce dernier conduit à la maîtrise du résultat et de l'interaction.

Il y a toutefois un risque à trop vouloir standardiser. Le rêve d'une organisation bureaucratique est d'avoir des clients qui savent exactement à quoi s'attendre et un personnel qui dispose d'une marge de manœuvre minimum. Les procédures tentent de couvrir toutes les situations imaginables et le personnel est formé pour délivrer un service bien réglé et rigide.

Or, les clients n'aiment pas être servis par des robots et, lors de l'interaction, ils feront inévitablement pression pour obtenir un traitement plus personnalisé et un comportement plus spontané. Il est donc important, pour le personnel en contact avec les clients, de connaître le niveau de variation autorisé pour adapter les règles aux exigences des clients.

1.1.2. Le cas d'un service plus personnalisé

Lorsque l'on envisage un service plus personnalisé, les procédures doivent se faire plus souples et prendre la forme d'orientations, de protocoles, de principes ou de maximes qui orienteront l'effort et expliqueront les objectifs et les résultats à atteindre. La qualité du service dépendra davantage des valeurs admises, du professionnalisme et des compétences que de règles arbitraires.

Les orientations, les principes et les objectifs, lorsqu'ils sont bien communiqués, donnent au personnel de contact plus d'autonomie. Ainsi, la devise de *Federal Express* : « Absolument, positivement dans les vingt-quatre heures » conduit souvent le personnel à se dépasser pour servir le client.

Ritz Carlton en fournit un autre exemple : son slogan « Nous sommes des gens de bien au service de gens de bien » et son principe « Les hôtels Ritz Carlton sont des lieux privilégiés où notre plus noble mission est de veiller au confort authentique de nos clients » sont des guides d'action profondément ancrés.

Le cas d'un coiffeur est un exemple simple de service personnalisé. Son travail consiste à couper et coiffer les cheveux de ses clients de sorte qu'ils soient heureux du résultat et reviennent au salon. Il doit, bien sûr, respecter certaines normes d'hygiène et de propreté, utiliser des instruments et des matériels spécifiques, mais l'essentiel de son travail est d'ajuster intuitivement ses compétences et son comportement de façon à fournir un service unique, conforme à ce que chaque client attend. La standardisation est donc illusoire puisque chaque client est différent.

Les résultats d'un service personnalisé sont du ressort de « professionnels » dont les talents, les compétences et l'expérience se conjuguent pour atteindre leurs objectifs à l'aide de quelques protocoles et de quelques normes. Dans ce cas, la qualité du service est visiblement **centrée sur le client**. Vous devez faire confiance à l'expertise du professionnel qui doit d'abord négocier le « contrat » (en s'assurant que les exigences et les attentes du client sont réalistes), puis voir et mesurer « en temps réel » la réalisation de sa prestation tout en y apportant les ajustements nécessaires avec l'aide du client. Cela ne peut se faire que si le processus est suffisamment flexible, sans trop de restrictions ou de contrôles tatillons. Ceci est résumé sur la Figure 9.3.

En résumé, la qualité de service implique avant tout la fourniture régulière de résultats conformes aux promesses, aussi bien en ce qui concerne le résultat attendu que le mode de délivrance de la prestation, le « quoi » et le « comment » (Figure 9.4.).

En fonction de la position de départ que vous occupez sur l'axe personnalisation/standardisation, vous pouvez passer d'une approche centrée sur le

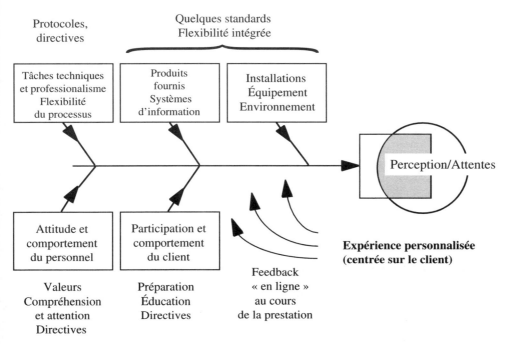

Figure 9.3. Qualité du service centrée sur le client.

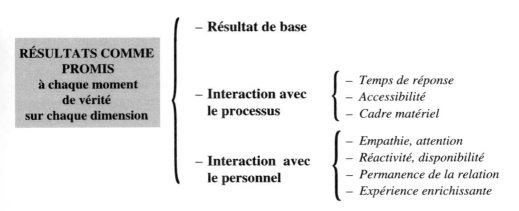

Figure 9.4. Conformité des résultats aux promesses.

client, fondée sur les valeurs, les principes et le professionnalisme, à une approche centrée sur un processus beaucoup plus normée.

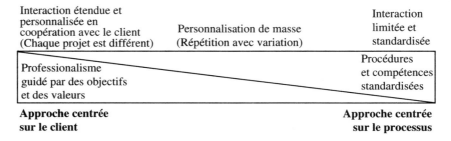

Figure 9.5. Évolution des approches.

1.2. La réparation et la résolution de problèmes

Lors de l'interaction, « réparer » un client malheureux et le récupérer est un enjeu très important. Compte tenu du très grand nombre d'éléments qui forment l'expérience du client, il y a beaucoup d'occasions d'insatisfaction. Il y a là deux raisons principales : la première correspond à des attentes ou à des comportements irréalistes de la part du client (exigences déraisonnables, traitement inacceptable du personnel) et la seconde correspond aux défaillances proprement dites lors de la prestation. Quelle qu'en soit la raison, le personnel de contact se doit de réagir immédiatement de sorte que le souvenir de l'incident ne reste pas dans l'esprit du client. Même si les clients n'ont pas toujours raison, ils se calment toujours lorsqu'on les écoute et que l'on réagit rapidement, efficacement et fermement.

Le personnel de *British Airways* est en mesure de donner immédiatement réparation aux clients mécontents par des petits cadeaux ou des excuses personnelles.

En fait, ce sont les concepteurs du système et les dirigeants qui auraient dû prévoir et anticiper les problèmes. Aussi, après avoir calmé le client, le personnel doit-il faire remonter les dysfonctionnements constatés pour en retracer l'origine. Le problème peut alors être résolu définitivement ou des plans d'urgence peuvent être mis sur pied en cas de répétition.

La politique de *Ritz Carlton* à cet égard est la suivante : tout membre du personnel qui reçoit la réclamation d'un client en devient le propriétaire. Il est de son ressort de le calmer. Il doit réagir rapidement pour régler le problème immédiatement et s'assurer vingt minutes plus tard que le problème été vraiment résolu. Tout doit être fait pour ne jamais perdre un client. Un formulaire de rapport d'incident permettra ensuite d'enregistrer et de communiquer le mécontentement de la clientèle aux responsables chargés de le traiter définitivement.

En fait, chaque membre du personnel est habilité à dépenser jusqu'à 10 000 francs pour apaiser un client insatisfait.

1.3. Le « plus » du service

Il se peut, malgré toutes les précautions prises, qu'une prestation délivrée en conformité avec ce qui a été promis et même une réparation rapide en cas de problème ne soient pas suffisantes pour faire la différence. Il faut parfois aller au-delà pour fournir l'inattendu qui comblera le client au lieu de simplement le satisfaire. Ce « plus » de service peut prendre des formes diverses : un plus gros effort de personnalisation, une réaction plus rapide, une offre additionnelle (la voiture lavée ou un petit cadeau). Cet élément « en plus » peut être un détail, mais, s'il comble ou surprend le client il constituera un avantage concurrentiel décisif. Et comme nous le verrons ultérieurement, ce « plus » dépend de la perception et de l'attente du client.

Comme l'a dit Carl Sewell (1990) :

> *« Si le client demande s'il est possible de faire quelque chose, la réponse est oui. Si vous vous êtes enfermé dans votre voiture ou si vous avez un pneu crevé et que vous appelez pour demander si nous pouvons vous aider, nous allons le faire. »*

Dans les cas où le processus n'est pas suffisamment souple ou le service trop standard pour s'adapter, la seule solution est de demander au personnel de contact de faire un effort supplémentaire. Une étude menée pour la Poste suédoise a montré que dans 68 % des cas, les sociétés perdaient des clients par manque d'intérêt de la part des employés.

Un responsable de la société *Southwest Airlines*, société spécialisée dans les vols fréquents de courte distance et de faible coût, explique ainsi que :

> *« Sans doute, quelqu'un d'autre pourrait égaler nos coûts ou égaler notre qualité de service, mais ce qu'il trouverait sans doute très difficile à égaler, je pense, c'est l'esprit de service de notre personnel et son attitude envers le client. »*

Le personnel ayant une bonne attitude et prenant plaisir à servir le client et à lui parler a, en plus de ses compétences purement **techniques**, ce que l'on pourrait appeler des **capacités de compréhension et d'attention**. Il comprend parfaitement à la fois les obligations de son rôle dans l'entreprise, mais également les besoins de ses clients auxquels il répond naturellement en ajustant sa prestation, en améliorant leur perception ou en influençant leurs attentes.

Mais, même si les « plus » sont essentiels pour faire la différence, ils ne pourront jouer que si on est capable d'assurer le bon niveau de conformité ou de réparation, le cas échéant.

2. DÉLIVRER LA QUALITÉ À CHAQUE POINT D'INTERACTION

2.1. La maîtrise de la qualité au point d'interaction

Parce que la qualité se crée au moment de l'interaction, son contrôle ne peut être délégué à des inspecteurs ou à des représentants du service consommateur. La qualité est de la responsabilité de chacun et ce sont les clients qui sont les véritables inspecteurs de la qualité, même si leur évaluation est parfois partielle ou subjective.

Lors de l'interaction, la qualité de service est fonction des trois éléments suivantes :
– **les attentes :** clarifier ce qui doit être fourni. Contrôler et préparer les attentes du client en conséquence.
– **la délivrance :** fournir les résultats attendus en fonction de la pratique professionnelle, les normes ou les comportements appris ou acquis.
– **la perception :** maîtriser la prestation « en temps réel » en étant attentif à la perception du client et en faisant les ajustements nécessaires. La perception du client, c'est le test véritable, même si le client peut se tromper ou manquer de connaissances techniques pour exercer son jugement. Mais, le personnel peut éventuellement modifier la perception du client, par exemple en lui fournissant des explications.

Comme nous l'avons déjà évoqué, le personnel de contact doit non seulement maîtriser les écarts de qualité (attentes, délivrance, perception), mais il doit être également prêt à « réparer » le client lorsqu'un problème se pose. Il doit éviter d'entrer dans une spirale dans laquelle les erreurs et les frustrations peuvent aboutir à un cercle vicieux d'actions et de réactions négatives. A l'inverse, une bonne attitude de compréhension et d'attention peut entraîner un cercle vertueux positif. Les deux situations « extrêmes » suivantes peuvent sans doute mieux nous faire comprendre ce phénomène.

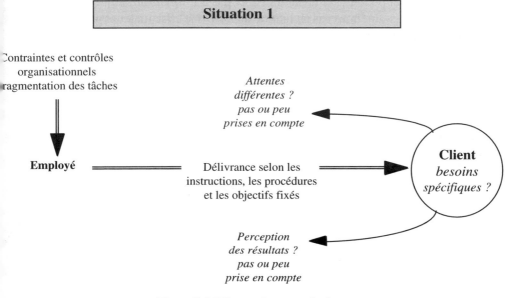

Figure 9.6. L'interaction « standard ».

Dans cette première situation, le personnel suit aveuglément les normes et les instructions. Toute tentative faite par le client pour obtenir un ajustement se voit opposer une fin de non recevoir. Nous aboutissons alors à un cercle vicieux classique d'insatisfaction et de cynisme.

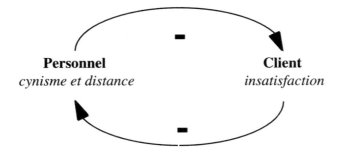

Figure 9.7. Le cercle vicieux de l'interaction négative.

Pour éviter cette situation, le personnel de contact prend parfois sur lui d'adapter les procédures pour plaire au client (même si cela doit entraîner des conflits avec ses supérieurs hiérarchiques). Mais dans ce cas, l'ajustement reste limité et ponctuel et ne se transmet pas à l'organisation qui n'apprend pas, donc ne s'améliore pas (Il faudra attendre une crise majeure pour que les choses changent !).

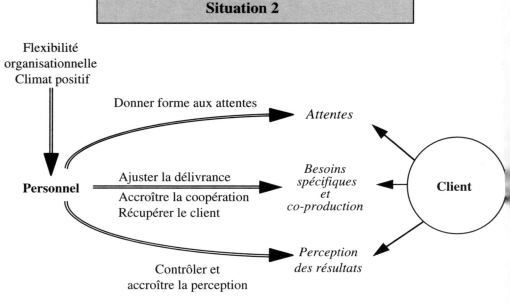

Figure 9.8. L'interaction « personnalisée ».

La maîtrise de la prestation est plus difficile lors d'une interaction plus personnalisée, car le client constitue une source d'incertitude. Le personnel de contact doit travailler simultanément sur les trois plans : attentes, délivrance et perception, comme l'illustre la Figure 9.8.

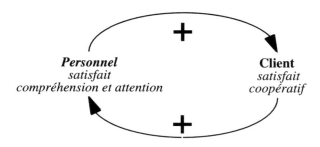

Figure 9.9. Le cercle vertueux de l'interaction positive.

La qualité du service dépend tellement de l'attitude du personnel que l'organisation n'est pas en mesure de la maîtriser facilement. Après tout, qu'est-ce qui peut motiver le personnel à faire des efforts pour entrer dans une spirale d'interaction positive ? Quel est son intérêt ?

2.2. La motivation, le climat et les compétences

Cette attitude positive est essentiellement déterminée par trois facteurs :

1) la **motivation** du personnel : a-t-il la possibilité d'agir selon sa motivation sans être trop sous pression ?
2) ses **compétences** : le personnel a-t-il été bien formé et préparé ? Reçoit-il en retour les informations appropriées ?
3) le contexte ou **le climat de l'organisation** (G. Litwin *et al.* 1996) : Comment le travail est-il organisé ? Les objectifs sont-ils clairs et motivants ? Dispose-t-il des ressources nécessaires ?

Ce qui peut être résumé par la formule suivante :

> La qualité de service est fonction de la satisfaction
> et de la compétence du personnel.
>
> **Qualité de service = f (Motivation × Climat × Compétences)**

Certains aspects majeurs de la motivation ont déjà été traités au Chapitre 5. Comme nous l'avons vu, la motivation est, en effet, essentiellement fonction du contenu et de l'intérêt du travail, mais également de l'estime de soi. Comme il est relativement difficile d'influer la motivation, il est recommandé d'agir en priorité sur le climat de l'unité de travail et les compétences du personnel.

Le climat de l'unité de travail est influencé par un certain nombre de facteurs énumérés sur la Figure 9.10. et que nous allons examiner successivement.

2.2.1. Définir des objectifs et communiquer

Le succès d'un service résulte d'une logique unique et solide qui le traverse depuis la proposition de valeur et la formulation jusqu'à la conception détaillée. Vision claire et culture forte permettent aux dirigeants de donner des orientations précises et des objectifs stimulants, non seulement sur le plan financier et de l'efficacité, mais également en termes de pres-

Style de management

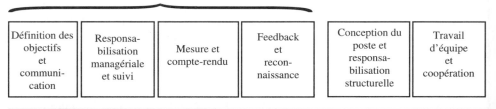

Définition des objectifs et communication	Responsa-bilisation managériale et suivi	Mesure et compte-rendu	Feedback et recon-naissance	Conception du poste et responsa-bilisation structurelle	Travail d'équipe et coopération

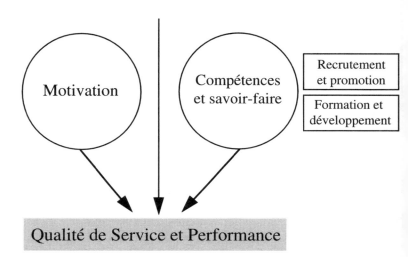

Figure 9.10. Facteurs conditionnant la qualité de service.

tation et de résultats perçus. Le plus difficile toutefois reste de les communiquer et de convaincre le personnel du bien-fondé de ces orientations. Et pour ce faire, sa participation et son implication sont essentielles à tous les niveaux.

Les responsables doivent faire du prosélytisme, motiver et convaincre en allant sur le terrain et en appliquant à eux-mêmes ce qu'ils prêchent. Selon un dicton bien connu, « on apprend davantage de l'observation que de la conversation ». Comme le comportement des responsables est sans cesse observé, c'est bien de cette façon qu'ils peuvent inculquer leurs valeurs, leur vision, leurs principes.

156

Certains responsables peuvent momentanément occuper des postes en contact avec la clientèle. D'autres auront recours à des séances quotidiennes d'information en début de journée ou à des lettres d'information internes pour expliquer les objectifs et les valeurs qu'ils préconisent, ou les niveaux de performance à obtenir. La fixation des objectifs ne doit pas seulement venir d'en haut. Pour que le personnel soit partie prenante, il faut que les objectifs et les priorités puissent être négociés.

2.2.2. Responsabiliser et guider

On ne peut se remettre en question et modifier sa façon de faire, si on n'est pas dans un contexte où le droit à l'expérimentation et donc à l'erreur est admis. Bien faire du premier coup ne signifie pas que les erreurs soient interdites. Interdire les erreurs, en effet, aboutit à la peur de faire, de tenter quelque chose de nouveau. C'est une entrave à tout apprentissage. Ce n'est que lorsque les remontrances disparaissent que l'amélioration est possible.

Responsabiliser l'employé en contact avec le client implique donc de le laisser faire son travail sans constamment intervenir et le surveiller. C'est lui l'expert. On doit lui faire confiance et le respecter. Il doit être encouragé et rassuré, et non pas réprimandé et critiqué.

Les employés se focalisent toutefois en général sur des tâches spécialisées et ponctuelles et il est ainsi du ressort des responsables de les aider à comprendre le processus plus large dans lequel elles s'inscrivent. Les cadres moyens voient leur rôle évoluer de la supervision directe au conseil, à la formation, à l'organisation du travail, à la mise sur pied de bons indicateurs de mesure et de performance. En un mot, ils deviennent des « entraîneurs ».

N'oublions pas cependant que la responsabilisation nécessite en parallèle des filets de sécurité et une certaine discipline des opérateurs, comme nous allons le voir.

2.2.3. Mesurer et rendre compte

Vous ne pouvez rendre une personne responsable de ce qu'elle fait que si elle dispose d'objectifs clairs, que si elle peut mesurer les résultats de son travail et ajuster son activité au moyen des compétences et des outils appropriés.

Exprimer son accord sur les résultats à atteindre signifie s'engager à tenir ses promesses. La reponsabilisation implique de passer de la surveillance à **l'autodiscipline**. Aussi faut-il mesurer, enregistrer et publier la performance pour permettre à chacun d'évaluer les résultats. N'oublions pas que responsabilisation ne signifie pas seulement laisser faire mais également rendre compte.

Les mesures peuvent être « physiques » (enquête de clientèle, « baromètres de satisfaction » des clients, systèmes de suivi de la qualité et de l'efficacité) ou financières (budgets, analyse des coûts, audits). Dans les deux cas, si les critères sont transparents et clairement négociés, le personnel ne peut que respecter son engagement et fournir ce qui a été convenu.

Dans certaines professions, comme celles de médecin, consultant ou expert-comptable, cette discipline est souvent **intégrée** par des codes de procédure, une pression des pairs ou des valeurs professionnelles. Ces normes ou valeurs se concentrent toutefois plus le côté technique de la profession que l'interaction avec le client.

2.2.4. Donner du feed-back et reconnaître les mérites

Pour créer un contexte positif, les responsables doivent distinguer et récompenser le personnel qui réagit positivement à une exigence inhabituelle du client ou qui assure une prestation qui dépasse ses attentes. On peut le faire de multiples façons : par une réaction immédiate (une bourrade sur l'épaule), par une reconnaissance publique (médaille, nomination comme meilleur employé du mois, cadeaux, voyages, primes, intéressement aux résultats ou fête autour d'un barbecue…). Les blâmes, par contre, doivent concerner les actes et les processus et non les personnes directement.

2.2.5. Concevoir des postes et responsabiliser les structures

Il est très important, pour permettre au personnel de contact d'avoir une meilleure interaction et ravir éventuellement le client, d'organiser les postes de façon à faciliter leur action et à lever tout obstacle organisationnel. Ceci nécessite une structure plate et non bureaucratique permettant les échanges d'informations à l'horizontale (feed-back direct du client, communication transversale, élargissement et enrichissement des tâches), des outils et des systèmes appropriés, l'occasion de faire des expériences originales (équipes d'amélioration, rotation des tâches), etc.

2.2.6. Développer le travail d'équipe et la coopération

L'esprit et le travail d'équipe auront un impact très positif sur le climat, car ceux qui sont en contact avec la clientèle ont besoin du soutien de ceux qui restent à l'arrière et de ceux qui interviennent à d'autres « moments de vérité » voisins. Le travail d'équipe sera optimisé si les responsables soulignent clairement l'importance d'une forte orientation-client, aussi bien auprès de ceux qui sont en interface que de ceux qui sont en support à l'arrière.

2.2.7. Recruter et promouvoir

Un employé « moyen » n'a pas envie d'aller au-delà des attentes du client. Pour cela, vous avez besoin d'un personnel bien formé et compétent avec un fort intérêt pour son travail. Que penser d'un employé dans l'interface qui a les compétences requises et les bonnes références, mais qui n'aime pas le contact avec le client ? Imaginons seulement le niveau de formation et de motivation qui seront nécessaires pour compenser une mauvaise adéquation au poste, un manque d'intérêt de la part du salarié ?

2.2.8. Former et développer

Une fois que le personnel a reçu la formation requise, les responsables devraient le laisser faire son travail. La formation doit bien sûr être conçue en fonction de la stratégie de service et comprendre aussi bien les compétences et les capacités que le comportement et la compréhension de l'objectif. Toutefois, en raison même de la complexité de l'interaction avec le client, les cours théoriques ne pourront jamais remplacer l'expérience sur le terrain et l'observation.

Lorsque nous voyons cette longue liste de huit points, nous comprenons pourquoi le poste de directeur d'un département ou d'une unité en contact avec la clientèle est difficile à pourvoir. Le responsable doit à la fois résoudre les problèmes de marketing, de production, de gestion des ressources humaines et d'organisation. Et comme il ne joue pas directement sur le terrain même où se situe la rencontre, il doit adopter le style de management d'un entraîneur sportif. Ceci est d'autant plus difficile que le service est personnalisé et implique l'intervention d'experts qui n'aiment pas être contrôlés.

CONCLUSION

Pour nous résumer, nous dirons que dans chaque *micro-situation* où il y a interaction avec le client, le personnel de contact joue sur trois dimensions : le résultat, l'interaction avec le processus et avec lui-même et ceci à deux niveaux, la prestation elle-même et la perception du client par rapport à ses attentes. Il doit fournir ce qui a été promis, récupérer éventuellement les clients mécontents ou rechercher le « plus » qui peut les ravir et les fidéliser. C'est tout un art !

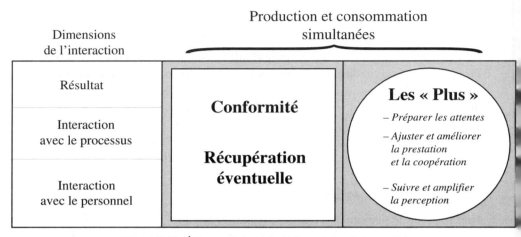

Figure 9.11. Éléments essentiels de la maîtrise de la qualité à chaque point d'interaction important.

Chapitre 10

LA MAÎTRISE DE LA QUALITÉ SUR LE CYCLE D'INTERACTION

Nous avons vu comment obtenir la qualité de service à chaque moment de vérité. Toutefois, nous savons que le client ne prononce son verdict qu'à la fin de la prestation en intégrant l'ensemble de ses expériences. En représentant la séquence des « moments de vérité » soutenus par les activités de support sur la Figure 10.1., nous pouvons faire apparaître les points-clés de l'ensemble de l'expérience.

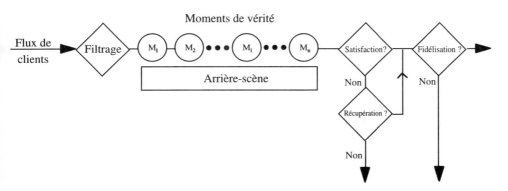

Figure 10.1. Points-clés de l'ensemble de l'expérience.

1. LE FILTRAGE

Contrairement aux matières premières qui peuvent être contrôlées au début du processus industriel selon des standards précis, les clients qui se présentent à l'entrée du service peuvent faire preuve de comportements et d'exigences totalement imprévisibles. C'est pourquoi il est essentiel de les filtrer, de les orienter et de les préparer pour réduire l'incertitude, accroître la productivité et mieux contrôler la qualité de service.

Nous avons déjà évoqué l'importance de la segmentation qui consiste à sélectionner des clients dont les besoins sont relativement homogènes. Cette segmentation doit être bien expliquée par une information adéquate ou par une signalisation évidente pour orienter les clients et mieux les filtrer. Ainsi, certaines activités sont-elles réservées aux adhérents, certains restaurants n'acceptent-ils que les clients portant une cravate, etc. Dans certains cas, comme celui de l'hôpital, les patients doivent même être physiquement et psychologiquement préparés à subir l'intervention programmée.

Il y a également des clients qui, tout en appartenant au segment concerné, peuvent faire preuve d'un comportement inacceptable en exprimant des demandes inconsidérées ("Je veux garder tous mes bagages avec moi en cabine"), en se montrant désagréables envers le personnel ou en violant d'une façon ou d'une autre les conventions sociales (en faisant trop de bruit ou en étant en état d'ébriété). Les clients n'ont pas toujours raison et lorsque de tels cas se produisent, il vaut mieux prévenir que guérir. Cela peut être fait en filtrant l'accès (en demandant une pièce d'identité), en utilisant un système informatique (qui repère les récidivistes), en fournissant des explications et des rappels (sur les règles de sécurité, sur l'utilisation correcte du matériel) ou même au moyen de sanctions pécuniaires (dépôts de garantie, contrats).

2. Chacun est responsable de la qualité

A chaque moment de vérité, le service doit être le bon dès le premier coup. Une seule défaillance en un point et l'ensemble de l'expérience peut être gâché. Prenons, par exemple, le cas du restaurant illustré sur la Figure 10.2. dont le cycle d'activité est constitué de quatorze points principaux d'interaction. Supposons que la probabilité de dysfonctionnement à chaque point soit de 1 % (ce qui est relativement faible, lorsque l'on sait qu'il y a mille raisons de rater une interaction). Combien de clients pleinement satisfaits peut-on alors espérer ?

Les clients pleinement satisfaits sont ceux qui n'ont rencontré aucun problème au cours des quatorze moments. La probabilité est donc de : $(0,99)^{14} = 0,87$, ce qui signifie qu'en moyenne 13 % des clients seront

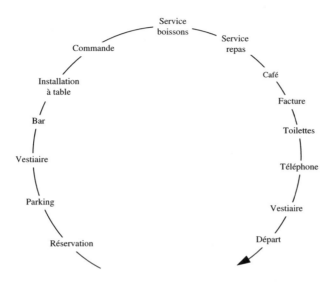

Figure 10.2. Cas du restaurant.

insatisfaits, ayant rencontré un ou plusieurs problèmes au cours de leur repas. Cette proportion relativement forte montre bien pourquoi la qualité est du ressort de chacun, qu'il soit ou non en contact direct avec le client car, évidemment, les opérations de l'arrière supportent l'interaction de l'avant.

3. L'ALIGNEMENT DE L'ARRIÈRE-SCÈNE ET DES ACTIVITÉS DE SUPPORT

Tous les sourires ou les excuses que vous pourrez offrir en avant-scène ne pourront suffire à compenser les dysfonctionnements des processus informatiques ou la qualité médiocre des biens préparés dans l'arrière-scène. L'interface est le client interne des fournisseurs de l'arrière et l'alignement de l'arrière-scène sur l'avant-scène est l'un de plus grands défis qu'ait à relever une organisation très orientée service.

Il y a là un risque de dichotomie évident dans la mesure où l'arrière-scène est orientée produit et a tendance à développer une culture de production fondée sur des principes bien établis de standardisation, de division du travail, de productivité, alors que l'avant-scène est orientée client et requiert personnalisation et flexibilité, moins de spécialisation et plus d'implication.

Le meilleur moyen de résoudre ce problème est de considérer la liaison entre l'arrière-scène et l'avant-scène comme une relation directe client-fournisseur. Cela implique des ajustements de chaque côté : le client interne doit clairement exprimer ses besoins et le prestataire doit réagir en fonction de ses possibilités et de ses contraintes, tout en maintenant une certaine faculté d'adaptation. La communication directe, le travail d'équipe et la mobilité peuvent contribuer à améliorer le niveau de compréhension et d'adéquation.

Cette logique peut également s'appliquer aux processus transversaux. De nombreux processus sont le fruit de différentes activités situées dans plusieurs départements, ce qui peut conduire à une fragmentation, des écarts de qualité et une moindre prise en compte des besoins du client final. Le meilleur moyen d'éviter ces risques est de dessiner le diagramme de flux de l'ensemble du processus pour faire ressortir les points de défaillance potentiels et en garantir la cohérence grâce à un travail d'équipe ou au recours à un personnel polyvalent. Si nécessaire, le processus peut être reconfiguré. Nous développerons ce point dans le prochain chapitre. Tout ceci implique davantage de management horizontal et moins de contrôle hiérarchique.

L'approche est la même pour toute autre activité de support. La relation client-fournisseur évolue sans cesse en fonction du client final. Il faut donc sans cesse modifier les procédures établies. Bien que cela paraisse évident, le personnel a tendance à l'oublier lorsque le travail devient routinier et qu'il dispose de moins en moins de temps pour interroger les clients et adapter le service en conséquence.

4. L'INTÉGRATION DU SERVICE SUR LE CYCLE D'INTERACTION

La perte de qualité peut également venir d'un manque de cohérence entre les différents « moments de vérité ». Ainsi, un employé peut faire un devis et un autre établir la facture à un autre prix. Plus il y a de points de contact, plus le risque de fragmentation et de dispersion est grand. On a donc recours, pour assurer la cohérence à des coordinateurs, au travail d'équipe, à la mobilité du personnel, à l'élargissement des tâches ou à un personnel polyvalent.

A l'hôpital *Beth Israel* de Boston, par exemple, une infirmière est chargée de suivre les progrès de chaque patient. Comme le dit C. Lovelock, « En 1975, l'hôpital *Beth Israel* est devenu le premier grand centre hospitalier à adopter la méthode de l'infirmière « principale » (*primary nursing*). Chaque patient est confié à une **infirmière principale** qui est chargée de gérer le séjour de ce patient à l'hôpital, depuis son admission jusqu'à son départ ou son transfert dans une autre unité. Cette infirmière travaille en étroite collaboration avec les médecins du patient et met sur pied un programme de soins, 24 heures sur 24, pour chaque patient qui lui est confié. »

Là encore, ce management horizontal entraîne l'allégement du contrôle hiérarchique et une maîtrise de la qualité de service par l'autodiscipline et la collaboration.

La conclusion évidente est que pour intégrer la qualité sur l'ensemble du cycle, il faut recruter de bons professionnels, les former et les responsabiliser, puis établir un certain contrôle grâce à des mesures internes ou externes clairement visibles. Bill Marriott, le directeur général du groupe Marriott, a une formule simple : « Démarrez avec les bonnes personnes, formez-les, motivez-les et donnez leur l'occasion de progresser, et l'entreprise réussira. »

5. LE RECRUTEMENT ET LA GESTION DU PERSONNEL

Replaçons maintenant la qualité de service sur un plan plus général. Comme nous l'avons vu à la fin du chapitre précédent, la qualité dépend beaucoup des compétences et de la motivation du personnel. Malheureusement, il est beaucoup plus facile d'acquérir et de faire fonctionner une machine que de recruter, former et mobiliser une personne. Aussi les responsables des activités de service doivent-ils consacrer beaucoup d'effort et de soin à gérer leur personnel de façon à ce que leur travail reste motivant et intéressant. Lorsque l'on aime ce que l'on fait, on le fait mieux.

La matrice d'intensité de service peut, là encore, contribuer à nous faire comprendre le profil des postes requis en fonction du niveau de personnalisation et d'intensité de l'interaction (Figure 10.3.).

Il est intéressant de voir qu'avec une politique de promotion interne, comme c'est souvent le cas dans les services, il peut s'avérer difficile de transférer une personne d'une position à l'autre à l'intérieur de la matrice, ou de l'arrière-scène à l'avant-scène, en raison des compétences et expertises qui peuvent être très différentes et qui ne s'acquièrent pas seulement par la formation. Il est parfois plus simple de recruter à l'extérieur. La clé du succès est d'obtenir une bonne adéquation entre le candidat et le poste. Mais il n'est pas évident, par exemple, d'obtenir une forte orientation-client de la part d'un employé qui a passé de nombreuses années dans un poste à l'arrière (Figure 10.4.).

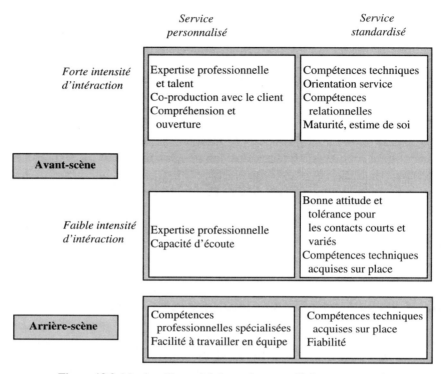

Figure 10.3. Matrice d'intensité de service et profil des postes requis.

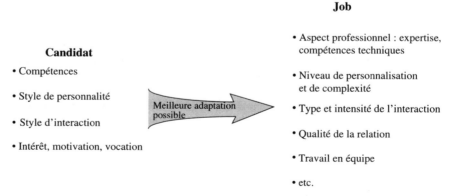

Figure 10.4. Adéquation entre le candidat et le poste.

Les postes en contact avec le client peuvent demander des types de person-nalités différentes en fonction du genre de mission et du contexte. Ainsi, les compagnies aériennes ont-elles besoin d'extravertis qui aiment servir et y prennent du plaisir. Les bonnes infirmières sont probablement des per-sonnes stables émotionnellement, prédisposées à l'interaction sociale et suffisamment sûres d'elles pour prendre des décisions immédiates.

Pour les postes d'interface sans face à face direct avec le client, le recru-tement devrait se faire au téléphone pour vérifier le comportement, le style et la voix du candidat. « Sourit-il » au téléphone ? Comment réagit-il en face de clients angoissés ou en colère ? Parvient-il à conserver une certaine « fraîcheur » et une certaine spontanéité à la fin d'une longue journée ?

Enfin, le poste doit correspondre aux besoins et aux motivations profondes des candidats. Ainsi dans les sociétés spécialisées dans le nettoyage comme Service Master, les membres du personnel ont-ils avant tout besoin de statut et de dignité, car il s'agit souvent d'immigrants avec de très fai-bles qualifications.

A *Southwest Airlines*, le recrutement relève de la cérémonie religieuse. Cette société recherche des individus pleins de vie, convaincus de leur mis-sion, qui possèdent un bon sens de l'humour et qui adorent être au service des autres. Comme l'explique le directeur général, Herb Kelleher, « le pre-mier tri de stewards ressemble davantage à un casting pour un film d'Hol-lywood qu'à un entretien. Les candidats sont évalués par un jury comprenant d'autres stewards, des membres du personnel au sol, des diri-geants et des clients. »

Bref, les responsables des activités de service se doivent de consacrer du temps et de l'énergie pour définir les segments intéressants de candidats potentiels, dans lesquels ils choisiront les personnes ayant le talent, la per-sonnalité et les intérêts adéquats.

6. LE DÉVELOPPEMENT ET LA FORMATION DU PERSONNEL

De nombreuses sociétés de service ont reconnu l'importance de la forma-tion et de l'éducation en créant leur propre centre de formation, leur « université » : l'Université *Holiday Inn*, l'Université Hamburger *Mc-Donald's*, l'Université *Disney*, l'Académie *Accor*, le Centre *Saint-Charles* de formation continue d'*Arthur Andersen*, et ainsi de suite.

Ces centres de formation offrent une approche cohérente, créent un langage commun et instillent à leur personnel les valeurs et les normes qui s'avèreront fondamentales dans leur comportement quotidien.

Leur première mission est d'enseigner les compétences techniques, les règles de fonctionnement et les procédures, ainsi que les schémas de comportement et les rôles types. Mais il est également nécessaire de former le personnel à ce que nous avons appelé la capacité de compréhension et d'attention pour leur permettre de faire face à des situations difficilement prévisibles, celles dans lesquelles la qualité de relation interpersonnelle et une compréhension des objectifs et des limites de l'organisation jouent un rôle essentiel. Diverses méthodes permettent cet enseignement : l'analyse transactionnelle, les jeux de rôles, les études de cas et les simulations.

N'oublions pas qu'en raison de la complexité des postes en contact avec le client, la meilleure formation est encore l'apprentissage sur le tas avec les collègues et les supérieurs. Nous ne devrions pas non plus perdre de vue que l'un des rôles principaux du management et de l'encadrement est de former le personnel et lui enseigner le métier.

Chez *Disney*, chaque nouvelle recrue, y compris le balayeur du parc, suit trois jours de formation. Il ne faut pas trois jours pour apprendre à manier un balai, mais ce temps est essentiellement consacré à apprendre comment fonctionne l'entreprise Disney et comment répondre de façon courtoise et précise aux nombreuses questions que ne manqueront pas de poser les visiteurs.

7. LA SÉLECTION, LA FORMATION ET LA RESPONSABILISATION DE L'ENCADREMENT

Le rôle des cadres est de créer le climat adéquat, de dynamiser, de motiver et de former le personnel. Ce rôle est particulièrement important dans des entreprises multi-sites. Dans les chaînes de restaurants, les hôtels et les agences, des centaines de centres dispersés doivent être gérés par des individus autonomes et énergiques. La meilleure façon de les responsabiliser est de faire en sorte qu'ils se sentent propriétaires de leur affaire, un peu à la façon d'un franchisé, ce qui implique aussi une structure hiérarchique allégée et des systèmes de contrôle spécifiques liés au résultat.

Par exemple, chez *Taco Bell*, la chaîne de restauration rapide mexicaine, les directeurs de restaurants sont devenus des directeurs généraux de restaurant (DGR) en prenant la responsabilité complète de l'affaire jusqu'aux comptes de résultat. Cela a nécessité de recruter des responsables d'un niveau plus élevé, car un tiers seulement des personnes en place pouvait prendre cette responsabilité immédiatement et un autre tiers ne pouvait se hisser à ce niveau que grâce à un programme de développement et de formation.

Ces directeurs généraux de restaurants se sont vu offrir une rémunération bien supérieure à celle du marché et analogue à celle d'un franchisé, alors que les responsables de marché, au-dessus hiérarchiquement, ont coiffé un plus grand nombre de restaurants. Avec un champ de contrôle étendu à 20 ou 30 restaurants, il leur fallait prendre de la hauteur et jouer un vrai rôle d'entraîneur plus que d'inspecteur.

A *Federal Express*, la direction a mis au point un processus d'évaluation du leadership qui comprend les étapes suivantes :
– Une réponse à la question « Le management est-il fait pour moi ? »
– Un cours d'introduction d'une journée
– Les recommandations des responsables sur les candidats
– Une période de trois à six mois au cours de laquelle le supérieur du candidat le suit et l'évalue sur le plan des comportements et des compétences
– L'évaluation par les pairs
– L'évaluation par un jury spécial constitué d'un groupe de dirigeants choisis à cet effet.

Une partie de la « magie » du *Club Med* provient de ses chefs de village capables de transformer l'ambiance, même dans des circonstances aussi difficiles que lors de retards d'avion ou d'un temps exécrable. En fait, leur recrutement est très rigoureux, comme le montre la Figure 10.5.

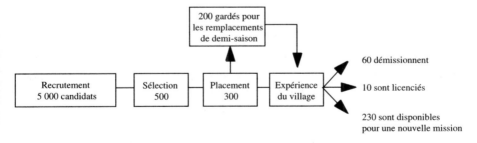

Figure 10.5. Exemple de recrutement au Club Med pour une saison.

8. L'ASSURANCE-QUALITÉ ET LA MESURE

L'assurance-qualité pose un véritable défi en raison du nombre considérable de facteurs à maîtriser et dont beaucoup sont intangibles. Ceci n'exempt pas les dirigeants de l'obligation d'établir un système d'assurance-qualité pour fixer un certain nombre de normes, procédures et mesures à chaque étape de la prestation, organiser une documentation et des comptes-rendus réguliers ou prévoir des analyses internes et externes de la qualité et des audits. La qualité est la responsabilité de chacun, ce qui nécessite de l'auto-contrôle et de la discipline, mais un système d'assurance-qualité peut aider chaque employé à mesurer son action par rapport à des normes et à des objectifs à la définition desquels il a participé et qu'il s'est engagé à respecter. Comme le dit l'adage, « c'est ce qui peut se mesurer qui peut se faire ! »

Tout d'abord, les normes et les mesures doivent couvrir tous les aspects internes du système de délivrance de la prestation.

• **Compétences et pratique professionnelle**
– Procédures de fonctionnement, normes reconnues dans la profession, protocoles, niveaux de performance, etc.
– Séquence des événements, check-lists.

• **Installations matérielles et équipement**
– Caractéristiques-clés, normes de performance, niveau de propreté…

• **Produits fournis**
– Caractéristiques, spécifications…

• **Comportement du personnel**
– Comment s'exprimer, accueillir les clients, gérer certaines situations…

Des procédures de contrôle et des audits devraient être prévus régulièrement pour examiner tous ces points. Ils peuvent se faire sous forme de revues auto-administrées, de certification du personnel, d'observation directe, de revues organisées par la direction ou d'audits menés par une équipe d'assurance-qualité. Lorsque les revues et les audits sont effectués par un autre département (comme l'assurance-qualité), celui-ci devrait rapidement publier ses conclusions et communiquer l'information aux personnes concernées de façon à générer aussitôt les mesures correctrices qui s'imposent.

Dans certains cas, il est possible de verrouiller le système grâce à des aides opérationnelles (tels que la coupelle de frites qui permet d'en servir toujours la même quantité dans la restauration rapide) ou des tests automatiques (systèmes de sécurité, alarmes), ou encore des comptes à rebours et des check-lists.

Toutefois, ces mesures préventives **orientées-processus** ne peuvent pas tout résoudre. Pour obtenir une image réaliste de la qualité de service, les responsables doivent mettre en place des mesures **orientées-client** : l'observation par des inspecteurs ou par des clients-mystère payés par la société, les commentaires fournis par les cartes-réponses, les études de marché ou les *focus group*, les remontées spontanées d'information par les réclamations et les compliments, et ainsi de suite.

Comme nous le savons, l'expression du consommateur est toutefois biaisée par le processus lui-même (filtre du mode d'intégration, filtre du processus de délivrance). De sorte que toute évaluation des résultats doit être complétée, du moins en ce qui concerne les aspects techniques, par les analyses et revues « objectives » faites par des organismes extérieurs ou par les confrères, comme c'est souvent le cas pour les professions libérales telles que la médecine, la comptabilité publique ou l'université.

Retenons enfin qu'il est essentiel de rassembler et de coordonner les informations disponibles, puis de les restituer le plus rapidement possible aux personnes concernées. Mais il ne fait pas de doute que si l'assurance-qualité est une condition nécessaire, elle n'est pas suffisante et la qualité de service dépend beaucoup du professionnalisme et de la motivation du personnel.

9. LA MESURE DE LA SATISFACTION DU PERSONNEL

La satisfaction du personnel entraîne non seulement une meilleure qualité de service, mais aussi une plus faible rotation du personnel et une plus forte productivité. Aux coûts directs dus à la rotation du personnel (recrutement et formation des remplaçants), il faut ajouter une plus faible productivité des nouveaux venus.

Nous avons vu, au niveau de chaque interaction, que la qualité du service est fonction de la satisfaction et de la compétence du personnel.

> **Qualité du service = f (Motivation × Climat × Compétences)**

Cette formule, qui peut se généraliser au niveau de l'entreprise, montre la nécessité de mesurer la satisfaction du personnel et les éléments-clés du climat de l'entreprise.

Les questionnaires de mesure de la satisfaction du personnel doivent inclure tous les aspects que nous venons de voir : conception des postes, travail en équipe, coopération, communication, responsabilisation et suivi, visibilité des mesures, feed-back et reconnaissance des mérites, estime de soi et formation.

Fred Smith, directeur général de *Federal Express*, a résumé son approche par le simple sigle PSP : Personnel, Service, Profit. Lorsque le **Personnel** est placé en premier, il est disposé à procurer le meilleur **Service** possible et les **Profits** s'ensuivent. Cette formule cadre parfaitement avec le triangle des services comme le montre la Figure 10.6.

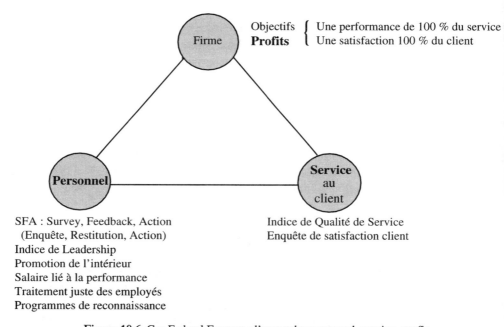

Figure 10.6. Cas Federal Express : l'approche personnel, service, profit.

Les membres du personnel évaluent leurs responsables et l'organisation à l'aide d'un questionnaire intitulé « Enquête, Restitution et Action ». Les résultats de cette enquête anonyme sont discutés (Restitution) et les changements acceptés sont mis en œuvre (Action). Ce questionnaire permet de disposer d'un indicateur permanent de la satisfaction du personnel. Un indice de leadership en est extrait et calculé d'après les réponses aux dix premières questions (Figure 10.7.). Les réponses des différents membres d'un

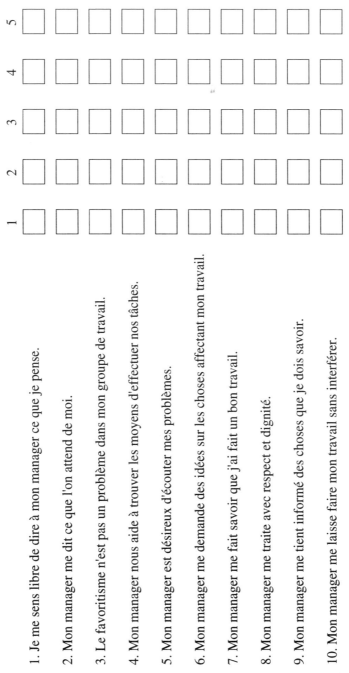

	1	2	3	4	5
1. Je me sens libre de dire à mon manager ce que je pense.	☐	☐	☐	☐	☐
2. Mon manager me dit ce que l'on attend de moi.	☐	☐	☐	☐	☐
3. Le favoritisme n'est pas un problème dans mon groupe de travail.	☐	☐	☐	☐	☐
4. Mon manager nous aide à trouver les moyens d'effectuer nos tâches.	☐	☐	☐	☐	☐
5. Mon manager est désireux d'écouter mes problèmes.	☐	☐	☐	☐	☐
6. Mon manager me demande des idées sur les choses affectant mon travail.	☐	☐	☐	☐	☐
7. Mon manager me fait savoir que j'ai fait un bon travail.	☐	☐	☐	☐	☐
8. Mon manager me traite avec respect et dignité.	☐	☐	☐	☐	☐
9. Mon manager me tient informé des choses que je dois savoir.	☐	☐	☐	☐	☐
10. Mon manager me laisse faire mon travail sans interférer.	☐	☐	☐	☐	☐

Figure 10.7. Les 10 premières questions de l'enquête de satisfaction.

groupe de travail sont agrégées pour en tirer une note pour le responsable de ce groupe. Cette notation couplée à l'indice de qualité du service et aux profits détermine la prime du responsable.

CONCLUSION

Nous espérons n'avoir pas découragé le lecteur en montrant combien il est difficile d'atteindre un haut niveau de qualité dans les services, compte tenu des multiples interactions qui sont difficiles à maîtriser et à coordonner, de l'alignement nécessaire des opérations de l'arrière avec l'avant-scène, de l'énorme importance de la sélection, de la formation et de la motivation du personnel. Mais n'oublions pas que dans un contexte évolutif, il est essentiel de mettre en place une dynamique d'amélioration continue. C'est ce que nous allons traiter dans le prochain chapitre.

Chapitre 11

LA DYNAMIQUE DE L'AMÉLIORATION CONTINUE

La qualité totale est d'abord apparue avec la maîtrise des opérations dans l'usine, puis elle s'est répandue dans chaque fonction, dans chaque département, dans chaque service. La voix du client traverse donc maintenant l'ensemble de l'organisation, de l'avant-scène au fin fond des ateliers. Elle exige que tous se mettent à l'écoute du client qui est un patron bien exigeant. Mieux encore, il ne s'agit pas seulement de bien faire la première fois, mais il faut mieux faire la deuxième fois, compte tenu de la pression concurrentielle qui ne laisse pas de répit.

Pour survivre, il faut donc mettre en place une dynamique d'amélioration continue, c'est-à-dire un système et un climat dans lesquels il devient utile et normal d'être à l'écoute du client et d'améliorer continuellement le service.

L'implantation de ce système s'articule autour de deux principes : la prise en compte des gisements d'amélioration et la mise en place d'une approche systématique de changement pour exploiter ces gisements.

1. PREMIER PRINCIPE : LA PRISE EN COMPTE DES GISEMENTS D'AMÉLIORATION

1.1. Réduire les écarts de délivrance

Les écarts de qualité les plus évidents sont ceux qui séparent les normes internes ou les critères de performance spécifiés, de la prestation réalisée. Qu'ils s'appellent erreur, défaillance ou dysfonctionnement, ces écarts créent des coûts liés à la reprise du travail déjà effectué, aux indemnités de garantie ou de responsabilité, à la perte de fidélité ou à la réparation et la récupération de clients mécontents.

Lorsque la déviation est visible et peut être mesurée, les manquements peuvent être corrigés grâce à l'auto-contrôle du personnel (lorsqu'il est en mesure de maîtriser ce qu'il fait), complété par la supervision directe pour donner un feed-back rapide et éventuellement un audit externe. La meilleure solution est donc de jouer sur le recrutement et la formation du personnel de contact ou d'introduire des mécanismes de verrouillage (appareils, protocoles, check-lists, procédures de routine) qui empêcheront de toute façon de faire des erreurs.

Il ne s'agit pas seulement d'apporter des corrections limitées à des dérapages ponctuels, mais de s'attaquer aux défaillances chroniques ou habituelles. La filiale d'*AT&T*, par exemple, qui lança au début des années 90 une nouvelle carte de crédit universelle, avait mis au point un système de mesure qui enregistrait plus de 120 indicateurs couvrant l'ensemble de ses processus. Son objectif au départ était de maintenir tous les jours 95 % de ces indicateurs dans les normes fixées. Le niveau de qualité acceptable était donc de 95 %. Mais, il était anormal d'accepter un niveau chronique de 5 % des indicateurs non conformes chaque jour. Aussi s'était-elle attaquée à ce niveau de défaillance chronique en tentant de le réduire progressivement.

Comment y parvenir ? La seule solution à ce niveau réside dans la prévention c'est-à-dire un investissement dans une meilleure connaissance des processus amont. Il faut remonter à la source des problèmes pour réduire les coûts de défaillance et de correction en aval. Il s'agit d'appliquer des méthodes de résolution de problème, que celui-ci soit potentiel ou réel. Les étapes sont bien connues : identifier les causes, tester les solutions possibles, actualiser les normes, choisir et former le personnel. Plus il est possible de prendre tôt des mesures préventives adéquates, plus il est facile de réduire les coûts d'inspection et de défaillance en aval, comme le montre la Figure 11.1.

Cet effort peut se faire au moyen de différents projets d'amélioration pouvant être confiés soit à des groupes transversaux, lorsque plusieurs départements sont concernés, soit à des équipes locales ou des individus, lorsque le problème est cantonné à un seul département.

Ainsi, lorsqu'une défaillance récurrente est détectée, il faut avoir la possibilité de trouver le temps d'en rechercher la cause, d'y apporter une solution définitive et, éventuellement, de changer les procédures. Ce travail peut se faire individuellement, dans le cadre d'un cercle de qualité (si le problème est simple) ou par l'intermédiaire d'une équipe d'amélioration locale ou transversale (si le problème est plus important).

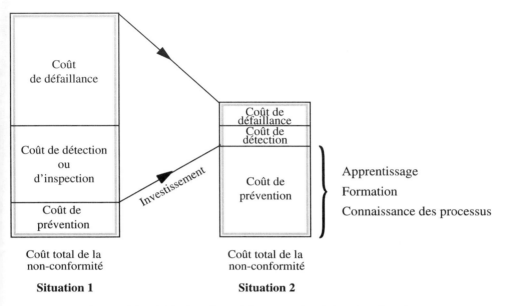

Figure 11.1. Réduire le coût total de non-conformité par la prévention.

La détermination des problèmes peut s'appuyer sur des mesures de performance, comme dans les cas de l'IQS, l'Indice de Qualité de Service de *Federal Express*. La moyenne mensuelle des douze sources de défaillance que nous avons mentionnées dans le Chapitre 8 (Figure 8.12.) est représentée par ordre d'importance sur un diagramme de Pareto (Figure 11.2.).

Cette information peut être encore décomposée pour fixer des priorités et des objectifs d'amélioration précis aux cercles de qualité locaux ou aux équipes transversales.

Au fur et à mesure que l'on se centre sur les résultats perçus par les clients, la résolution de problème se fait de plus en plus horizontalement et les diagrammes de flux remplacent les organigrammes.

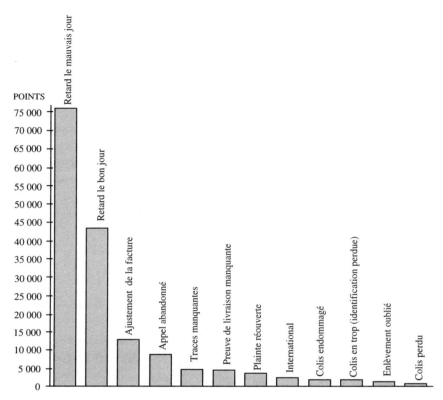

Figure 11.2. Indicateur de Qualité de Service à Federal Express :
moyenne des défaillances journalières (sur un mois).

1.2. Réduire les écarts de perception

Comme nous l'avons déjà évoqué, la perception du client est biaisée, versatile et subjective, influencée par ses attentes et les offres des concurrents. Il est donc important d'assurer la liaison entre les processus de délivrance et la mesure de la perception globale. Lorsque les clients sont insatisfaits il faut leur demander pourquoi et revenir au processus.

Au-delà de cette mesure directe, les réclamations des clients constituent une autre source d'information. Même s'il est vrai que peu de clients insatisfaits se plaignent, il faut aller au-devant de leurs réclamations pour au moins deux raisons : d'abord pour en connaître le motif et améliorer le fonctionnement du processus, mais aussi pour avoir une chance de les récupérer, comme nous l'avons vu avec le « modèle du seau percé » au

Chapitre 8. Des remontées d'informations intéressantes peuvent également être obtenues auprès des clients qui trouvent le service médiocre ou perfectible, par exemple en facilitant la communication avec la société grâce à un numéro d'appel gratuit, une ligne consommateur, des forums d'écoute ou des fiches d'évaluation du service. Bien que la récupération du client soit souvent du ressort du service clientèle, la meilleure solution est toujours de remonter à la source et de laisser le personnel en contact avec le client résoudre le problème sur-le-champ.

• La récupération par le service clientèle

Vitesse et bonne coordination de la réponse étant primordiales dans ce cas, l'informatique se révèle d'un grand secours pour disposer de l'intégralité de l'historique client grâce à une base de données facilement accessible. D'autre part, la formation du personnel aux techniques de communication devrait lui permettre de savoir comment calmer un client furieux en l'écoutant, en s'excusant et en négociant éventuellement des compensations.

• La récupération immédiate par le personnel en contact avec le client

Il est plus facile de trouver une bonne solution au problème en le résolvant au moment où il apparaît, plutôt que d'attendre qu'il se transforme en une réclamation qui sera ou non transmise au service clientèle. Pour ce faire, il est primordial de convaincre toute l'organisation de l'importance de récupérer un client dès qu'un incident ou un problème survient. Il faut également mettre au point un programme qui permette aux membres du personnel concerné de « s'approprier » le problème du client. Bien qu'ils ne détiennent pas toujours les moyens ou les ressources pour le résoudre, ils doivent être à l'écoute du client, lui donner des explications claires et veiller à ce que les mesures correctrices soient éventuellement prises en amont.

Les incidents critiques

Une technique simple et peu coûteuse, mise au point par B. Edwardsson et ses collègues en 1994, permet de mieux faire remonter les réclamations des clients. Il s'agit de questionner un échantillon de clients et de salariés pris au hasard sur des « incidents critiques » qui leur sont arrivés. Selon ces auteurs, un incident critique est un incident spécial, problématique, délicat ou désagréable qui affecte la perception qu'a le client de la qualité du service. C'est un événement qu'ils peuvent assez facilement identifier et se remémorer et qui symbolise le service pour eux. Cette technique génère des descriptions détaillées, exprimées dans les termes du client. Il est ainsi possible, après avoir questionné quelques centaines de clients, d'identifier et de hiérarchiser les principales sources d'écarts et d'incohérence, d'évaluer comment les incidents critiques ont été gérés et de juger de leur effet sur la relation client. L'incident a-t-il rompu, affaibli, laissé inchangée ou renforcé la relation client ?

Ainsi, après avoir procédé à l'analyse d'une compagnie aérienne, les auteurs se sont aperçus qu'il y avait beaucoup plus d'incidents liés au transport aérien qu'aux opérations au sol. Les incidents concernaient essentiellement le retard ou l'annulation de vols, ainsi que les retards dans la livraison des bagages ou les bagages endommagés.

1.3. Prévenir et résoudre les problèmes

Pour nous résumer, nous dirons que la mesure des écarts de délivrance ou de perception permet non seulement de corriger les dérapages, mais également de réduire graduellement le niveau chronique de « non-qualité » grâce à une dynamique de résolution de problème et une meilleure compréhension et maîtrise des processus amont.

La méthode de résolution de problème, simple et classique, couramment employée est celle qui se décompose en cinq étapes (Figure 11.3.).

1. Définition du problème
2. Diagnostic (analyse des causes)
3. Recherche d'une solution
4. Confirmation des résultats et mise en œuvre
5. Standardisation et apprentissage

Figure 11.3. Méthode de résolution du problème.

Considérons le cas bien connu de la compagnie aérienne *Midway Airlines* (D. Wyckoff, 1984). La Figure 11.4. illustre la carte de contrôle utilisée pour suivre les retards au départ.

La première année, les efforts faits pour réduire les départs en retard et améliorer la transparence des mesures ont entraîné un net progrès. *Midway* a alors adopté une méthode de résolution de problème et a analysé les motifs de ces retards grâce à un diagramme cause-effet (en arête de poisson), comme le montre la Figure 11.5.

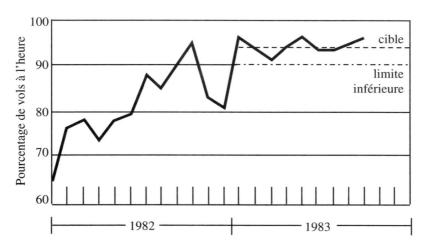

Figure 11.4. Évolution des vols à l'heure du départ.

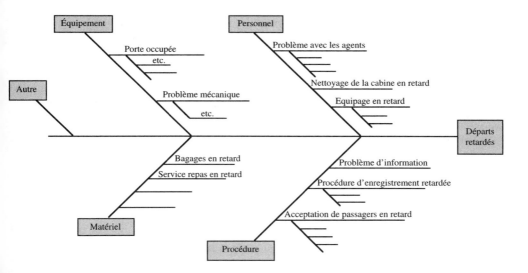

Figure 11.5. Analyse des causes de retard avec diagramme cause-effet.

Compte tenu du grand nombre d'hypothèses et de points de vue émis, *Midway* a recueilli sur le terrain des données qui pourraient infirmer ou confirmer ces hypothèses. Les motifs de retard ont été classés sur un diagramme de Pareto en fonction de leur fréquence ou probabilité de survenance (Figure 11.6.).

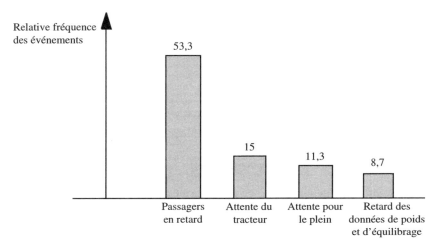

Figure 11.6. Hiérarchie des motifs de retard.

Il apparut qu'une première cause des départs en retard était liée à l'attente des passagers. Aussi, *Midway* changea la procédure pour que les départs se fassent à l'heure dite. Après avoir formé son personnel de manière adéquate, les retards déclinèrent rapidement. Puis *Midway* s'intéressa à un deuxième motif de retard, et ainsi de suite.

La dernière étape de la méthode de résolution de problème est la « standardisation et l'apprentissage ». C'est une étape essentielle, car il faut éviter de reproduire les mêmes erreurs. Il faut retenir et mémoriser ce que l'on a appris. Sur le long terme, l'apprentissage et la prévention se révèlent moins onéreux que les mesures correctrices, notamment pour les activités en contact avec le client où il est impératif que la prestation soit bonne du premier coup.

Voyons à présent les autres sources d'amélioration.

1.4. Éliminer les pertes et les non-valeurs

Il s'agit maintenant d'éliminer les « non-valeurs » s'accumulant tout au long de la prestation. Les clients ne veulent certainement pas payer pour un élément qu'ils ne perçoivent pas ou qui n'a pas de valeur à leurs yeux.

L'analyse de la valeur est un moyen simple, mais efficace, pour éliminer les pertes. Il s'agit de passer en revue les différentes activités en posant des questions simples :

– Pourquoi effectuons-nous cette activité ?

– Contribue-t-elle à la satisfaction des besoins du client ou aux bénéfices qu'il recherche ?

– Le bénéfice est-il visible et compris par le client ?

– L'activité contribue-t-elle au fonctionnement de l'organisation ?

– N'apporte-t-elle aucune valeur ajoutée et peut-elle être éliminée ?

– L'activité contribue-t-elle à procurer un avantage concurrentiel ?

– Comment peut-elle être améliorée ou remplacée, pour en réduire le coût ou accroître la valeur perçue ?

D'une façon générale, quelle est la part du temps du personnel consacrée à des activités qui n'apportent pas de valeur au client ? Regardons successivement différentes sources de non-valeur.

• Les relations client-fournisseur en interne

Cette analyse s'applique aux relations entre départements ou entre l'avant et l'arrière-scène.

Prenons l'exemple d'un département informatique produisant des centaines rapports pour d'autres départements. Si nous cherchons à savoir lesquels sont réellement utilisés par les clients internes, nous ne serons pas surpris de constater que la moitié d'entre eux ne sont même pas regardés. A la question : « Pourquoi n'interrogez-vous pas les utilisateurs pour savoir si ce que vous produisez sert encore ou si leurs besoins ont changé ? ». La réponse pourrait certainement être : « Je n'ai pas le temps. Je dois produire mes 400 rapports ! »

Le vrai problème vient de ce que les besoins internes et externes changent régulièrement sous la pression de nouvelles exigences des clients ou en raison de l'introduction de nouvelles technologies. Les processus doivent être constamment réadaptés pour répondre à ces nouveaux besoins et les documents, les activités et les habitudes inutiles (qui sont parfois profondément enracinées) doivent être éliminés ou corrigés.

• L'amélioration du processus

Certains processus transversaux peuvent englober plusieurs relations clients-fournisseurs internes et même inclure le client final. Les processus tels que le traitement des prises de commande ou des abonnements, la facturation ou les réclamations peuvent aller de l'interface à l'arrière, tandis que certains processus logistiques ou de traitement de l'information peuvent rester cantonnés dans l'arrière-scène. La voix du client, qui est transmise horizontalement, peut être déformée et retardée en passant à travers une série de départements qui vont chacun définir la valeur d'une façon différente pour refléter leur propre logique.

Prenons le cas simple du traitement d'un sinistre d'assurance qui, selon le principe de la spécialisation et de la division du travail, est ventilé en 7 étapes.

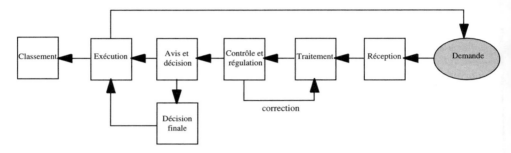

Figure 11.7. Cas du traitement d'un sinitre d'assurance.

Les maladies habituelles de ce genre de traitement sont visibles sur ce diagramme. Elle résident dans :

– les erreurs et reprises du travail (boucle de correction),
– le manque de communication entre les entités, et le travail par lots conduisant à l'accumulation de stocks et à des retards,
– des activités sans valeur ajoutée pour le client final, telles que reproduire et photocopier, déplacer, ranger, classer, trier des documents,
– une prise de décision centralisée et un manque de délégation.

De plus, le temps nécessaire pour traiter un sinistre, appelé aussi *durée du cycle*, peut être de plus de sept jours, alors que les temps de travail effectifs mis bout à bout peuvent ne représenter qu'une seule heure.

La remise à plat du processus peut donc mettre à jour de réelles opportunités de réduction des pertes et de la durée du cycle. Et, comme la demande de l'utilisateur évolue sans cesse, les sources d'amélioration sont sans fin.

Ces améliorations peuvent se faire selon la méthode suivante :

1. choisir et définir le processus,
2. nommer un responsable et une équipe pour le processus en question,
3. dessiner une carte du processus ou un diagramme de flux,

4. mesurer l'efficience, l'efficacité, la durée du cycle,

5. élaguer : en hiérarchisant les possibilités de réduire les pertes et en planifiant les projets d'amélioration en fonction des principes suivants :

   – focaliser les activités, les simplifier, les standardiser,

   – réduire les erreurs et les boucles de contrôle (prévention),

   – éliminer les pertes et les non-valeurs (bureaucratie, travail en double, etc.),

   – supprimer les autorisations multiples,

   – réduire la taille des lots et les délais,

   – regrouper les opérations chaque fois que possible en ayant recours en particulier à un personnel polyvalent,

   – Automatiser certaines tâches.

• La restructuration du processus

Nous pouvons décider d'aller encore plus loin, envisager même une espèce de « big bang », en restructurant radicalement un processus-clé. Cela se produit souvent par l'introduction d'une nouvelle technologie ou par la prise de conscience d'avoir épuisé toutes les voies possibles d'amélioration continue.

Selon Champy et Hammer (1993), le *reengineering* ou « la remise à plat fondamentale et la restructuration radicale des processus » permet de « parvenir à des améliorations spectaculaires ». Ceci n'est en fait pas bien nouveau. Le *reengineering* a été régulièrement pratiqué, en production où les processus sont souvent restructurés pour s'adapter à de nouvelles technologies. Ce qui est nouveau, c'est l'application de cette démarche à des **processus administratifs horizontaux**.

Soulignons que la volonté de changement radical n'empêche pas de procéder graduellement. Considérons, ainsi, l'évolution du changement adoptée par *Friends Provident*, une grande compagnie d'assurance britannique. La Figure 11.8. représente le suivi et le traitement des polices avant (organisation par fonction, en départements homogènes) et après l'installation des centres de service.

La transformation a eu lieu graduellement, en deux temps. Dans un premier temps, différentes équipes provenant de plusieurs départements ont été regroupées dans un centre de service dédié à un ensemble de clients, chaque équipe restant spécialisée, mais travaillant à côté des autres équipes. Ce simple regroupement a ainsi considérablement amélioré la productivité et la qualité (moins de répétitions, de vérifications ou de

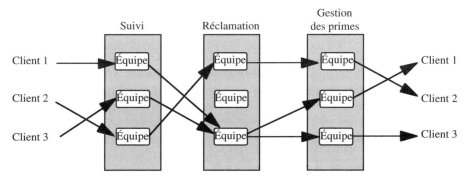

Flux d'activité avant la création des Centres de Service

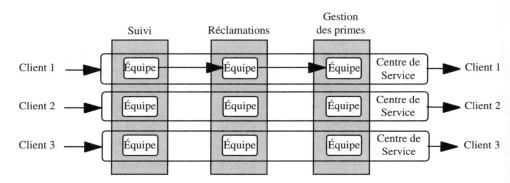

Flux d'activité après la création des Centres de Service

Figure 11.8. Flux d'activité lié à la création des centres de service.

déplacements). Puis, avec l'aide de systèmes informatiques spécifiques, le personnel a évolué vers une certaine polyvalence.

Dans d'autres cas, les changements peuvent être plus radicaux, comme le montre l'exemple donné par Champy et Hammer (1993) concernant les demandes de financement de la société de crédit d'*IBM*. L'ancien diagramme de flux montre la fragmentation et la spécialisation des opérations par fonction (Figure 11.9.).

Les formulaires et les dossiers étaient jetés par-dessus le « mur » séparant les divisions successives qui développaient chacune leurs propres pratiques et outils sans beaucoup de concertation avec leurs voisines. La durée du traitement du dossier était très longue (de six jours à deux

semaines) pour 90 minutes de travail effectif et, pour compenser le retard, les dossiers terminés étaient livrés par courrier express.

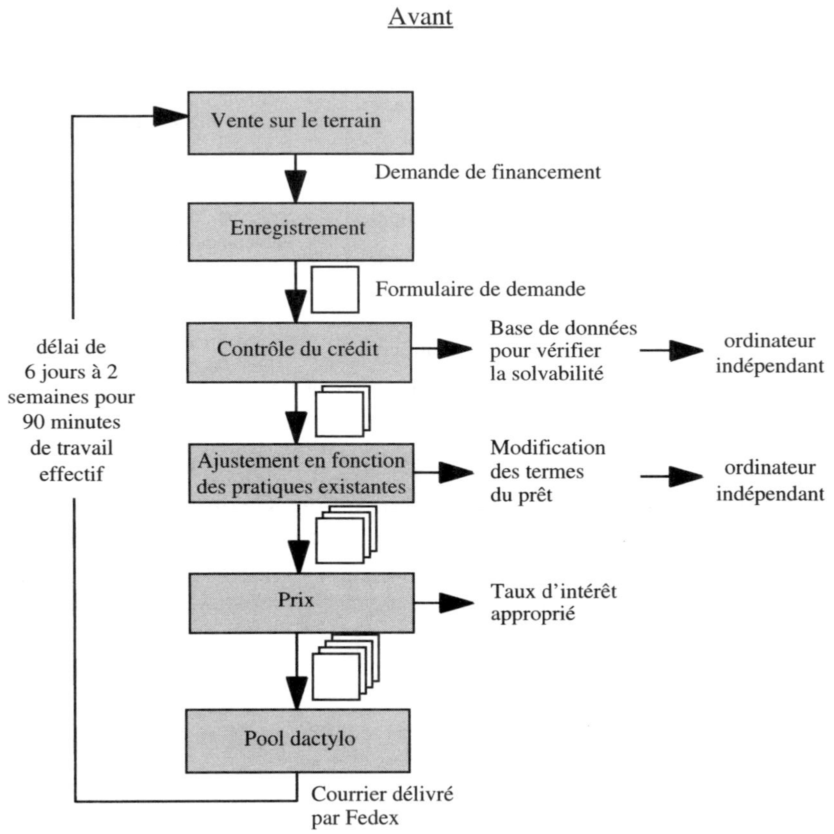

Avant

Figure 11.9. Demande de financement de la société de crédit d'IBM.

La restructuration du processus a consisté alors à focaliser le processus du
traitement, c'est-à-dire à le scinder en trois processus distincts pour répondre à trois types de demandes : les cas simples, les cas moyennement difficiles et les cas difficiles (Figure 11.10.).

L'usage intensif de l'informatique et le recours à un personnel polyvalent
(coordinateurs d'affaire) ont permis de substantiels gains de productivité,
ainsi qu'une réduction de la durée du cycle, ramenée à quelques heures et
même à quelques minutes dans les cas simples.

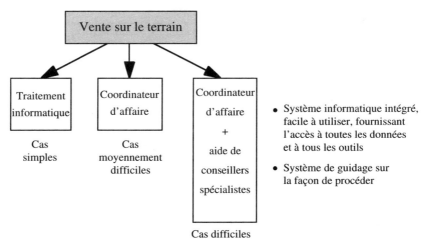

Figure 11.10. Restructuration du processus de traitement des demandes de crédits.

La méthodologie de base est relativement simple. Ce qui est difficile, c'est l'obtention des données et la mise en œuvre (réduction ou redéploiement du personnel) :

1. choisir et délimiter le processus,
2. nommer un responsable et une équipe de projet,
3. pratiquer une comparaison avec les systèmes existants (« benchmark ») ou imaginer le processus idéal,
4. mettre au point le nouveau concept,
5. restructurer le processus,
6. vendre le projet et développer la mise en œuvre (faire participer, convaincre, négocier),
7. tester le nouveau processus sur des sites pilotes,
8. mettre en œuvre sur l'ensemble de l'entreprise.

1.5. Repérer les opportunités de différenciation

Il est malheureusement impossible de convaincre les clients en arguant simplement d'une réduction des défauts, des dysfonctionnements ou des pertes. Il faut également les séduire et de les ravir, c'est-à-dire rechercher activement le « plus » qui différenciera le service (Figure 11.11.).

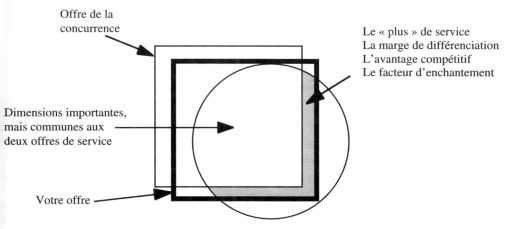

Offre de la
concurrence

Le « plus » de service
La marge de différenciation
L'avantage compétitif
Le facteur d'enchantement

Dimensions importantes,
mais communes aux
deux offres de service

Votre offre

Figure 11.11. Les opportunités de différenciation.

Ce « plus » peut être mince, mais peut créer une différence déterminante entre vous et vos concurrents. Aussi est-il intéressant d'envisager les opportunités marginales, mais décisives, qui peuvent faire la différence.

- **Concevoir un « plus » de service**

  Prenons le cas du transport aérien. Dans la mesure où un billet d'avion reste un billet d'avion, comment faire la différence entre des compagnies aériennes qui jouissent d'un niveau équivalent de sécurité sur un même itinéraire ?

La réponse se trouve dans certains éléments secondaires, mais déterminants de la prestation :

Résultat : — Services additionnels tels que salons d'accueil, écrans vidéo individuels ou liaison avec l'aéroport en motocyclette !

Processus : — Fréquence des vols,
— Procédures simplifiées,
— Siège plus confortable.

Personnel : — Gentillesse, réactivité, bonne humeur.

Malheureusement, si un avantage concurrentiel permet de gagner des parts de marché, les concurrents vont rapidement le copier ou le dépasser et il faut alors inventer de nouvelles différences, comme le téléphone et le fax à bord de l'avion, ou encore plus de confort. En d'autres termes, dès que la dynamique d'amélioration est en marche, il faut constamment créer de nouvelles différences. On ne peut pas se contenter de se reposer sur ses lauriers.

• **Le « plus » de personnalisation et d'intimité**

L'outil de différenciation absolu est de traiter chaque client comme un être unique. L'entreprise est-elle en mesure de satisfaire le besoin du client de se sentir spécial et dispose-t-elle du service adapté à cette demande d'exclusivité ? Bien évidemment, cette solution est avant tout du ressort du personnel d'interface, soutenu par des processus flexibles et sophistiqués. Mais, jusqu'où peut-on aller ? Où sont les limites ? N'oublions pas que la cible correspond aux clients que l'on souhaite retenir et pas forcément tous les clients. Comme nous le savons trop bien, la meilleure façon de faire faillite est d'essayer de plaire à tout le monde, à tout prix.

• **Les occasions de surprendre et d'exceller**

Le personnel de contact peut saisir les occasions d'exceller et de surprendre agréablement le client par son comportement. Jan Carlzon, l'ancien président de *Scandinavian Airlines*, avait coutume de raconter l'histoire d'un homme d'affaires qui, arrivé en retard au comptoir d'embarquement, se rendit compte qu'il avait perdu son billet.

– Où l'avez-vous laissé ? demanda l'employée.

– Dans ma chambre d'hôtel.

– Ne vous inquiétez pas, prenez ce billet en attendant.

Elle envoya ensuite un taxi récupérer le billet à l'hôtel et le remit au passager juste avant le décollage. Cela avait coûté à la compagnie une centaine de francs. Bien sûr, si une tel incident se produisait des milliers de fois par an, il faudrait licencier la pauvre femme. Toutefois, dans ce cas, les 100 francs se révélèrent un bon investissement : le passager, qui voyageait beaucoup, resta très fidèle à la compagnie. Supposons qu'il fasse quatre voyages de 10 000 francs par an pendant vingt ans, le chiffre d'affaires correspondant est de 800 000 francs et le retour sur investissement est donc de 8 000 !

Mais attention, le personnel ne doit pas brader l'entreprise. Il doit exercer son jugement pour combler le client tout en restant dans le cadre des contraintes de fonctionnement et de budget.

2. LE SECOND PRINCIPE : L'APPROCHE SYSTÉMATIQUE DU CHANGEMENT

Si le travail consiste à abattre des arbres, il faut s'arrêter de temps en temps pour aiguiser la scie. Si ceci n'est pas fait, le travail devient plus dur et entraîne une baisse de productivité. De même façon, les processus ont tendance à rouiller et à perdre de leur mordant s'ils ne sont pas constamment améliorés.

C'est pourquoi il est si important de lancer une dynamique d'amélioration continue pour réduire les écarts et trouver des opportunités de différenciation, selon un rythme relativement rapide. Mais quelle que soit l'option choisie, nombreuses petites améliorations ou transformation radicale, l'objectif est d'avancer plus vite que les concurrents (Figure 11.12.).

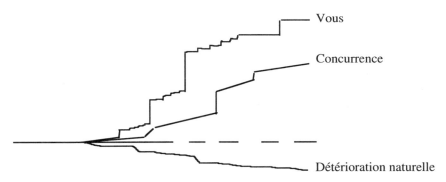

Figure 11.12. La dynamique d'amélioration continue.

Nous pouvons illustrer cette nécessité par la fable suivante : « Chaque matin, en Afrique, une gazelle se réveille en se disant qu'elle doit courir plus vite que le lion si elle ne veut pas être mangée. Chaque matin, en Afrique, un lion se lève en se disant qu'il doit courir plus vite que la moins rapide des gazelles s'il ne veut pas mourir de faim. Que vous soyez lion ou gazelle, lorsque le soleil se lève, vous avez intérêt à vous mettre à courir. » L'amélioration continue ne connaît aucune limite car elle concerne chacun et chaque processus, et les possibilités de créer un avantage concurrentiel sont infinies.

Mais comment parvenir à installer cette démarche d'apprentissage dans l'organisation ? Comment donner à chacun l'habitude d'améliorer ce qu'il fait ? Comment parvenir à en faire une seconde nature ? Il est nécessaire pour cela d'adopter une approche systématique, une approche qui correspond à notre second principe.

2.1. Les quatre facteurs qui conditionnent le changement

Engager l'entreprise dans une dynamique d'amélioration continue n'est pas chose aisée. Cela entraîne, en effet, une certaine incertitude et une grande tension. Pourquoi le personnel accepterait-il de troquer le confort de ses habitudes pour écouter et répondre à des consommateurs exigeants ?

Des études régulières révèlent que deux processus d'amélioration continue sur trois sombrent au bout de deux ans.

La situation ressemble un peu à celle d'une personne voulant maigrir. Il n'est pas facile de surmonter l'inertie des bonnes vieilles habitudes pour suivre un régime. Il lui faut une vraiment bonne raison pour accepter de changer sa façon de se nourrir, comme un grave problème de santé par exemple. Mise ainsi sous pression, elle recherchera un nouveau mode alimentaire et, quel que soit le régime choisi, elle devra entreprendre une démarche coordonnée et ne pas se contenter de palliatifs ou de tentatives limitées et brouillonnes. Il lui faut du courage pour s'y appliquer et, bien que les conseils et l'encouragement de la famille, des amis ou du médecin soient utiles, c'est sur sa propre motivation et sa propre détermination qu'elle devra compter. Dès que les premiers efforts seront couronnés de succès, elle devra enfin s'efforcer d'ancrer ses nouvelles habitudes, en faisant le point régulièrement et en rendant visibles les progrès accomplis.

Qu'il s'agisse de maigrir ou de faire évoluer une entreprise, quatre facteurs majeurs conditionnent donc tout changement réel :

– être insatisfait de la situation existante,

– trouver une nouvelle approche convaincante,

– mobiliser l'énergie nécessaire,

– pratiquer régulièrement le changement.

Replaçons-nous à présent dans le cadre d'une organisation.

Facteur 1 : Être insatisfait de la situation existante

Nous sommes faits d'habitudes. Nous recherchons davantage à valider nos croyances qu'à en changer . Nous avons naturellement tendance à préserver le *statu quo*, à négliger les signaux négatifs et à débrancher les systèmes d'alarme. Il nous faut généralement toute une accumulation de preuves avant de prendre conscience du besoin de changer nos habitudes.

Tel un chariot qui repasse régulièrement sur la même voie, nous nous enfonçons de plus en plus profondément dans les mêmes ornières. Après des années de répétition, les pratiques régulières se transforment progressivement en traditions et en rites dont nous sommes fiers. Il faut donc de graves causes d'insatisfaction avant de décider de sortir « de son ornière » pour prendre une nouvelle voie. Il faudra mobiliser beaucoup d'énergie pour modifier le parcours du chariot et une fois cet effort accompli, il faudra passer plusieurs fois sur le même itinéraire avant qu'il ne soit clairement établi.

Cette analogie vaut tout aussi bien pour l'organisation, où la première condition du changement est l'insatisfaction de la situation existante et le dépassement d'un sentiment d'autosatisfaction. Le plus souvent, une crise sera nécessaire pour secouer l'organisation, mettre fin à certains intérêts personnels et insuffler l'ardent désir de changer. Certains responsables inspirés peuvent anticiper la crise et permettre une prise de conscience en dramatisant la situation, en pointant les risques qui menacent ou en faisant miroiter les gisements de productivité qui attendent d'être découverts.

A ce stade, il est important de rendre les problèmes visibles par la mesure. Souvenons-nous de l'importance de mesurer le coût de la non-qualité, ce que Phillip Crosby a appelé le prix de la non-conformité. Montrer que ce coût peut représenter jusqu'à 20 % du chiffre d'affaires peut déclencher un certain intérêt. Il est également possible d'avoir recours à des comparaisons sectorielles sous forme de « *benchmarking* ». Nous dirons « banc de comparaison ». L'un des exemples les plus spectaculaires à cet égard est celui de *Xerox* qui a découvert, au début des années 80, que ses coûts de fabrication étaient aussi élevés que les prix de vente de *Fuji Xerox*, ou des concurrents japonais, pour les mêmes produits.

Ainsi pour réveiller l'organisation, rien ne vaut un diagnostic précis, étayé par des faits, des résultats et des comparaisons. Mais, la direction de l'entreprise peut également exprimer sa détermination par des signaux clairs et forts : des changements radicaux de structure, des plans sociaux ou des coupes claires dans les budgets.

Facteur 2 : **Trouver une nouvelle approche convaincante, une nouvelle vision**

Il est impossible de secouer la structure et déstabiliser l'organisation sans lui proposer une nouvelle orientation, ou sans indiquer une nouvelle approche convaincante. Où est donc la terre promise ? Les Hébreux étaient certes disposés à quitter l'Égypte lorsque Moïse leur promit une terre de *lait et de miel* – ce qui était une belle métaphore pour indiquer qu'il y aurait à manger tous les jours avec un petit extra de temps en temps. Sa vision n'avait pas besoin d'être très précise au départ et en fait, ce qu'il promit n'est pas exactement ce qui arriva : il n'y avait ni lait, ni miel. Moïse les avait-ils trompés pour autant ? Non, ils eurent plus qu'il n'avait promis. Ils créèrent une nation.

La nouvelle vision est simple : le vrai patron, c'est le client ! L'organisation doit entrer dans un processus dynamique d'amélioration continue pour satisfaire et ravir le client final, fournir ce qui a été promis, optimiser la valeur perçue et anticiper ses futurs besoins ! Pour ce faire, il faut développer une certaine intimité avec l'utilisateur final, puis remonter la chaîne. La logique classique qui consiste à « pousser » le produit vers le client est inversée et c'est l'utilisateur final qui « tire » pour obtenir les résultats attendus.

Cette logique est imparable. Les départements successifs et les fonctions de support doivent s'aligner au service du client. Il faut jouer la transversalité et accroître la coopération. Il faut accorder la voix du client à la voix du personnel et à la voix du processus. Chacun doit être en mesure de voir l'enchaînement global et de se sentir partie prenante.

Bien que cette logique paraisse simple et tentante, peu d'organisations parviennent à mettre en place un système qui permette de convaincre leur personnel qu'il serait utile et même rationnel d'être davantage à l'écoute du client et d'entrer dans cette dynamique d'amélioration. Pour le personnel, cette démarche signifie plutôt davantage d'incertitude et d'efforts. Aussi, l'étape suivante consiste-t-elle à mobiliser et à libérer l'énergie nécessaire pour l'inciter à abandonner ses anciennes habitudes et à s'engager dans la nouvelle voie.

Facteur 3 : Mobiliser l'énergie nécessaire

Il faut appliquer un effort et une pression suffisante pour parvenir à faire sortir le chariot de l'ornière et, en l'occurrence, les gens de leurs habitudes. Mais il devrait être également possible d'utiliser l'énergie de chaque individu en lui permettant de tester lui-même la nouvelle approche et de prendre des initiatives.

Tout part du leadership et de l'engagement de la direction. Le leadership consiste à dresser le plan de bataille et à tracer les voies d'amélioration. Il s'agit de réorganiser les systèmes et les modes de coopération, et de choisir ceux qui sont disposés à relever le défi. Il s'agit de lever les blocages tout en accordant du temps et des ressources pour avancer. Il s'agit d'aller sur le terrain pour surveiller l'application et l'évolution du processus, et non pas de se contenter d'analyser les résultats financiers dans son bureau.

La direction peut exercer le bon niveau de pression en fixant des objectifs ambitieux et en mettant les systèmes de récompense et de reconnaissance en phase avec ces objectifs. Si la pression est trop forte, elle entraînera stress et résistance. Si la pression est trop faible, autosatisfaction et apathie s'ensuivront.

Il est enfin essentiel de mesurer et de publier des données comparatives pour convaincre de changer. Qui souhaite être à la traîne, avec des résultats inférieurs à ceux de ses collègues ?

La direction doit s'efforcer de mobiliser le personnel en créant le climat et les conditions qui vont libérer les énergies internes de chacun en commençant par les innovateurs, ceux qui sont tout de suite prêts à expérimenter ou relever le défi.

S'il est vrai que les innovateurs ne sont guère nombreux (Figure 11.13.), ils sont disposés à prendre des risques et, bien que parfois impatients et têtus, ils peuvent se montrer convaincants grâce à leur charisme. Ils doivent cependant être protégés, car ils suscitent forcément des animosités en perturbant les habitudes et les conventions.

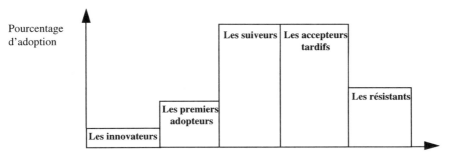

Figure 11.13. Structure du personnel face à un changement.

Après les innovateurs, les premiers « adopteurs » et les leaders d'opinion jouent un rôle important en accélérant la mise en œuvre du changement et en convertissant les autres. Les « suiveurs » et les « accepteurs » tardifs préfèrent attendre pour voir venir. Ils ont besoin d'avoir des preuves concrètes et d'être exposés à des projets réalisés avant d'avoir suffisamment confiance pour s'engager. Enfin, il y a toujours un groupe de résistants qui craignent que leur situation ou leur carrière ne soit menacée ou qui ont peur de perdre en pouvoir, en statut ou en sécurité d'emploi.

La Figure 11.14. illustre la même distribution sous une forme un peu plus parlante.

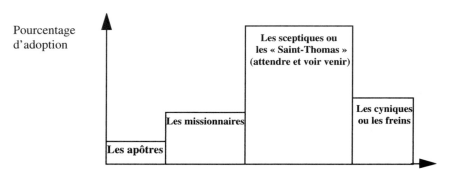

Figure 11.14. Même structure imagée.

La stratégie la plus courante est de démarrer avec les innovateurs et les premiers adopteurs, les apôtres et les missionnaires, si possible avec ceux qui ont une influence et un pouvoir reconnus. Il est important, dans le même temps, de se séparer ou de neutraliser les résistants qui n'accepteront jamais la nouvelle démarche. (Remarquons qu'il est parfois possible de convaincre certains résistants qui ont de l'influence. Cela peut grandement accélérer le processus).

Les conditions permettant d'installer un climat et une motivation nécessaires pour libérer l'énergie de chacun sont bien connues :

– créer un climat de confiance d'où la peur est absente (Figure 11.15.),

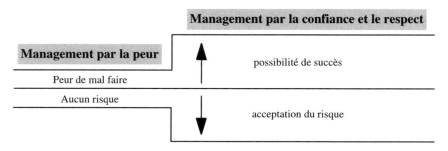

Figure 11.15. Management et mobilisation du personnel.

– accorder du temps, de l'aide et des ressources,

– mettre en phase les systèmes de récompense ou de reconnaissance avec les performances, permettre à chacun de répondre à la question : « Que dois-je faire pour être mieux payé, promu ou récompensé ? ».

En un mot, la direction doit créer un contexte où il est dans l'intérêt de chacun d'être à l'écoute du client. Ceci aura pour effet d'avoir un impact positif sur la définition de son poste, de sa carrière, de ses responsabilités, de son estime de soi et de son développement personnel.

Facteur 4 : **Pratiquer le changement**

Maintenant que nous sommes sortis de l'ornière, il s'agit de tracer la nouvelle voie et de l'établir grâce à une pratique régulière, en enrôlant le maximum de personnes. Il ne faut pas attendre d'avoir une stratégie et un plan d'action parfaitement rodés, mais démarrer rapidement par des activités significatives et visibles. Il est aussi important de choisir les acteurs-clés du changement que d'écarter ou de neutraliser les résistants.

Pour étendre la démarche, rappelons qu'il est essentiel de mettre sur pied un système de mesure et d'évaluation des performances sur lequel seront alignés les modes de récompense et de reconnaissance. Les premiers résultats doivent être utilisés pour illustrer les progrès, rassurer les adeptes et convaincre les sceptiques. Un changement de culture ne se décrète pas, mais se réalise par une pratique régulière entraînant de nouvelles habitudes. Après un certain temps, les changements adoptés deviendront une sorte de « seconde nature ».

Parce qu'un dessin vaut mieux que de longs discours, représentons nos quatre principes sur la Figure 11.16.

2.2. Une approche systématique du changement

Voyons à présent comment appliquer ces quatre facteurs de changement. Pour ce faire, il est possible de distinguer trois phases distinctes :
    – le lancement (qui génère prise de conscience et intérêt),
    – la diffusion et le déploiement,
    – la consolidation et l'alignement.

• Le lancement

Le processus doit bien évidemment être lancé par un responsable expérimenté jouissant de l'autorité et de l'autonomie nécessaires.

Il faut d'abord « secouer » l'organisation en expliquant le besoin et parfois l'urgence de remettre en cause les anciennes pratiques. Cette démarche

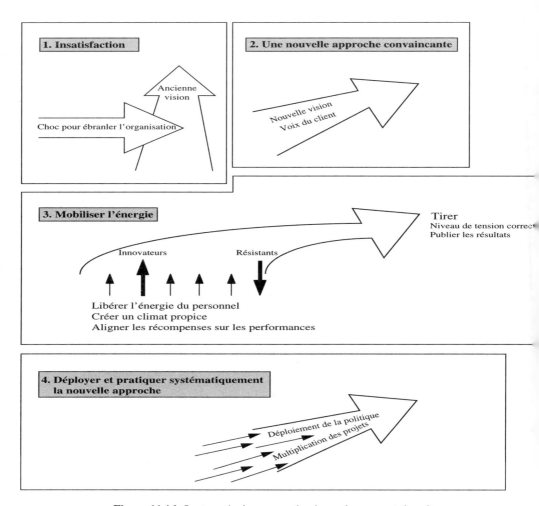

Figure 11.16. Quatre principes pour réussir un changement de culture.

peut prendre la forme d'un diagnostic factuel et réaliste de la situation, mais il faut parfois recourir à une thérapie de choc ou profiter d'une crise. Il est essentiel, à ce stade, d'identifier et d'encourager les innovateurs, les champions qui seront à l'écoute de la nouvelle approche et réaliseront les premiers projets, des projets ambitieux, visibles et convaincants. Ils doivent montrer des résultats rapidement.

Ces champions devront être formés au travail en équipe, à la résolution systématique de problèmes et à la gestion de projet. Ils auront besoin à la fois d'une certaine liberté d'action et de l'appui plein et entier de leurs supérieurs. Il sera parfois nécessaire de se séparer ou d'éloigner les résistants et de procéder à certains changements de structure.

Les points d'achoppement sont généralement faciles à identifier : ils consistent essentiellement en des batailles de territoire, la protection des fiefs établis, la paralysie par une bureaucratie envahissante ou des systèmes devenus trop complexes. Le manque de liaison entre les départements ou un nombre pléthorique de niveaux hiérarchiques peuvent également être cause de difficulté. Le véritable défi est surtout de trouver le courage nécessaire pour s'attaquer à ces problèmes.

Il s'agit là d'un processus politique qu'il faut gérer avec précaution. Dans la mesure où le nombre de projets est limité, la démarche peut rester expérimentale.

Au départ, il n'est pas nécessaire de disposer d'une grande stratégie. Les opportunités d'amélioration sont légion, qu'il s'agisse d'écarts de qualité, de l'élimination des pertes, de la modification d'un processus ou de sa remise à plat. Le choix sera guidé par les changements rapides et faciles à mettre en œuvre de façon à obtenir des succès convaincants.

Les projets peuvent démarrer n'importe où, à condition d'utiliser le même langage. Il est, par contre, essentiel de constituer de solides bastions d'innovation grâce à un vrai travail d'équipe.

Les équipes d'amélioration trouveront leur énergie aussi bien en interne qu'en externe. L'énergie interne viendra d'un authentique engagement et d'un sens de l'objectif commun, ainsi que de la complémentarité des compétences et de la confiance mutuelle. L'énergie externe sera libérée par une redéfinition des rôles et des relations permettant plus d'autonomie, de support et éventuellement plus de tolérance face à l'échec. La formation accompagnera l'action et l'expérimentation. N'oublions pas que la partie service, en interaction avec le client, est complexe à mettre au point, aussi l'expérimentation, les programmes pilotes et la formation sur le tas sont-ils essentiels dans ce cas. Enfin, il ne faudra pas oublier de récompenser nos acteurs du changement. La fierté, l'autonomie, le goût du défi ou le sentiment d'être soutenus et valorisés sont aussi importants que les récompenses financières.

Ces îlots d'expérimentation serviront de source à la propagation de la nouvelle culture à travers l'organisation.

• La diffusion et le déploiement

La communication est essentielle pour propager les nouvelles pratiques et déployer la dynamique de changement. Tous les moyens permettant de communiquer et d'insuffler de l'énergie sont bons à prendre. Les déclarations et les exhortations ne serviront toutefois à rien si elles ne s'accompagnent pas d'un véritable engagement de la direction.

La démarche devra rester pragmatique et politique : le rôle de la direction sera de mettre en avant un champion ici, de surmonter des résistances là, de rassurer certains, de procurer des ressources à d'autres, de trouver des alliances ou d'encourager la coopération. Les responsables eux-mêmes doivent servir d'exemple en allant sur le terrain suivre la mise en œuvre concrète du changement.

L'un des grands risques à ce stade est de gâcher les ressources par un excès d'idées et de projets. Il faut donc coordonner et canaliser le processus en liant les améliorations à la stratégie. C'est à ce moment qu'il est utile de créer un « **centre d'amélioration des processus** », un centre d'excellence chargé de fixer les orientations stratégiques et d'optimiser l'allocation de ressources. C'est lui qui décidera de la vitesse et du rythme du changement en analysant les projets, en formant le personnel et en développant les compétences et les méthodes nécessaires. De plus, il gérera la communication, contribuera à mettre au point les processus de récompense et de reconnaissance et évaluera les résultats grâce à des enquêtes régulières et des actualisations permanentes.

Ce centre pourra accueillir certains membres du personnel qui auront quitté leurs activités quotidiennes pour des périodes d'immersion de quelques mois dans la pratique de l'amélioration. Dans ce « centre du savoir », le personnel pourra partager expérience et pratiques.

La dynamique de l'amélioration échoue souvent en raison d'un manque de temps, plus que de ressources financières. Les dirigeants impatients n'accordent pas suffisamment de temps à leurs responsables et à leur personnel pour leur permettre de « nettoyer » régulièrement les processus dont ils sont responsables.

Ce centre d'amélioration des processus peut beaucoup aider en créant des systèmes de mesure, de restitution ou de comparaison. Les systèmes de mesure constituent la clé de la liaison entre la satisfaction du client et l'efficience ou l'efficacité des opérations. On devrait accorder aux mesures de satisfaction du client et du fonctionnement du processus la même attention qu'aux mesures financières. Ces mesures « physiques » permettent la responsabilisation, la discipline, la reconnaissance des mérites et finalement le profit en découle.

Revenons au déploiement de la dynamique du changement. Le département des ressources humaines a un rôle important à jouer à cet égard en organisant la mobilité, ce qui implique :

– de placer les bonnes personnes aux bons postes. Il faut pour cela redéployer les effectifs en surnombre, proposer des plans de préretraite, trouver des moyens d'assurer la sécurité de l'emploi pour ceux qui restent, au cas où la croissance attendue ne serait pas au rendez-vous,

– de former, évaluer et développer les capacités, les compétences et les talents du personnel,

– de créer le climat de travail adéquat, grâce à la redéfinition des postes et des réorganisations,

– de fixer les salaires, les avantages et les primes. Evaluer les performances et donner du feed-back.

Le changement culturel résulte de l'expérimentation de ces nouvelles orientations et de ces nouveaux modes relationnels. Il s'agit maintenant d'approfondir les nouvelles pratiques.

• Consolidation et alignement

L'objectif ultime est de faire en sorte que les nouvelles pratiques deviennent une seconde nature, le mode normal de fonctionnement. Les systèmes et les structures doivent s'institutionnaliser pour que le changement soit durable et continue à progresser sur sa lancée.

On passe ainsi d'une logique verticale et séquentielle, fondée sur le **management par objectif** (objectif local) à une logique horizontale, fondée sur un **management pour l'objectif client** (la voix du client déployée à travers l'organisation) (Figure 11.17.).

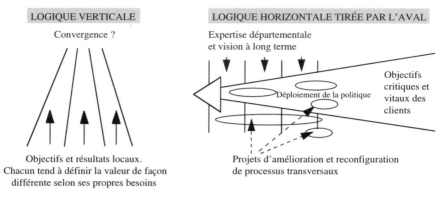

Figure 11.17. D'une logique à l'autre.

Cette réorientation ambitieuse est longue et ardue. Elle nécessite persistance et obstination. Cela explique pourquoi peu d'entreprises réussissent à la mener jusqu'au bout. Trop souvent, elles restent bloquées en route ou changent de direction.

3. LES NORMES ISO 9000
ET LE PRIX MALCOLM BALDRIGE DE LA QUALITÉ

Il n'est pas envisageable de clore ce chapitre sans mentionner deux démarches récentes de qualité qui se sont imposées dans les sociétés industrielles ou de service.

3.1. Les normes ISO 9000

En 1987, l'organisation internationale pour la normalisation, *International Organization for Standardization* (ISO), représentant plus de 90 pays, publiait les normes de qualité de la série ISO 9000 qui constituent un ensemble de directives communes pour l'assurance-qualité, valables de par le monde. L'idée est simple. Il s'agit d'écrire ce que l'on fait et de faire ce que l'on a écrit. Inutile de dire que cette démarche est très centrée sur le processus et que ses avantages sont surtout visibles dans les activités de transformation à l'arrière ou dans l'usine. En interface, il est certes utile d'avoir des normes pour réduire les écarts de qualité entre les spécifications et la prestation délivrée, mais les limites en sont évidentes. J'insisterai sans doute beaucoup pour que le chirurgien qui va m'opérer ait des instruments propres et stérilisés et qu'il suive des protocoles bien pensés et systématiques, mais, pour le reste, il faudra bien que je fasse confiance à son professionnalisme. De plus, les normes ne sont pas éternelles, elles doivent être régulièrement actualisées, et éventuellement adaptées à chaque cas particulier (Figure 11.18.). Les normes sont utiles **pour conserver l'acquis,** mais elles doivent suivre la dynamique d'amélioration.

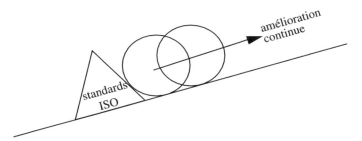

Figure 11.18. Normes et dynamique d'amélioration.

3.2. Le prix Malcolm Baldrige

Le prix Malcolm Baldrige a été créé en 1988 pour sensibiliser les entreprises américaines à la qualité. Il fournit un cadre utile pour mesurer l'effort de qualité, et de nombreux pays s'en sont inspirés pour créer un prix analogue (notamment le Prix Européen de la Qualité). En parcourant les sept critères examinés dans la Figure 11.19., nous y retrouverons tous les facteurs-clés analysés dans ce chapitre, même s'ils sont classés dans un ordre différent.

Ce qui importe, ce n'est pas seulement de porter un jugement sur la situation de l'entreprise, mais également d'utiliser le cadre d'analyse pour améliorer la satisfaction du client et les résultats de l'entreprise. De fait, chaque société doit se construire son propre itinéraire. Nous présentons en Figure 11.20. une adaptation possible de ce cadre.

MBNA 1997

1. Leadership   **110**
Système de leadership
Responsabilité de la compagnie et citoyenneté

2. Planning stratégique   **80**
Processus de développement stratégique
Stratégie de la compagnie

3. Concentration sur le client et le marché   **80**
Connaissance du client et du marché
Mise en valeur de la satisfaction du client
et de sa relation
Détermination de la satisfaction du client

4. Information et analyse   **80**
Sélection et utilisation de l'information et des données
Sélection et utilisation d'informations
et de données comparatives
Analyse et revue de la performance de la compagnie

**5. Développement des Ressources Humaines
et management**   **100**
Systèmes de travail
Éducation, formation et développement du personnel
Bien-être et satisfaction du personnel

6. Gestion du processus   **100**
Gestion des processus produit et service
Gestion des processus de support
Gestion des processus fournisseurs et partenaires

7. Résultats Business   **450**
Résultats sur la satisfaction du client
Résultats financiers et de marché
Résultats Ressources Humaines
Résultats fournisseurs et partenaires
Résultats spécifiques de la compagnie

Figure 11.19. Les sept critères du prix Malcolm Baldrige.

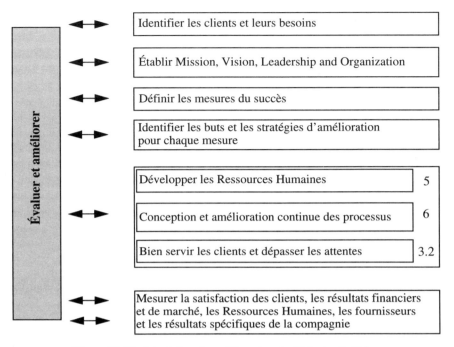

Figure 11.20. Adaptation des critères du prix Malcolm Baldrige.

CONCLUSION

Au cours de ce chapitre et des deux précédents, nous avons franchi une étape importante : comment fournir le niveau de satisfaction promis et créer une dynamique d'amélioration continue. Nous devons à présent aborder un autre problème important et spécifique aux services : comment ajuster l'offre à la demande ?

Chapitre 12

LA GESTION DE LA DEMANDE ET DE LA CAPACITÉ

1. METTRE EN ADÉQUATION L'OFFRE DE SERVICE ET LA DEMANDE

Ce n'est pas parce que nous n'avons pas abordé jusqu'ici l'adéquation de l'offre et de la demande que ce sujet n'est pas important. Le service est périssable, consommé au moment même de sa production et chaque client a des exigences et des besoins différents. La demande ne peut donc être stockée, sauf à se résoudre à stocker les clients dans une file d'attente. Rajoutons que la demande peut être très variable, notamment en raison de multiples saisonnalités. Ainsi, le défi posé est d'ajuster l'offre de service face à une demande fluctuante dans un environnement instable.

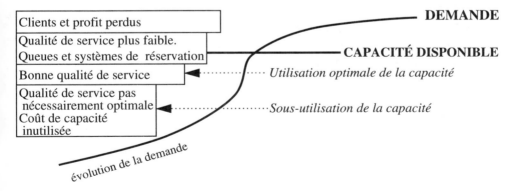

Figure 12.1. Ajuster l'offre de service face à une demande fluctuante
dans un environnement instable.

Comme le montre la Figure 12.1., lorsque la demande est inférieure à la capacité, il en résulte une sous-utilisation et une capacité excédentaire. Lorsque le niveau de la demande permet une utilisation optimale de la capacité, la qualité est bonne, les files d'attente éventuelles sont courtes et le personnel de contact n'est pas sous pression. Par contre, lorsque la demande atteint et commence à dépasser la capacité disponible, la qualité chute et les clients sont contraints de patienter dans des files d'attente ou des systèmes de réservation. Si la demande continue de croître, les clients peuvent éventuellement revenir à un moment moins chargé ou sont plus vraisemblablement perdus.

La détermination du niveau optimal d'utilisation dépendra du « coût » de sous-utilisation sur le plan financier comme de la perception du consommateur. Par exemple, des clients souhaitant dîner auront des réticences à entrer dans un restaurant presque vide parce qu'une salle pleine est plus conviviale et rassurante. D'autre part, la sur-utilisation a également son coût en termes de perte d'activité et d'insatisfaction des clients que l'on fait attendre.

Pour une compagnie aérienne, la capacité d'utilisation optimale se situe probablement autour de 80 %. Au-delà, le service se détériore : il y a moins d'espace par passager et le personnel est débordé. Par contre, pour un théâtre, une salle comble donne une impression d'attente et d'excitation.

2. Prévoir la demande

Il faut commencer par prévoir la demande. Les techniques de prévision fondées sur l'expérience passée et présente pour prédire l'avenir se scindent en trois catégories.

- **Les techniques qualitatives** fondées sur l'opinion de clients ou d'experts. La procédure la plus simple utilise des enquêtes où les sondés sont interrogés sur leurs intentions ou leur comportement à venir. La méthode des scénarios consiste à projeter des représentations cohérentes de l'avenir en fonction d'un certain nombre d'éventualités. La méthode analogique, quant à elle, implique de trouver dans le passé une situation semblable à celle que l'on étudie. La méthode Delphi, mise au point par Olaf Helmer et Norman Dalkey, a recours à des experts qui répondent selon un protocole particulier.

- **Les prévisions à court et moyen termes** reposent sur l'hypothèse que l'avenir sera comme le passé. La démarche la plus simple consiste à tracer sur un graphique la série de données qui sera tout simplement extrapolée. Il peut être intéressant de repérer la tendance de fond de la série chronologique en la corrigeant des variations régulières ou saisonnières. Un calcul de moyenne mobile, par exemple, permettra de dégager cette tendance en effaçant la saisonnalité. La prévision s'obtient alors simplement en extrapolant la tendance et en la multipliant par le coefficient de saisonnalité. La saisonnalité de la demande peut être analysée sur des durées variables : jour, semaine, mois ou année.

- **Les méthodes explicatives** considèrent l'évolution de la demande comme une variable dépendante fonction de plusieurs variables indépendantes. Ainsi, la demande pour des courts de tennis dépend-elle de variables telles que le taux d'occupation des résidences secondaires ou des hôtels locaux, ainsi que des conditions climatiques. La prévision est ainsi déterminée par l'évolution connue des variables explicatives ou dépendantes.

Ces différentes méthodes peuvent être combinées. Prenons le cas d'un club de tennis dans un centre de vacances. Combien de courts faudrait-il construire ? Supposons que le rapport entre heures d'utilisation des courts et nuits d'hôtels et de résidences privées, calculé par une analyse de régression des derniers mois, soit le suivant :

$$\frac{\text{Heures de courts}}{\text{nuits}} = 0,05$$

Nous devons alors déterminer le niveau à venir de la variable indépendante, les nuits. Cette prévision peut s'obtenir en analysant la série chronologique des années précédentes. Cela permettra d'établir la tendance et la saisonnalité des nuits. Il suffit alors simplement de multiplier le nombre de nuits prévues par 0,05 pour trouver la prévision du nombre d'heures de courts de tennis.

Une fois la demande établie, il n'y a que deux moyens possibles d'équilibrer cette demande et la capacité correspondante. On peut jouer sur l'une ou jouer sur l'autre. Commençons par la demande.

3. Gérer la demande, la filtrer, l'influencer et la déplacer

3.1. Filtrer pour lisser la demande

Lorsque la demande pour un service vient de sources différentes, il est intéressant de séparer les clients en segments homogènes. Prenons le cas des urgences et des interventions préventives dans une activité de maintenance.

Les urgences varient selon les jours de la semaine ou les heures de la journée. Les interventions préventives peuvent alors être programmées pour remplir les heures creuses. Ainsi, la demande globale peut être lissée en combinant une demande plus ou moins prévisible et des interventions préventives qui peuvent être programmées.

Il y a de même une saisonnalité particulière à la consultation des hôpitaux de jour. Comme l'arrivée des patients externes ne peut être maîtrisée, la demande globale est lissée en organisant les visites des patients internes aux périodes moins chargées.

3.2. Filtrer en sélectionnant ses clients

Lorsque la capacité n'est pas suffisante pour faire face à la demande aux heures de pointe, des accès réservés et des réservations prioritaires peuvent être accordés à une clientèle ciblée, notamment les clients fidèles.

3.3. Influencer la demande

Bien que des offres spéciales en périodes creuses puissent permettre de lisser l'utilisation du service, il est difficile de combattre les vieilles habitudes. Imaginez seulement l'énergie qu'il faudrait déployer pour convaincre les Mexicains de renoncer à leur « siesta » quotidienne pour réduire les embouteillages à l'heure du déjeuner ! C'est un peu le problème que rencontrent les hôtels qui tentent de convaincre les hommes d'affaires de rester pour le week-end ou les municipalités qui tentent d'inciter les automobilistes à éviter de rouler aux heures de pointe.

3.4. Modifier la demande

La demande peut être modifiée en faisant une offre de service moins attractive aux heures de pointe. L'offre peut également être réduite et standardisée pour accélérer le fonctionnement lorsque la demande est forte, tandis que des avantages tels que l'absence d'attente ou un meilleur service peuvent inciter les clients à préférer des périodes moins chargées.

3.5. Déplacer la demande grâce à des prix incitatifs

Le prix est l'élément du marketing mix le plus utilisé pour influencer la demande. Pour parvenir à changer le comportement du consommateur, les prix doivent varier selon les moments et les segments de clientèle. On en trouve de nombreux exemples : les tarifs spéciaux de nuit et de week-end pour les appels téléphoniques longue distance, les tarifs basse saison dans les hôtels, les barèmes bleu, vert et rouge pour l'électricité, les péages différenciés sur les autoroutes en fonction des heures de passage, etc.

3.6. Transférer la demande sur une autre activité

Aux pics d'activité des courts de tennis, on peut offrir des services de substitution tels que randonnée, golf ou pique-nique sur la plage.

3.7. Susciter une demande complémentaire

Il est possible d'équilibrer l'utilisation d'un service en suscitant une demande complémentaire en périodes creuses. C'est le cas des activités d'été dans les stations de sports d'hiver, des services de boisson dans un restaurant en dehors des heures de repas, des forfaits week-end à l'hôtel ou des forfaits séminaires hors saison.

La demande peut également être équilibrée par une centralisation ou un regroupement des activités, comme c'est le cas d'un pool de dactylographie ou d'un centre d'appel (ascenseurs Otis, Federal Express).

3.8. Stocker la demande

La demande peut être « stockée » dans une file d'attente ou un système de réservation. Mais personne n'aime attendre, aussi vaut-il mieux « stocker » les clients dans un bar ou un salon que de les laisser oisifs dans une file d'attente.

Les systèmes de réservation permettent de réorienter la demande sur des créneaux disponibles, ce qui permet de lisser l'utilisation des moyens. Mais que faire lorsque le client effectue des réservations multiples ou ne se présente pas ?

Confrontés au problème des clients qui réservent mais ne se présentent pas, les compagnies aériennes et les hôtels adoptent parfois la stratégie du « surbooking » que nous traduirons par sur-location.

Supposons qu'un hôtel décide de sur-louer x chambres. Si le taux de non-présentation ℓ est inférieur à x, l'hôtel ne disposera pas de suffisamment de chambres et subira un coût de sous-capacité C_u (*under capacity*), notamment le prix d'une chambre dans un hôtel voisin, plus la perte de crédibilité et de fidélité du client. Si ℓ est supérieur à x, certaines chambres resteront vides et l'hôtel subira un coût de sur-capacité C_o (*over capacity*) : essentiellement la contribution marginale de la chambre.

Une analyse marginale permet de démontrer que le coût total est minimum quand :

$$P(\ell > x)C_O = P(\ell \le x)C_u$$

$P(\ell > x)$ = probabilité cumulée que le niveau de non-présentation soit supérieur à x

$P(\ell \le x)$ = probabilité cumulée que le niveau de non-présentation soit inférieur ou égal à x

Cette analyse est analogue au problème bien connu du marchand de journaux ambulant : Combien de journaux doit-il emporter avec lui ? Ni trop, ni trop peu.

Comme $P(\ell > x) + P(\ell \le x) = 1$, on peut alors démontrer que

$$P(\ell \le x) = \frac{C_O}{C_O + C_u}$$

C'est ce que l'on appelle le **fractile critique**, la probabilité cumulée qui minimise le coût total.

Supposons que la contribution marginale de la chambre C_O soit de 300 francs, que le coût C_u entraîné par un client à qui on a sur-loué la chambre soit de 500 francs, et que le nombre de non-présentations ℓ puisse être estimé par une distribution de probabilités à partir de l'expérience acquise antérieurement.

Le nombre optimal de chambres que l'hôtel devrait sur-louer est donné par le fractile critique :

$$P(\ell \le x) = \frac{300}{800} = 0,37$$

Si l'on dispose de la probabilité de non-présentation grâce à des statistiques, on peut alors déterminer le nombre de chambres que l'on peut sur-louer. Comme le montre la Figure 12.2., la stratégie optimale consiste donc à sur-louer trois chambres.

La sur-location est largement pratiquée par les compagnies aériennes, notamment lorsqu'il est relativement facile de recaser les passagers sur le prochain vol.

4. GÉRER LA CAPACITÉ

Après avoir joué sur la demande, voyons à présent comment jouer sur l'offre. La première chose à faire est d'identifier les goulets d'étranglement.

Niveau de non-présentation ℓ	Probabilité de non présentation	Probabilité cumulée P $(\ell \leq x)$
1	0,05	0,05
2	0,12	0,17
③	0,18	0,35
4	0,20	0,55
5	0,18	0,73
6	0,13	0,86
7	0,07	0,93
8	0,04	0,97
9	0,02	0,99
10	0,01	1,00

P($\ell \leq x$) = 0,37

Figure 12.2. Nombre optimal de chambres à sur-louer.

4.1. Passer en revue le système de délivrance de la prestation

Prenons l'exemple de ce diagramme de flux simplifié illustrant le trajet des patients à l'hôpital Shouldice.

Figure 12.3. Trajet des patients à l'hôpital Shouldice.

Les taux d'arrivée et de service de chaque activité doivent être bien équilibrés pour éviter les goulets et les files d'attente. L'admission, les examens, les tests et le dîner sont toutes des activités relativement flexibles qui peuvent être ajustées assez facilement. Les deux goulets d'étranglement qui demeurent sensibles sont le nombre de chambres disponibles et de la capacité limitée du bloc opératoire, aussi bien en terme d'installations que de disponibilité des chirurgiens. Cette analyse interne du système de délivrance est essentielle pour déterminer les capacités nécessaires à mettre en œuvre aux points sensibles. La capacité du bloc opératoire est particulièrement critique dans les hôpitaux, car la durée des interventions est très variable. L'un des moyens d'optimiser l'utilisation des capacités disponibles est de segmenter les salles d'opération en salles rapides, moyennement rapides, lentes et réservées aux urgences en fonction de la durée prévisible et de la variabilité des interventions.

4.2. Limiter l'offre

La capacité peut être accrue par la réduction du temps d'interaction :
- en simplifiant la transaction : aux heures de pointe, le menu est simplifié ou les transactions bancaires longues et complexes ne sont pas acceptées,
- en réduisant au minimum les temps morts et le temps perdu,
- en transférant certaines activités : les patients devant subir une intervention peuvent être anesthésiés dans une autre salle avant d'entrer dans la salle d'opération et se réveiller dans une salle de réveil ; les infirmières peuvent faire gagner du temps aux chirurgiens en prenant en charge les travaux administratifs et en préparant le patient pour la visite.

4.3. Sous-traiter certaines activités

En sous-traitant certaines activités, il est possible d'accroître encore plus radicalement la capacité. En réduisant ses activités de cuisine à un strict minimum, en centralisant et en sous-traitant la préparation des plats, Taco Bell a radicalement changé son métier. Il est passé d'un métier de restauration à un métier de distribution. Plus petites, les cuisines ont laissé plus de place à la salle, ce qui a accru la capacité disponible et le chiffre d'affaires.

4.4. Faire participer le client

La restauration rapide n'a pas besoin de serveurs pour porter les plats et débarrasser la table. Le client est co-producteur, on s'attend à ce qu'il porte son plateau, qu'il débarrasse la table, et, qui plus est, qu'il mange plus vite aux heures de pointe. De même, les durées d'hospitalisation peuvent être écourtées avec la participation des patients lorsqu'une partie des soins peut se faire à domicile.

4.5. Développer la flexibilité des installations

La capacité de production du service est limitée d'une part par les installations et les équipements et d'autre part par la disponibilité de la main-d'œuvre. Considérons d'abord les installations.

• **Jouer sur le temps disponible**

Le moyen le plus simple de modifier la capacité est de faire varier les horaires d'ouverture. Par exemple, en éclairant les courts de tennis, il est possible de jouer en nocturne. La capacité est ainsi accrue si les clients acceptent ce nouvel horaire. De même, la capacité de fonctionnement d'un avion peut être doublée s'il vole dix heures au lieu de cinq par jour.

• **Rendre la capacité flexible**

La capacité de certains services est élastique. En acceptant des passagers debout, les trains et les métros peuvent doubler ou tripler le nombre de personnes transportées. Les compagnies aériennes ne sont pas en mesure bien sûr d'en faire autant, mais, en tirant un simple rideau, elles peuvent faire varier le nombre de sièges de la classe affaires. Des lieux comme les stades ou les centres de conférence sont souvent conçus pour être polyvalents.

• **Partager la capacité**

Certains hôpitaux peuvent se partager un équipement de traitement cardiaque ou un matériel de dialyse rénale. Les compagnies aériennes peuvent utiliser en commun des portes d'embarquement, des rampes d'accès et même des avions.

• **Louer du matériel**

En louant des salles de conférences à des hôtels internationaux en Asie, l'INSEAD peut y organiser des séminaires sans avoir à investir.

4.6. Développer la flexibilité de la main-d'œuvre

Le manque de personnel peut réduire la capacité disponible tout autant que les installations.

• **Organiser le temps de travail**

Lorsque la demande ne peut être suffisamment lissée, les horaires de travail du personnel doivent être programmés en fonction des prévisions de la demande. Ceci est particulièrement vrai des compagnies de téléphone, des hôpitaux, des banques ou des casernes de pompiers. Programmer les horaires de travail peut se révéler particulièrement complexe lorsque le service se fait sans interruption, sept jours sur sept, et qu'il faut tenir compte des préférences du personnel ou des impératifs légaux, comme les jours de repos compensateur.

• **Faire appel au personnel à temps partiel ou en sous-traitance**

Il est possible de recourir à un personnel à temps partiel pour seconder le personnel permanent. La restauration rapide fait appel aux étudiants et les pompiers à des groupes de bénévoles qui sont d'astreinte moyennant une somme modique.

• **Partager le personnel**

Les compagnies aériennes partagent parfois leur personnel de bord et leur personnel au sol pour certaines destinations secondaires ; le personnel revêt simplement un uniforme différent.

• **Avoir recours à un personnel polyvalent**

Lorsque certaines activités sont surchargées alors que d'autres sont moins demandées, le personnel peut être transféré d'une activité à l'autre, à condition qu'il soit polyvalent. Il peut, de même, passer de l'arrière à l'avant aux heures de pointe. Ainsi lorsque les files d'attente s'allongent, les employés en rayons sont appelés à la rescousse pour tenir des caisses dans les supermarchés.

5. Pratiquer le *YIELD MANAGEMENT* ou la gestion du rendement

Les progrès de l'informatique, conjugués à la concurrence acharnée entre les compagnies aériennes, ont généré une nouvelle approche pour maximiser le revenu. Cette méthode, baptisée *yield management* ou gestion du rendement, vise à affecter la capacité disponible aux bons clients, au bon moment et au bon prix en ayant recours aux prévisions, à la segmentation et à la sur-location (surbooking). Grâce à l'informatique, les compagnies aériennes peuvent analyser la masse des données provenant de leur système de réservation, ce qui leur permet de comprendre les profils des réservations enregistrées dans le passé et de les extrapoler. Il leur est ainsi possible d'ajuster le nombre de sièges par classe de passagers sur n'importe quel vol, en fonction des niveaux tarifaires, de la demande et de la pression concurrentielle.

Mais la gestion du rendement ne concerne pas seulement les compagnies aériennes. Elle peut être appliquée aux hôtels, aux trains, aux croisières, à la location de voitures et à la distribution d'électricité. Elle est particulièrement adaptée aux services qui ont une capacité relativement rigide assortie de coûts fixes élevés. Le prestataire a tout intérêt à proposer éventuellement une remise pour utiliser pleinement la capacité disponible. La segmentation du marché est souvent fondée sur la sensibilité des clients au prix et au moment de l'achat.

La gestion du rendement maximise les revenus essentiellement grâce à une bonne allocation des places à prix réduits et un niveau adéquat de surlocation.

5.1. L'allocation de sièges à prix réduit

Prenons le cas d'un modèle simple avec deux catégories de prix seulement (en fait, les compagnies aériennes proposent une multitude de tarifs : plein tarif, tarif économique, super économique, etc.), l'une pour les touristes sensibles au prix et l'autre pour les hommes d'affaires sensibles au temps. Les courbes de demande sont très différentes (Figure 12.4.).

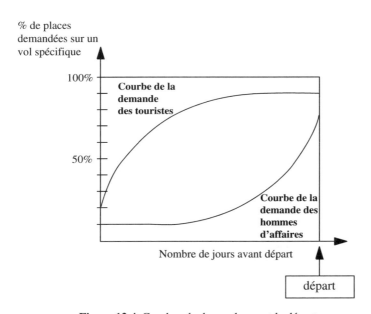

Figure 12.4. Courbes de demande avant le départ.

Les touristes prévoient leurs vacances et réservent leurs billets longtemps à l'avance, tandis que les hommes d'affaires réservent au dernier moment. La compagnie doit éviter de remplir l'avion trop tôt avec des passagers qui rapportent peu et garder suffisamment de sièges pour les réservations tardives. Par contre, si les réservations tardives ne se concrétisent pas, les sièges sont perdus.

Il faut donc trouver le juste équilibre entre remplissage à tout prix et rendement en tenant compte des profils de réservation pour chaque vol. C'est un exercice ardu, car le dosage peut varier selon le vol, le jour et la saison. L'équilibre entre remplissage et rendement est illustré sur la Figure 12.5.

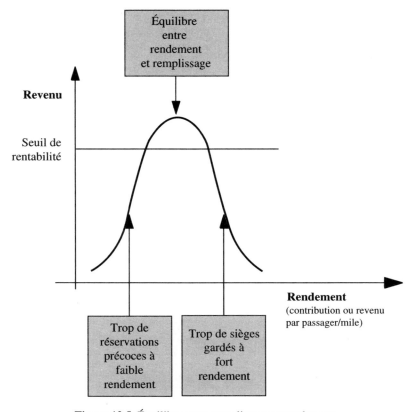

Figure 12.5. Équilibre entre remplissage et rendement.

5.2. La maîtrise de la sur-location

Les passagers qui ont réservé peuvent annuler ou ne pas se présenter au moment du départ. Pour éviter de décoller avec des sièges vacants, il faut estimer le nombre de non-présentations par vol et par catégorie de passagers pour décider du niveau de sur-location. Le résultat se mesure au nombre de passagers sans siège qui doivent être remboursés ou affectés sur le prochain vol disponible.

La gestion du rendement est devenue un outil concurrentiel majeur ; elle peut permettre d'accroître les recettes de 2 à 7 %. Mais elle repose sur un investissement considérable en systèmes informatiques. Cependant, un tel investissement n'est pas toujours nécessaire : la gestion du rendement peut se faire de façon plus intuitive pour un hôtel, par exemple, comme le montre la Figure 12.6.

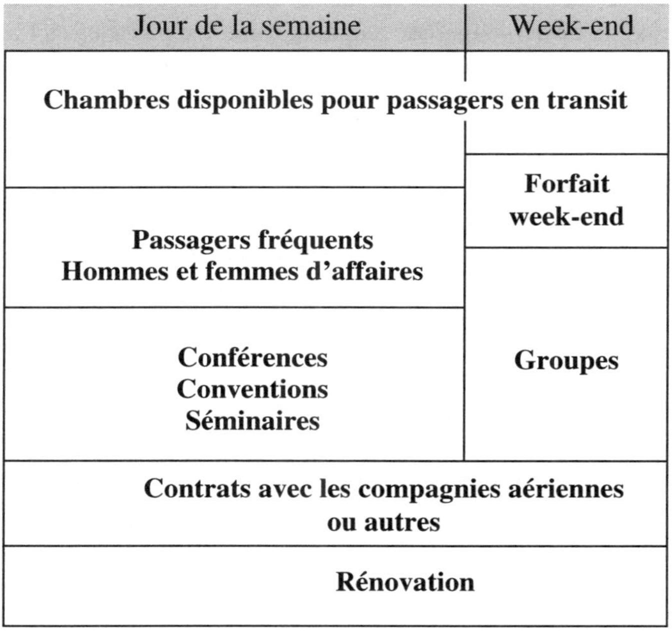

Jour de la semaine	Week-end
Chambres disponibles pour passagers en transit	
	Forfait week-end
Passagers fréquents Hommes et femmes d'affaires	
Conférences Conventions Séminaires	**Groupes**
Contrats avec les compagnies aériennes ou autres	
Rénovation	

Réservation d'une semaine spécifique
(*adapté de « Product Plus », Christopher Lovelock , p. 258*)

Figure 12.6. Gestion du rendement pour un hôtel.

6. GÉRER LES FILES D'ATTENTE

Si la demande dépasse l'offre et si les clients ne peuvent pas réserver d'avance, ils peuvent être « stockés » dans des files d'attente (et patienter pour être servis selon l'ordre d'arrivée).

Attendre fait partie de la vie courante. Nous attendons dans les magasins ou dans les restaurants, aux feux de signalisation, pour obtenir des renseignements au téléphone, pour prendre un taxi, l'ascenseur ou le bus.

Les files d'attente peuvent être comparées à l'encours dans une usine. Elles peuvent se former entre des opérations successives. C'est le cas de l'hôpital Shouldice, comme l'a montré la Figure 12.3., ou des parcs de loisirs tels que Disney.

A l'avant, dans l'interface, un déséquilibre entre offre et demande se manifeste tout de suite sous forme de files d'attente de clients impatients, parfois furieux, ou de personnel inoccupé, ce qui n'est pas le cas à l'arrière, où toutes sortes de stocks peuvent s'accumuler sans attirer l'attention.

L'avantage d'une file d'attente pour le prestataire de service, c'est de maintenir le personnel constamment occupé et les installations pleinement utilisées. Mais de longues attentes signifient forcément que les clients ne reçoivent pas le service auquel ils ont droit et cette impression négative peut influencer leur jugement global sur la qualité de service. N'oublions pas que la première impression et le premier contact peuvent profondément marquer le reste de l'expérience.

Une file d'attente, tout comme un stock, est la manifestation d'un problème et pour le résoudre, il faut aller à la racine du mal et analyser le système lui-même. Il y a deux démarches possibles. La première consiste à analyser objectivement les opérations concrètes et l'autre les aspects psychologiques liés à la perception, perception qui peut être assez éloignée de la réalité objective. Selon le contexte, une attente de dix minutes peut paraître infime ou infinie. Voyons ces deux aspects à tour de rôle.

6.1. Les aspects opérationnels et économiques de l'attente

La théorie des files d'attente permet de calculer la durée moyenne de l'attente lorsque l'on dispose de données relativement fiables sur les taux d'arrivée (la demande) et les taux de service (l'offre). Lorsque le rythme ou le taux d'arrivée se rapproche du rythme ou du taux de service, les files d'attente s'allongent rapidement. C'est pourquoi, pour de nombreux services, l'optimum de fonctionnement se situe autour de 75 % d'utilisation de la capacité.

Renault Minute, qui propose de réparer immédiatement un certain nombre de pannes de voiture, sans rendez-vous, table sur une utilisation à 75 % de ses installations, d'où un prix plus élevé. Si les clients ne veulent pas attendre, ils doivent payer plus cher.

6.1.1. L'analyse du système

La première chose à faire est d'analyser le système de façon à repérer les goulets d'étranglement et les files d'attente aux heures de pointe.

Prenons, par exemple, le cas d'une agence bancaire disposant de guichets multiples – renseignements, change, opérations financières, guichets automatiques. Il est important de connaître les taux d'arrivée et les temps de service des différents guichets aux heures de pointe, par exemple, le vendredi à l'heure du déjeuner de façon à offrir la capacité suffisante.

6.1.2. Queue à un seul serveur (arrivée et service en loi de Poisson)

Lorsque les rythmes d'arrivée et de service suivent une loi de Poisson (occurrence rare et distribution aléatoire), le facteur d'utilisation d'une installation se calcule ainsi :

Taux d'arrivée moyen $= \lambda$	(par exemple, 3 clients/minute)
Taux de service moyen $= \mu$	(par exemple, 4 clients/minute)

$$\text{Facteur d'utilisation de l'installation } \rho = \frac{\lambda}{\mu}$$

(par exemple, $\rho = \frac{3}{4} = 0,75$)

ρ doit bien évidemment être inférieur à 1.

$1 - \rho$ représente le temps mort (25 % dans notre exemple).

Dans ce cas, la longueur moyenne de la file d'attente Lq se calcule par la formule suivante :

$$Lq = \frac{\rho^2}{1-\rho} \qquad Lq = \frac{(0,75)^2}{0,25} = 2,55 \text{ clients, une longueur moyenne acceptable}$$

Plus ρ est proche de 1, plus la longueur de la file d'attente s'allonge et tend vers l'infini.

6.1.3. Queue à un seul serveur (service selon une distribution générale)

Prenons le cas d'un taux d'arrivée λ distribué selon une loi de Poisson et d'un temps de service distribué selon une loi générale de moyenne E(t) et de variance V(t). Comme le taux de service est l'inverse du temps de service (par exemple, un taux de service = 4 clients/minute correspond à un temps de service d'un quart de minute, donc de 15 secondes), on peut écrire :

$$\mu = \frac{1}{E(t)}$$

$$\rho = \lambda E(t)$$

On peut facilement calculer la longueur moyenne de la queue Lq.

$$Lq = \frac{\rho^2 + \lambda^2 V(t)}{2(1 - \rho)}$$

La longueur de la file d'attente est directement proportionnelle à la variance du temps de service V(t). La file d'attente peut être écourtée en réduisant et en contrôlant la dispersion des temps de service.

Dans le cas extrême d'un temps de service fixe sans aucune variation V(t)=0 , donc :

$$Lq = \frac{\rho^2}{2(1 - \rho)}$$

La moitié de la queue s'explique par la dispersion des temps de service. L'autre moitié s'explique par la dispersion des taux d'arrivée.

Comme le montre la Figure 12.7., il est possible de réduire l'attente en maîtrisant ces deux sources de variation.

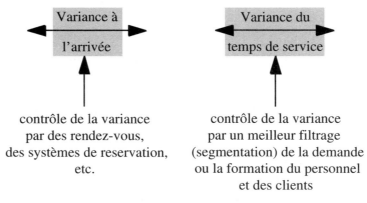

Figure 12.7.

6.1.4. Configurations des files d'attente

De combien de files d'attentes avons-nous besoin ? Où doivent-elles se situer et comment doivent-elles être organisées ?

Il y a essentiellement deux types de configurations pour un comptoir à guichets multiples : des files différentes ou une seule file (Figure 12.8.).

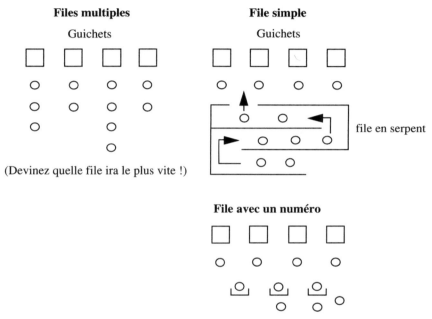

Figure 12.8. Différentes configurations de files d'attente.

• Les files multiples ouvrent de nombreuses possibilités, en particulier les queues express (par exemple, certaines caisses de supermarchés). La spécialisation est possible, le service peut être différencié et dans le cas de plusieurs guichets pour le même service, les clients peuvent aller au guichet de leur choix. Mais, comme ils auront le souci de choisir la file la plus rapide, ils ne seront pas très heureux d'avoir à attendre derrière un client trop lent.

- Un système à une seule fileest considéré comme plus juste : la règle qui s'applique est que le premier arrivé est le premier servi. L'avantage est qu'il est difficile de quitter la queue. La discrétion y est mieux assurée et en moyenne les clients attendent moins longtemps. Par contre, le personnel doit être polyvalent.

6.1.5. L'amélioration des opérations et la réduction de la longueur des queues

Nous revenons là au problème déjà traité de l'équilibre entre l'offre et la demande. Il existe un certain nombre de moyens qui permettent d'améliorer les opérations.

1. Déplacer la demande.

2. Regrouper la demande et faire appel à des opérateurs polyvalents.

3. Filtrer et segmenter la demande en fonction de différents critères, notamment l'urgence (par exemple le tri des patients qui ont besoin de soins immédiats) ou le temps de traitement (queue express pour les transactions rapides).

4. Différencier le traitement par le prix : des comptoirs d'enregistrement différents pour différentes catégories de passagers (classe affaires ou économique).

5. Maîtriser le temps de service : soit en réduisant la gamme des services offerts (ou en améliorant la productivité) aux heures de pointe (simplifier le menu ou les structures tarifaires lorsque le service est surchargé, et les élargir lorsque le service est moins occupé), soit en ayant recours à l'informatique ou à l'automatisation pour faciliter le travail du personnel.

6. Faire participer le client : pendant l'attente, les clients peuvent remplir des formulaires, préparer leur demande, aider d'autres clients, ce qui contribuera à diminuer le temps de traitement proprement dit.

7. Maîtriser la dispersion des temps de service :
   - en séparant les tâches longues des tâches courtes,
   - en traitant séparément différentes catégories de clients,
   - en demandant à un employé de parcourir la file d'attente pour traiter les demandes simples.

8. Modifier les horaires de l'équipe, réorganiser les horaires de déjeuner, mieux rentabiliser les activités de support pour dégager plus de temps pour servir le client.

Après avoir analysé les aspects opérationnels et rationnels de l'organisation des queues, nous devons nous intéresser à la perception et à la psychologie de l'attente.

6.2. La perception et la psychologie de l'attente

Comme nous le savons, la perception d'un temps d'attente est souvent plus longue que le temps réellement passé. De plus, la satisfaction du client résulte de la différence entre sa perception et ses attentes.

$$\text{Satisfaction} = \text{Perception} - \text{Attentes}$$

Pour éviter d'obtenir un résultat nul lorsque la perception est égale aux attentes, la même idée peut s'exprimer par un rapport :

$$\text{Satisfaction} = \frac{\text{Perception}}{\text{Attentes}}$$

Il faut donc agir sur les deux termes du rapport.

• Agir sur les attentes

Il vaut mieux surestimer que sous-estimer le temps d'attente. Il s'agit de promettre moins pour donner plus. On peut, par exemple, préparer les clients à attendre en leur expliquant pourquoi ils doivent attendre plus longtemps, ou leur offrir un autre mode de contact : par téléphone ou par courrier.

• Agir sur la perception :

Prendre en compte le cadre de référence.

Dans certains pays, tenter de resquiller dans une file d'attente est un sport national, alors que dans d'autres, il s'agit presque d'un délit. Quoi qu'il en soit, le respect de la file d'attente est un aspect essentiel qu'il faut considérer. D'autre part, la distance qui sépare les clients qui attendent dans une file constitue un autre aspect intéressant lié à la notion de territoire. Dans certains pays, les gens se tiennent à une distance respectable, alors que dans d'autres ils se collent les uns aux autres. L'attente peut également revêtir des significations différentes selon les cultures.

Prendre en compte le mode d'intégration.

Les clients intègrent toutes leurs perceptions et comme nous l'avons déjà évoqué, la première impression peut considérablement influencer le reste de la prestation. C'est ainsi que le spectacle d'une file d'attente peut être plus éprouvant que l'attente elle-même, voire décourager les clients de s'y mettre. C'est pourquoi, notamment chez Disney, la longueur de la file d'attente est masquée par des méandres et des séparations.

Prendre en compte le processus de délivrance.

Les clients ont horreur des temps morts, c'est pourquoi il faut assurer une attente sympathique, dans un décor agréable, avec un mobilier de qualité, des fleurs, de la musique. Vous pouvez distraire les clients en disposant des miroirs où ils peuvent se regarder, en leur donnant la possibilité de prendre un verre au bar avant le dîner, en prévoyant des magazines, un poste de télévision dans la salle d'attente ou encore en leur permettant d'occuper autrement leur attente.

Pour réduire leur anxiété, montrez-leur que vous les avez vu arriver, dites-leur combien de temps ils auront à attendre ou disposez une horloge bien visible pour rendre leur perception de l'attente plus objective.

Bob Graessel et Peter Zeidler (1993) ont souligné deux facteurs importants. En divisant les clients d'une entreprise en deux groupes traités différemment, ils se sont aperçus que ceux qui avaient attendu plus de deux minutes jugeaient le service plus durement que ceux qui avaient attendu moins de 30 secondes. La satisfaction globale du premier groupe était de 10 % inférieure à celle de l'autre groupe. Le premier groupe donnait également une moins bonne note au personnel en termes de « courtoisie et de professionnalisme » (– 13 %) ou de « de soins et d'attention » (– 17 %).

Graessel et Zeidler ont également observé qu'au-delà d'une certaine durée, il y avait une très nette distorsion entre le temps réel d'attente et le temps perçu : le temps perçu était presque trois fois le temps d'attente réel.

CONCLUSION

Encore une fois, dans ce chapitre, nous avons montré l'importance d'une bonne intégration entre le marketing, les opérations et la gestion du personnel au cours de l'interaction à l'avant. Nous espérons qu'à ce stade vous êtes maintenant convaincus de la pertinence du concept d'avant-scène et arrière-scène et de l'intérêt à se concentrer sur la spécificité de l'interface. Au cours des chapitres suivants, nous étendrons ce concept d'abord au cas des produits industriels à un bout du spectre, puis aux services relativement purs à l'autre bout.

QUATRIÈME PARTIE

L
D'un secteur à l'autre

Chapitre 13

LE CAS DES SERVICES DU SECTEUR INDUSTRIEL

1. INTRODUCTION

Jusqu'ici nous avons traité les services classiques, que nous avons appelés services à forte teneur en biens et en information. Dans ces services, les clients passent par les phases d'arrivée, de consommation et de départ en fonction de la chaîne de valeur décrite au Chapitre 6 et reproduite sur la Figure 13.1.

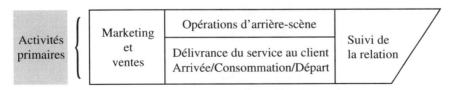

Figure 13.1. Cas des services à forte teneur en biens et en information.

Nous allons à présent étendre notre étude à des cas plus spécifiques : tout d'abord, celui des services du secteur industriel dans ce chapitre et puis, à l'autre extrême, celui des services « professionnels » relativement purs, comme ceux fournis par les consultants, les avocats ou les médecins, dans le Chapitre 14.

Tous les modèles et concepts évoqués jusqu'ici peuvent s'appliquer à ces différents cas, à condition que l'on reconnaisse la spécificité de chaque activité et que l'on choisisse la démarche la plus appropriée. Commençons par le secteur industriel.

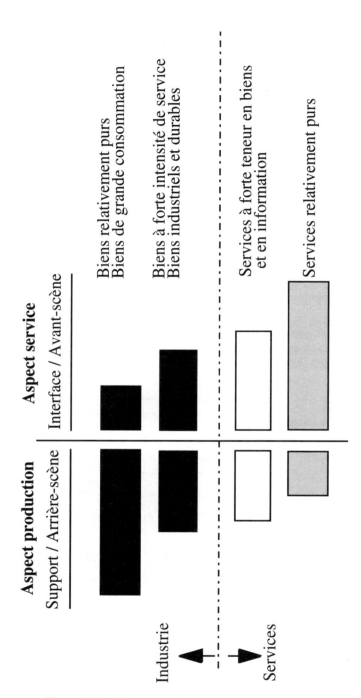

Figure 13.2. Différents cas de figures selon les activités.

2. L'IMPORTANCE DES SERVICES DANS LE SECTEUR INDUSTRIEL

Comme nous l'avons déjà évoqué, lorsqu'un produit progresse sur son cycle de vie, il se standardise de plus en plus jusqu'à atteindre le stade où, fabriqué en masse, il devient un produit de base. Le prix est alors le facteur majeur de différenciation et pour baisser le prix, la seule solution est de réduire les coûts grâce à des économies d'échelle, ce qui débouche sur plus de capacité, des produits que le marché ne peut absorber, une guerre des prix et un cercle vicieux que nous connaissons bien. Cette évolution naturelle a été exacerbée par une concurrence acharnée favorisée par la mondialisation, les privatisations et la dérégulation. Dans ce contexte en rapide évolution, les exigences et les attentes des clients se sont également accrues. Un moyen d'échapper à cette double pression est de personnaliser le produit en l'adaptant à des niches ou à des segments spéciaux (de là, le concept de personnalisation de masse) ou encore d'avoir recours aux services comme ultime avantage concurrentiel et comme source de croissance. Cela représente une petite révolution par rapport au passé, où les services, et notamment les services après-vente, étaient négligés ou considérés comme un fardeau. Tous les efforts étaient concentrés sur la vente et la réduction des coûts et le service après-vente était censé rester discret. On ne voulait pas entendre parler de réclamation ! Mais, à l'heure actuelle, les services additionnels et le service après-vente constituent une part importante de la chaîne de satisfaction du client pour plusieurs raisons. Examinons-les successivement.

2.1. La fidélisation du client

En établissant une certaine intimité avec votre client tout en réduisant ses coûts et ses problèmes pour choisir, acquérir et utiliser votre produit, vous pouvez en accroître la valeur perçue et le bénéfice. Non seulement vous comblez vos clients et vous leur ôtez l'envie de vous quitter, mais vous pouvez également élargir votre revenu. On dit souvent que le service après-vente prépare les ventes futures.

2.2. Les économies d'élargissement

Grâce à une plus grande présence, vous connaissez mieux les besoins de votre client. Cela vous permet d'étendre vos services, d'en offrir de nouveaux et de mettre au point des applications pour lesquelles il sera disposé à payer, parce que vous êtes le mieux placé pour les réaliser. Et, ainsi, vous prenez une plus grande part de l'activité de votre client et vous en partagez les bénéfices si vous pouvez vous montrer plus efficace que lui.

2.3. La croissance par la différenciation

Les services peuvent devenir un élément majeur de différenciation permettant d'attirer de nouveaux clients ou de récupérer ceux qui étaient partis. En proposant de la formation, du conseil, de l'entretien ou en vous engageant sur un résultat, vous pourrez convaincre votre client de revoir ses solutions actuelles.

3. LA MÉTHODE

La méthode que nous avons décrite dans les Chapitres 4 à 6 peut s'appliquer ici (Figure 13.3.).

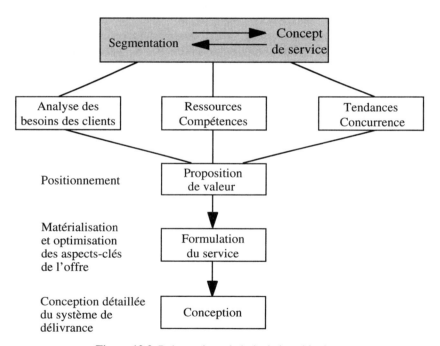

Figure 13.3. Présentation générale de la méthode.

3.1. La segmentation

Qui achète ?

Il est possible d'utiliser les critères classiques de segmentation : secteurs d'activité, taille (groupes importants et complexes ou petites unités), chiffre d'affaires, potentiel et taux de croissance, rentabilité, phase du cycle de vie. Mais la capacité d'une entreprise à sous-traiter, son mode de management et de prise de décision (centre de profit, lieux de décision multiples), les services déjà en place, la présence ou non de syndicats hostiles à la sous-traitance, etc., peuvent être des critères encore plus pertinents.

Où achètent-ils ?

La proximité géographique est un atout essentiel lorsqu'il s'agit de développer des relations suivies avec la clientèle et d'assurer une plus grande présence.

Pourquoi achètent-ils ?

Les produits et les services additionnels que vous proposez peuvent ne pas correspondre au cœur du métier de votre client. Par exemple, les produits et les services associés au gaz proposés par Air Liquide ne sont pas des activités centrales dans des secteurs comme la pharmacie, le médical, l'électronique ou l'aérospatiale. Dans d'autres secteurs, comme l'agriculture ou la pêche, le niveau de compétence peut être assez bas et l'organisation peut souhaiter acquérir un savoir-faire. Par exemple, l'expérience d'Air Liquide peut être inestimable pour congeler des produits alimentaires ou pour oxygéner les bassins d'élevage de poissons.

Comment achètent-ils le produit et comment l'utilisent-ils ?

Quel est le volume et la gamme des besoins ? Quel est degré de complexité de la logistique ? De combien de transactions parlons-nous ? Quelle est la gravité d'une interruption de service ? Y a-t-il des risques pour la santé ? Sommes-nous face à une nouvelle utilisation, un renouvellement ou un remplacement ?

3.2. La proposition de valeur pour un client final

Il y a là deux possibilités : le cas du client final (service final) et le cas des entreprises qui sont des clients intermédiaires (service au producteur intermédiaire).

Prenons le cas tout simple d'une compagnie de distribution d'eau. Le cycle d'activité, représenté sur la Figure 13.4. exprime les besoins du client et permet de positionner l'offre.

Les éléments retenus doivent apporter une valeur ajoutée. A chaque interaction, la valeur ajoutée doit être examinée non seulement en termes de résultats de base, mais également en termes de processus (accessibilité, par exemple) et d'interaction avec le personnel (gentillesse et réactivité par exemple) et ceci dans certaines limites de prix.

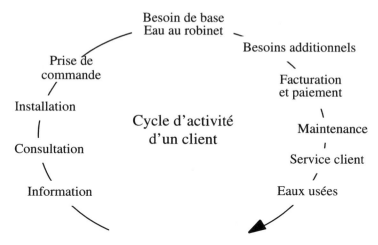

Figure 13.4. Cycle d'activité d'une compagnie de distribution d'eau.

Illustrons comment les besoins des clients peuvent être explicités à différents moments de vérité.

Information	*Professionnalisme et précision*
	Accessibilité, absence de formalisme tatillon
	Qui contacter pendant et après les heures de bureau ?
	Vitesse de réponse
	Courtoisie...
Besoin de base	*Qualité de l'eau au robinet (les normes les plus exigeantes)*
	Sécurité
	Goût, odeur, clarté
	Dureté
	Pression
	Limites d'usage
Besoin additionnels	*Adoucisseur*
	Analyse de l'eau
	Eau en bouteilles
Entretien	*Qui contacter ?*
	Professionnalisme
	Accessibilité et disponibilité
	Vitesse de réaction
	Courtoisie et explications
	Bien dès la première fois, promesses tenues
	Propreté et ordre

Figure 13.5. Éléments de la proposition de valeur.

Une fois la proposition de valeur mise au point, elle est matérialisée par la formulation des décisions majeures et la conception détaillée de la prestation.

C'est ainsi, notamment, que l'information peut être communiquée par voie de brochures, de bases de données en temps réel, de numéros d'appels gratuits ou de centres d'information où les clients ont la possibilité de rencontrer le personnel. Dès que l'on a défini l'intensité de l'interaction, d'autres décisions doivent être prises notamment concernant le contenu et le mode de distribution des brochures, les horaires, la formation du personnel du centre d'information, et ainsi de suite.

3.3. La proposition de valeur pour un client intermédiaire

Là encore, le cycle d'activité du client intermédiaire est très utile. Il est possible d'intervenir à n'importe quel point du cycle et d'étendre le service proposé en fonction des circonstances ou de proposer l'intégralité du service immédiatement. La Figure 13.6. représente un cycle d'activité standard pour un produit industriel.

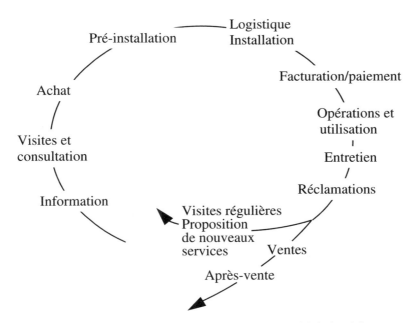

Figure 13.6. Cycle d'activité standard pour un produit industriel.

A chaque point de contact, il faudra expliciter ce qui a de la valeur pour le client, les résultats de base, les résultats de l'interaction avec le processus et le personnel, la garantie et la crédibilité des résultats. Ainsi, quand les clients recherchent de l'information (premier point de contact), ils peuvent attacher de la valeur à la précision obtenue, à l'accessibilité ou à la réactivité du personnel. Pour l'achat, ce sera peut-être la rapidité et la simplicité de la passation de la commande, la prise en compte de demandes spéciales, et ainsi de suite.

Le cycle d'activité principal peut être complété par un cycle d'activité secondaire, par exemple si l'on examine ce que le client attend du technicien de service.

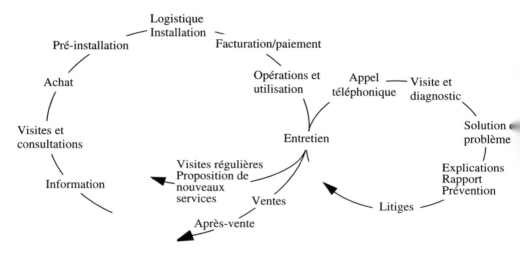

Figure 13.7. Ajout d'un cycle d'activité secondaire.

Les clients se souviennent davantage de l'aspect relationnel que de l'aspect technique : ce qui compte, c'est ce que les techniciens ont fait de différent, d'inhabituel. Aussi, les techniciens doivent-ils avoir de bonnes compétences relationnelles et faire preuve d'empathie et d'écoute. N'oublions pas que ce sont des commerciaux à temps partiel.

Il faut également tenir compte d'un autre facteur important, c'est le processus de décision d'achat qui peut être relativement complexe. La relation entre le fournisseur et le client s'établit traditionnellement entre le département commercial et le département achats, selon une relation relativement fermée et exclusive (Figure 13.9).

Contact téléphonique	Effort pour résoudre le problème au téléphone Accessibilité Gentillesse
Visite et diagnostic	S'occuper du client avant de s'occuper du problème : écouter, réagir et se montrer aimable Temps de réponse, ponctualité
Régler le problème	Au moment promis Comme convenu
Explication et prévention	Qualité de la relation, éléments concrets (historique, point sur l'avancement des travaux, pièces cassées, etc.)
Litiges	Vitesse de réponse, réactivité

Figure 13.8. Détail de la boucle secondaire.

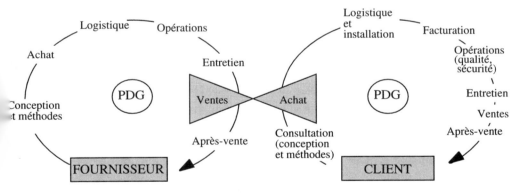

Figure 13.9. Processus de décision d'achat.

Mais, au fur et à mesure que se développe la sous-traitance et qu'un partenariat commence à s'établir entre les deux entreprises, le fournisseur peut intervenir à tous les niveaux de la relation aux différents stades du cycle d'activité, comme l'illustre la Figure 13.10. La vente est alors du ressort de tous les acteurs qui interagissent avec le client, des concepteurs aux ingénieurs de fabrication et aux responsables de la logistique jusqu'aux agents de production, aux techniciens de la maintenance, voire au directeur général de l'entreprise si une part importante de l'activité doit être sous-traitée. Dans le même temps, le responsable des ventes du prestataire doit impliquer d'autres départements dans son organisation. En fournissant de meilleures informations sur la demande du client, il peut permettre au département logistique de réduire les stocks, au département de production d'ajuster et de lisser la fabrication, ou aux services administratifs de simplifier les procédures.

Cela implique que les deux entreprises se mettent en relation à tous les niveaux de l'interaction. Les commerciaux ont maintenant la lourde tâche de comprendre l'ensemble de l'organisation de leur client. Quel est le point d'entrée le plus adéquat, où passer du temps, à qui parler, et en particulier comment convaincre le responsable des achats de ne pas se limiter au prix, mais de prendre en compte les services fournis aux différents acteurs et utilisateurs de son organisation ?

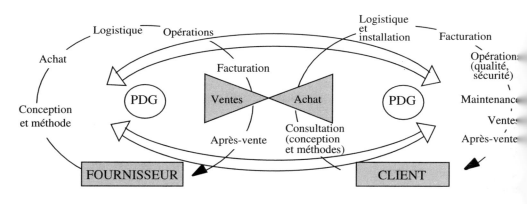

Figure 13.10. Élargissement du rôle du responsable commercial.

Tout ceci concourt à élargir le rôle du responsable commercial. Il devient un intégrateur qui a besoin d'avoir une vue d'ensemble sur les aspects multiples de la relation avec son client de façon à proposer, en plus de ses produits, des services que celui-ci est prêt à payer. Ce responsable commercial doit convaincre le client que son organisation est mieux placée et plus efficace que la sienne pour traiter certaines prestations.

Une fois la proposition de valeur bien définie et bien comprise, il est temps de passer à la formulation et à la conception détaillée des prestations proposées. A ce stade, pour éviter d'être trop abstrait, nous allons illustrer la méthode avec des exemples.

4. LES EXEMPLES DE SERVICES

4.1. La distribution de l'eau (services ajoutés à un produit relativement banal)

Le cycle d'activité que nous avons représenté sur la Figure 13.4. peut être complété et matérialisé par la formulation d'une offre, représentée par les rectangles sur la Figure 13.11.

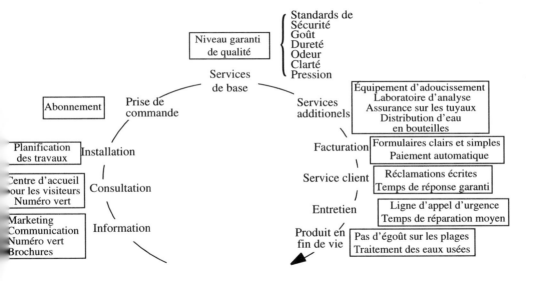

Figure 13.11. Formulation de l'offre.

La formulation de base peut être complétée par des plans marketing, l'organisation des opérations et des systèmes de support, ainsi que par l'allocation des ressources humaines et les décisions de structure. L'étape suivante consiste à concevoir chaque aspect de l'activité en détail à l'aide de diagrammes de flux, de maquettes, de normes et de procédures. Enfin, la qualité de la prestation se mesure par la satisfaction globale du client qui intègre sa satisfaction à chaque « moment de vérité » du cycle d'activité.

4.2. La distribution automobile (services ajoutés à un produit relativement complexe et personnalisé)

Le secteur automobile se différencie de plus en plus par son aspect service, notamment par la continuité et la qualité de la relation avec le client. Là encore, il faut examiner l'ensemble de l'expérience illustrée sur la Figure 13.12. Nous n'avons pas tenté d'expliciter la formulation du service à chaque étape du cycle d'activité, car ce serait trop complexe et trop dépendant du produit concerné. Nous avons préféré nous attarder sur l'aspect qualité du service et montrer l'intérêt d'unifier toutes les sources d'information pour mieux entendre la « voix » du client.

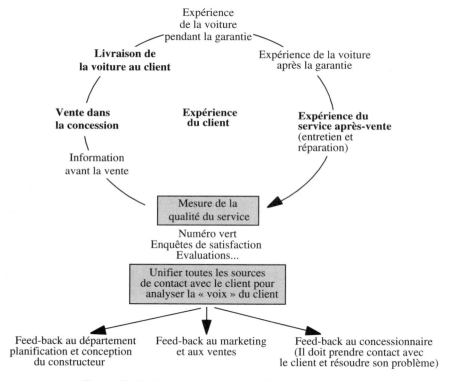

Figure 13.12. Cas du secteur automobile : la voix du client.

Une étude menée par Toyota a montré que lorsque les clients étaient satisfaits de la vente et du service après-vente, leur fidélité était très forte. Toutefois, si le service après-vente se révélait décevant, le niveau de fidélité à la marque chutait brutalement même si l'expérience de la vente avait été positive. Par contre, un bon service après-vente pouvait compenser une mauvaise expérience de vente.

4.3. Le cas de SKF (services ajoutés à un produit vendu à des équipementiers et au consommateur final)

Vers la fin des années 80, le directeur général de SKF décida de réorienter la société vers les services en créant une nouvelle division, la division « Services Roulements ». Il était convaincu que le marché de « deuxième monte », pour le remplacement des roulements à billes ou autres, jusqu'alors fort négligé, pouvait constituer une nouvelle source de croissance et de profit. Le marché subissait une pression considérable sur les prix de la part des équipementiers des marchés de « première monte » dans l'automobile, la machine-outil et l'ingénierie. En fait, il apparut rapidement que le marché de « deuxième monte » pouvait être divisé en deux segments distincts : le secteur automobile, où le consommateur final était le garage approvisionné par un circuit de distribution à plusieurs niveaux, et le secteur machine, où le producteur intermédiaire fabriquait des machines ou installait des usines en s'approvisionnant par l'intermédiaire d'un circuit de distribution plus direct. Les besoins de ces deux types d'utilisateurs sont illustrés sur la Figure 13.13.

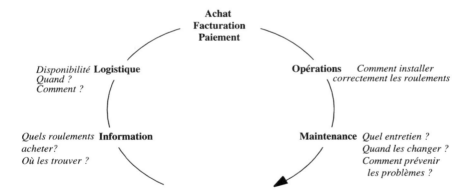

Figure 13.13. Cycle d'activité pour la « deuxième moitié ».

Comme l'explique Sandra Vandenmerwe dans son étude de cas sur SKF, une solution différente a été retenue pour chaque segment. Pour les garages, le service a été mis en boîte, une vraie boîte contenant un livret d'information, un mode d'emploi et les outils nécessaires à l'installation du roulement. Grâce à cette mise en boîte, le service pouvait traverser facilement les différents niveaux du système de distribution.

La Figure 13.14. illustre certains éléments de cette formulation.

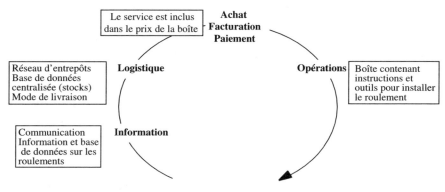

Figure 13.14.

Quant aux producteurs intermédiaires, équipementiers, usines à papier ou aciéries, la formulation couvrait une large gamme de services et parfois le service complet (Figure 13.15.). Ces services étaient délivrés par des centres de maintenance spécialisés (nouveaux centres SKF, distributeurs agréés ou alliés, etc.).

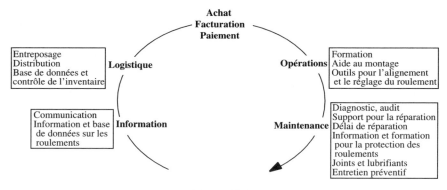

Figure 13.15.

4.4. Le cas de Xerox

Le cas de Xerox est instructif : cette compagnie a décidé d'élargir son métier de fabricant et de vendeur de photocopieurs pour devenir la Compagnie du Document *(The Document Company)*, un leader sur le marché du document, en proposant des solutions et des services pour aider les particuliers et les professionnels à mieux créer et gérer leurs documents. En conséquence, son offre de base est à présent complétée par une série de services, comme nous pouvons le voir sur le cycle d'activité de la Figure 13.16. Ces services sont proposés par Xerox lui-même, des sociétés indépendantes comme Xerox Business Services ou des partenaires.

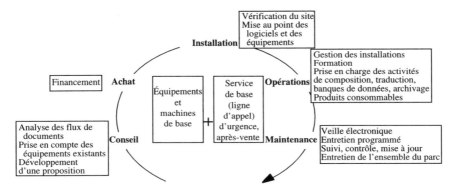

Figure 13.16.

CONCLUSION

Nous avons essayé de montrer dans ce chapitre comment, même dans le secteur industriel, l'accent mis sur le service peut devenir crucial en procurant une différenciation et un avantage concurrentiel déterminants. Le chapitre suivant montrera combien cette tendance est évidente à l'autre extrême pour les professionnels du service.

Chapitre 14

LE CAS PARTICULIER DES PROFESSIONNELS DU SERVICE

1. LA SPÉCIFICITÉ DES PROFESSIONNELS DU SERVICE

Considérons maintenant les services relativement « purs » employant des professionnels qui appartiennent le plus souvent à ce que l'on appelle les professions libérales. Ces services impliquent un haut niveau d'interaction, de personnalisation, comme dans le cas des experts-comptables, des consultants, des architectes, des avocats, des professionnels de la publicité, des médecins ou des professeurs. Et lorsque ces professionnels font partie d'une société ou d'une firme, cette dernière maîtrise assez peu l'interaction avec le client (Figure 14.1.).

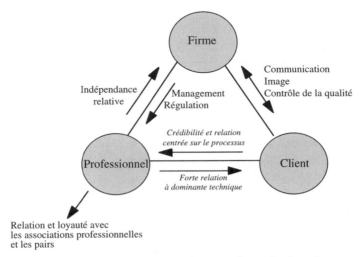

Figure 14.1. Le triangle des services pour les professionnels.

La société de service ou la firme souhaite réguler et gérer l'activité des professionnels, mais elle se heurte au besoin d'indépendance de ces derniers. Il y a là un équilibre difficile à trouver. De même, il est particulièrement délicat de concilier l'orientation technique des professionnels avec la sensibilité particulière des clients au processus de délivrance et à la qualité de la relation.

Ces services ne font qu'amplifier les particularités et les problèmes spécifiques d'interface que nous avons déjà évoqués. Cette amplification varie d'ailleurs en fonction de la place qu'occupe le projet du client sur la matrice d'intensité de service, comme l'illustre la Figure 14.2.

Nous avons utilisé ici la classification créée par David Maister (1993) pour décrire trois types de projets : les projets pour cérébraux, les projets pour cheveux gris et les projets routiniers.

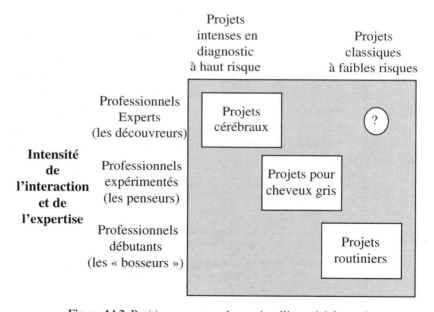

Figure 14.2. Positionnement sur la matrice d'intensité de service.

Les « projets cérébraux » requièrent un haut niveau d'expertise face à un risque élevé, un niveau important de complexité ou un problème inhabituel. Comme il faut, dans ce cas, faire appel à une démarche innovante et pionnière, la société de service va tenter de faire passer le message : « Choisissez-nous parce que nous sommes plus intelligents ».

246

Les projets « cheveux gris » font davantage appel à l'expérience. Le problème est peut-être nouveau pour le client, mais il a déjà été rencontré et résolu pour d'autres. Dans la mesure où une démarche personnalisée, fondée sur l'expérience de projets analogues et une connaissance du domaine est nécessaire, la société de service va tenter de faire passer le message : « Choisissez-nous parce que nous l'avons déjà fait ».

Les projets routiniers sont adaptés aux clients confrontés à des problèmes courants et bien identifiés. Etant donné que, dans ce cas, l'efficacité dépend de procédures et de systèmes bien rodés, la société de service va tenter de faire passer le message : « Choisissez-nous parce que nous sommes efficaces ».

Selon la position de la demande du client sur cette matrice, tous les aspects de la formulation du service peuvent être affectés, qu'il s'agisse du marketing, des opérations, des ressources humaines ou du style de management. Il ne faut pas non plus perdre de vue l'aspect dynamique du cycle de vie du service car, avec le temps, les projets « cérébraux » deviendront des projets « cheveux gris » et finalement des projets « routiniers ». Ainsi, le traitement manuel et complexe de la comptabilité ou de la paie des années 40 s'est standardisé dans les années 50, puis complètement informatisé dans les années 70. On peut observer la même évolution dans le développement des systèmes informatiques intégrés dans les années 80 et 90.

S'il est important de ne pas perdre le précieux temps des consultants chevronnés sur des projets qui deviennent standards et programmables (en haut, à gauche sur la matrice), l'efficacité des débutants peut être accrue en développant leur expertise grâce aux nouvelles techniques de traitement et de communication de l'information, des modules d'aide à la décision ou un savoir facilement accessible. C'est ce que nous avons essayé de représenter par les flèches de la Figure 14.3.

Pour mieux comprendre les spécificités de la gestion des services « professionnels », nous allons étudier en détail le cas des consultants et des courtiers.

2. LES SOCIÉTÉS DE CONSEIL

2.1. Le positionnement et la segmentation

La matrice d'intensité de service est également utile ici pour analyser le positionnement des sociétés de conseil.

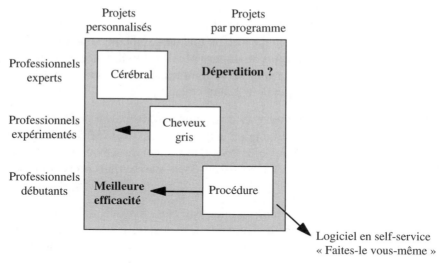

Figure 14.3. Optimisation de la matrice 14.2.

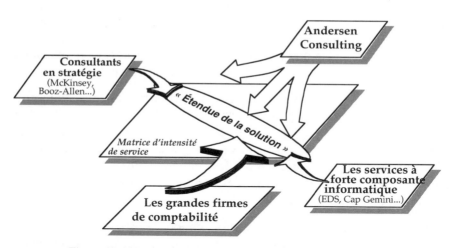

Figure 14.4. Convergence sur le champ d'activité des consultants.

Comme on le voit sur la Figure 14.4., les sociétés ont clairement tendance à élargir le champ de leurs activités pour éviter soit de se trouver bloquées dans l'angle supérieur gauche (menacées par les spécialistes de l'intégration de système et de la mise en œuvre qui veulent s'étendre), soit de rester coincées dans la partie inférieure droite, à traiter d'applications de plus en plus standards et très sensibles au prix. Nous avons tenté de montrer sur la

Figure 14.4. les points d'entrée possibles pour les firmes qui veulent intégrer l'ensemble des activités de leurs clients depuis la stratégie jusqu'aux opérations, ce que l'on appelle en anglais le « business integration ».

2.2. La proposition de valeur

• Le résultat de base

L'objectif d'une société de conseil est d'aider son client à changer pour devenir plus compétitif quel que soit le niveau de la mission de conseil. Cela peut impliquer d'analyser un problème particulier et de prescrire une solution spécifique ou d'élargir considérablement le champ d'investigation et de concevoir une vaste solution intégrée.

Quel que soit le cas, les clients exigent de plus en plus que les consultants aillent au-delà d'un simple avis ou d'un nouveau regard. Ils attendent maintenant davantage d'engagement et un partage des risques. Ils souhaitent que les consultants appliquent les recommandations qu'ils font, transfèrent leur savoir-faire à leur personnel et les aident à développer de nouvelles compétences.

• L'interaction avec le processus

Il est essentiel que les consultants soient accessibles. Ils doivent réagir rapidement et former des équipes soudées souvent présentes dans les locaux du client. Parmi les éléments tangibles qui comptent, il faut citer les bureaux, les technologies utilisées, les documents, les présentations visuelles et orales.

• L'interaction avec le personnel

Les clients s'attendent à une forte implication, à une bonne coordination à l'intérieur de l'équipe chargée de la mission, à une forte capacité d'écoute et de réaction, à un climat favorable à la participation et à l'apprentissage du personnel concerné qui permettra le développement de leurs compétences.

• Crédibilité et fiabilité

La crédibilité est d'autant plus importante que la mission se joue sur le long terme et que les résultats sont difficiles à mesurer. La confiance sera renforcée si la société de conseil accepte de s'engager sur des résultats ou, du moins, montre qu'elle est disposée à corriger et à améliorer ses recommandations si les résultats semblent insatisfaisants. D'autre part, la société de conseil doit tenir ses promesses et ses délais.

• **Le prix**

Le prix dépend directement du niveau de risque et de responsabilité, de l'étendue de la solution et de l'engagement sur les résultats.

2.3. La formulation

Quelques exemples éclairants permettent d'illustrer les différents aspects de la formulation.

• **Les décisions marketing**

En se concentrant sur un plus petit nombre de clients avec lesquels ils développent une relation profonde et durable, les cabinets de conseil peuvent accroître la valeur perçue par leur clientèle tout en abaissant leurs coûts de marketing et de fonctionnement et en utilisant mieux leur personnel. Ces réductions de coûts peuvent alors être répercutées sur le client sous forme d'ajustement d'honoraires.

Les garanties de service et l'engagement sur les résultats peuvent considérablement accroître la confiance du client à condition que la société de conseil soit en mesure de produire des résultats visibles et mesurables en analysant correctement la situation du client et en développant les compétences requises.

La localisation devient à présent moins importante, notamment pour les grandes firmes grâce aux programmes de formation qui gomment les différences culturelles entre les bureaux, aux nouvelles technologies de traitement, de communication et d'accumulation du savoir, mais aussi parce que les missions concernent de plus en plus des problèmes globaux et techniques. Face à une clientèle de multinationales, une couverture mondiale de la société de conseil devient un avantage concurrentiel fondamental.

• **Les opérations**

Les facteurs-clés de productivité des sociétés de conseil sont liés à l'utilisation efficace du personnel et à l'effet de levier généré par la spécialisation des consultants. Cet effet de levier s'obtient grâce à une bonne répartition des tâches entre partenaires, directeurs et consultants. Ainsi, les directeurs ne doivent-ils pas remplir des tâches qui peuvent être réalisées par des consultants. L'effet de levier peut être mesuré par les ratios suivants : nombre de consultants par rapport aux directeurs et nombre de directeurs par rapport aux partenaires. Les grands cabinets peuvent avoir plus de niveaux hiérarchiques, mais pour des raisons de simplification nous n'en retiendrons que trois ici. Considérons cet effet sur la Figure 14.5.

Résultats financiers en $	Partenaires	Directeurs	Consultants
Nombre	300	1.500	6.000
Effet de levier	1	5	20
Taux d'utilisation des professionnels	0,50	0,75	0,80
Facturation journalière	2.500	1.300	900
Journées facturables (220 jours par an)	110	165	176
Honoraires par employé	275.000	214.500	158.400
Total des honoraires (par catégorie)	82.500.000	32.750.000	950.400.000
Ajustement des honoraires (– 30 %)	57.750.000	225.225.000	665.280.000
Salaire annuel		140.000	70.000
Total des salaires		210.000.000	420.000.000
Total des honoraires	948.255.000		
Total des salaires	630.000.000		
Contribution	318.255.000		
Frais généraux par professionnel	20.000		
Frais généraux pour les 7 800 personnes	156.000.000		
Profit total	162.255.000		
Profit par partenaire	540.850		

Figure 14.5. L'effet de levier d'une société de conseil.

Voyons le cas d'un cabinet avec un partenaire pour cinq directeurs et vingt consultants. Si le nombre global de professionnels est de 7 800, le cabinet compte donc 300 partenaires, 1 500 directeurs et 6 000 consultants.

Le taux d'activité des partenaires et des directeurs est inférieur à celui des consultants, car ils consacrent plus de temps aux aspects marketing, à l'établissement et l'entretien de la relation avec les clients et à l'entraînement des jeunes professionnels. L'effet de levier est manifeste lorsque l'on examine le profit par partenaire tel qu'il résulte du calcul de la Figure 14.5.

Il est clair qu'il y a une forte incitation à devenir partenaire, toutefois la voie est difficile et on observera par exemple que seulement 50 % des consultants seront nommés directeurs après cinq ou six ans et seulement 20 % d'entre eux seront cooptés comme partenaires au bout de cinq autres années.

De façon très instructive, le modèle de la Figure 14.5. montre que lorsque le taux d'activité chute, les conséquences sur les profits des partenaires sont immédiatement visibles, comme l'illustre la Figure 14.6. où nous avons réduit le taux d'activité des directeurs et des consultants de 0,75 à 0,70 et de 0,80 à 0,75 respectivement.

Les nouvelles technologies de la communication et de l'information sont essentielles pour propager et partager le savoir dans l'ensemble de la société. Cette diffusion est possible grâce à des bases de données internes qui contiennent le profil des professionnels, une documentation très large, des rapports sur les recommandations finales aux clients, des méthodologies ou des outils spécifiques. Ces technologies sont également fondamentales pour relier électroniquement les professionnels entre eux (systèmes de messageries ou installations de vidéo conférence).

• Les décisions concernant les ressources humaines

Le recrutement et la promotion du personnel sont des facteurs majeurs qui vont affecter les résultats, le travail en équipe et la qualité des relations avec les clients. Les plus grands cabinets consacrent une énergie considérable au recrutement de « grosses têtes » ou de professionnels sortis des meilleures universités, capables de travailler en équipe et sensibilisés au résultat.

Le développement des compétences constitue un autre facteur majeur : il s'agit de la formation au contenu (outils d'analyse ou connaissance des secteurs économiques), à l'aptitude au travail d'équipe sans oublier les valeurs, les politiques et les processus de fonctionnement de la société.

Résultats financiers en $	Partenaires	Directeurs	Consultants
Nombre	300	1.500	6.000
Effet de levier	1	5	20
Taux d'utilisation des professionnels	0,50	0,70	0,75
Facturation journalière	2.500	1.300	900
Journées facturables (220 jours par an)	110	154	165
Honoraires par employé	275.000	200.200	148.500
Total des honoraires (par catégorie)	82.500.000	300.300.000	891.000.000
Ajustement des honoraires (– 30 %)	57.750.000	210.210.000	665.700.000
Salaire annuel		140.000	70.000
Total des salaires		210.000.000	420.000.000
Total des honoraires	891.660.000		
Total des salaires	630.000.000		
Contribution	261.660.000		
Frais généraux par professionnel	20.000		
Frais généraux pour les 7 800 personnes	156.000.000		
Profit total	105.660.000		
Profit par partenaire	352.200		

Figure 14.5. Influence du taux d'utilisation sur le profit des partenaires.

Ces compétences peuvent être acquises sur le tas ou par le biais de programmes de formation classiques internes ou externes. Au cours de ces formations, les nouvelles recrues se familiarisent avec la méthodologie et la culture de l'entreprise. Elles y acquièrent les mêmes méthodes de gestion de projets et apprennent à parler le même langage lorsqu'elles s'adressent aux clients. C'est également l'occasion de construire des réseaux informels.

L'affectation du personnel, ou l'attribution des missions, doit concilier les intérêts conflictuels des consultants (qui souhaitent acquérir de l'expérience), des partenaires (qui préfèrent ou ne font confiance qu'à certains consultants), des clients (qui veulent les meilleurs professionnels ayant l'expérience et les compétences adéquates) et de la société elle-même (qui doit optimiser l'utilisation des ressources humaines disponibles).

La carrière du consultant dépendra d'évaluations périodiques. La règle générale est « monter ou partir », mais l'intéressement promis aux partenaires constitue un important facteur de motivation.

• **Style de management et culture**

Les besoins personnels et les ambitions de carrière des consultants doivent être pris en compte par l'accompagnement assuré par les partenaires ou les directeurs et le soin apporté à l'affectation des missions.

La culture joue également un rôle important pour favoriser l'homogénéisation des comportements, le partage des expériences et le travail d'équipe. C'est ainsi que McKinsey, suivant en cela l'exemple des grands cabinets d'avocats se considère comme une « firme », et non une compagnie, et ses projets sont des « missions ». Le code de conduite est clair : « Le client d'abord », « Toute information sur le client est confidentielle », « Le consultant doit conserver son indépendance » (ne pas craindre de contester l'opinion d'un client), « Le consultant ne doit effectuer que le travail qui lui semble nécessaire et qu'il sait bien faire ». Ces valeurs sont résumées dans le credo « Care/Share/Dare » qui pourrait se traduire par Attention, Partage, Audace.

2.4. La mesure de la qualité

Nous ne nous étendrons pas sur la conception détaillée et le processus de délivrance du service, qui sont spécifiques à chaque firme, préférant nous concentrer sur deux sujets difficiles et délicats : la mesure de la qualité de service et l'évaluation des professionnels.

La satisfaction du client doit être mesurée à chaque « moment de vérité » selon les différents aspects que nous connaissons bien et que nous avons rappelés sur la Figure 14.7.

Réalisation	*Expertise, professionalisme, mise en œuvre, résultats* *Rapidité*
Interaction avec **le processus**	*Accessibilité et flexibilité* *Élements tangibles – Reporting – Présentation*
Interaction avec **le personnel**	*Réactivité – Écoute* *Relationnel* *Apprentissage et développement (co-production)*

Figure 14.7. Mesure de la satisfaction du client.

Nous avons représenté les moments de vérité principaux sur le cycle d'activité de la Figure 14.8.

Pour pouvoir recueillir un feed-back utile des clients, il est important de bâtir un questionnaire qui permette de mesurer les résultats obtenus à chaque moment de vérité sans oublier la qualité de l'interaction avec le processus et avec le personnel.

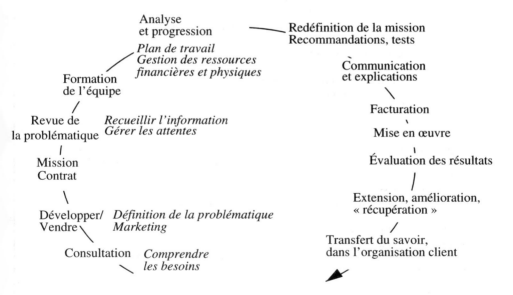

Figure 14.8. Analyse séquentielle du cycle d'activité.

Un questionnaire type pourrait ainsi s'inspirer de l'analyse séquentielle du cycle d'activité, comme le montre la Figure 14.9.

1. Résultats et professionalisme
– Avons-nous montré une bonne compréhension de vos besoins et de votre entreprise ?
– Est-ce que nous avons pu mettre à votre disposition des experts bien à jour ?
– Est-ce que nous vous avons aidé à redéfinir vos vues ?
– Est-ce que nous vous avons aidé à diagnostiquer vos problèmes ?
– Qu'en est-il de la profondeur et de la pertinence de notre analyse ?
– Est-ce que nous avons été consciencieux dans notre approche ?
– Qu'en est-il de la créativité de nos solutions ?
– Est-ce que nous vous avons aidé à arriver à vos propres conclusions ?
– Est-ce que nous vous avons fait participer aux moments importants de notre mission ?
– Est-ce que nous vous avons bien expliqué ce que nous avons fait et pourquoi?
– Est-ce que nous vous avons aidé à présenter les résultats ?
– Est-ce que nos recommandations ont été mises en œuvre ?
– Quel a été l'impact sur l'efficacité et les performances de votre organisation ?
– Est-ce que la valeur reçue mérite le prix que vous avez payé ?
– Est-ce que les changements sont en phase avec vos attentes ?
– Est-ce que la connaissance de votre domaine s'est améliorée en travaillant avec nous ?
– Y a-t-il eu un transfert de savoir dans votre organisation ?
– Est-ce que nous avons été utiles au-delà des limites de notre mission ?

2. Processus
– Niveau d'accessibilité des intervenants ?
– A-t-il été facile de travailler avec nous ?
– Notre communication a-t-elle été claire, sans trop de jargon ?
– Est-ce que nous vous avons prévenus rapidement des actions et des changements
   de perspective ?
Notre communication avec vous au niveau
                    – des travaux écrits
                    – de l'interaction téléphonique
                    – de la facturation
                    – des publications
                    – des rapports d'activité.

3. Le personnel
– Avons-nous été capables de bien vous écouter et d'anticiper vos besoins ?
– Quelle a été notre aptitude à nous adapter au style de votre entreprise ?
– Est-ce que nous vous avons tenu suffisamment informés des progrès ?
– Quelle est la qualité de notre relation d'une façon générale ?

4. Fiabilité et récupération
– Avons-nous été capables de tenir les délais ?
– Est-ce que nous avons traité les problèmes de notre relation d'une façon
   ouverte et rapidement ?

5. Résultat global
– Comment évaluez-vous d'une façon globale votre expérience avec nous ?
– Est-ce que vous pensez travailler avec nous de nouveau et pour quel type de mission ?
– Que devrions-nous faire différemment pour mieux vous servir ?

Figure 14.9. Échantillon de questionnaire destiné au client.

Une analyse globale du portefeuille des clients peut permettre également à la société de mesurer l'évolution du chiffre d'affaires par client en fonction de la qualité de la relation et de sa durée, comme le montre la Figure 14.10.

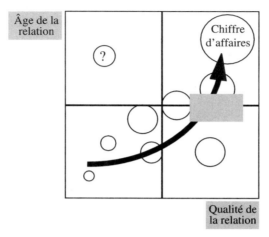

La taille des bulles est proportionnelle
aux facturations cumulées d'un client spécifique.

Figure 14.10. Analyse du portefeuille des clients.

La mesure de la qualité du service devrait entraîner une amélioration continue non seulement des méthodes et du professionnalisme, mais également du processus de délivrance de la prestation : comment être plus accessible, comment rendre les réunions et les comptes-rendus plus efficaces et plus valables, comment améliorer le travail de documentation, comment mieux impliquer les clients et les aider à mieux utiliser les recommandations.

Regardons à présent de l'autre côté du triangle des services, le côté du personnel et non plus du client. L'évaluation des professionnels est un processus également très complexe, car il faut tenir compte de multiples aspects : le processus de consultation et les résultats obtenus, ainsi que l'organisation de la mission et la maîtrise budgétaire, l'épanouissement professionnel des consultants concernés, ainsi que leur participation au marketing et à la vente, leur participation à la gestion interne (recrutement, formation, accompagnement des nouveaux venus, communication).

3. LES INTERMÉDIAIRES OU COURTIERS

Les services d'intermédiation ont pour objet de faciliter les transactions entre deux parties : un acheteur et un vendeur, un candidat et un employeur. On peut citer le cas des agences de voyages, des cabinets de recrutement, des agences immobilières, des sociétés de bourse et même des agences matrimoniales. Replacé sur le triangle des services, le courtier est un professionnel en contact simultané avec deux clients (Figure 14.11.).

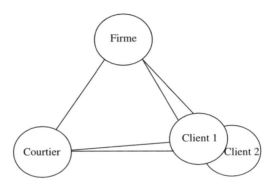

Figure 14.11. Triangle des services pour un courtier.

Les intermédiaires, facilitateurs ou courtiers existent pour au moins trois raisons. La première est qu'ils constituent un vecteur d'échange d'information entre les deux parties, la seconde est qu'ils donnent des avis ou des conseils et la troisième est qu'ils offrent leur assistance pour réaliser la transaction et gérer les détails administratifs.

4. LE POSITIONNEMENT DU SERVICE SUR LA MATRICE D'INTENSITÉ DE SERVICE

Au fur et à mesure que le service d'intermédiation se standardise, l'intensité de contact avec le client tend à se réduire avec un plus grand recours aux nouvelles technologies de l'information et de la communication. Cette évolution constitue une véritable menace pour les entreprises d'intermédiation déjà installées qui sont surtout fondées sur l'échange d'informations et la gestion administrative de la transaction. Pour survivre, elles doivent développer leur rôle de conseil, soit en établissant une interaction plus intense avec leurs clients, soit en ayant recours à des systèmes experts pour mieux utiliser l'information disponible.

Les courtiers peuvent ainsi accroître leur expertise en donnant des conseils plus sophistiqués, en utilisant des informations constamment actualisées et des logiciels qui analysent les bases de données pour dégager les tendances du marché ou publier des listes de propositions réalistes correspondant aux souhaits du client.

Comme on peut le voir dans la Figure 14.12., la position dans la partie supérieure droite de la matrice n'est pas viable.

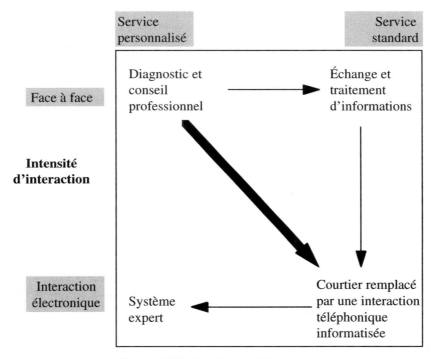

Figure 14.12. Optimisation de la matrice.

5. L'EXEMPLE DE McKESSON

McKesson est un grossiste qui sert d'intermédiaire entre fournisseurs et pharmaciens pour la distribution de médicaments et de produits de soins. Bien que depuis quelques années, ses marges de grossiste se soient effondrées en raison du recours accru à l'informatique, la compagnie a réussi à survivre en proposant des services sophistiqués et du conseil aux deux parties, comme on peut le voir sur la Figure 14.13.

Figure 14.13. L'exemple de McKesson.

6. LES DÉFIS

Tant que la société d'intermédiation reste dans le domaine du conseil, elle se trouve confrontée aux mêmes problèmes que les services professionnels que nous avons étudiés. La seule différence vient de ce qu'elle doit proposer un bon service à deux clients au lieu d'un seul.

C'est ce qu'illustre le double cycle d'activité de la Figure 14.14. pour un cabinet de recrutement de cadres. La productivité du service peut se mesurer par le rapport entre le nombre de dossiers présentés ou d'entretiens réalisés et le nombre de postes pourvus.

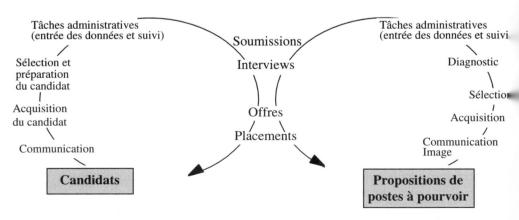

Figure 14.14. Double cycle d'activité pour un cabinet de recrutement de cadres.

CONCLUSION

Dans le cas des services professionnels, les concepts et méthodes que nous avons présentés tout au long des chapitres précédents prennent toute leur valeur. Dans cette catégorie extrême de services « purs », plus qu'ailleurs, nous butons sur les problèmes de productivité, de mesure de la qualité de service, d'adéquation entre demande et capacité, ou d'optimisation des ressources humaines.

Finalement, les professionnels n'ont pas beaucoup de choix pour réussir. Ils peuvent augmenter leurs tarifs en relevant leur niveau de service et en choisissant soigneusement leurs clients. Ils peuvent élargir la gamme des services qu'ils offrent à ces mêmes clients. Ils doivent utiliser au mieux leurs ressources humaines par une bonne organisation du travail d'équipe (effet de levier, partage du savoir, affectation des missions) pour les prestations facturées, mais ils doivent également investir au mieux leur temps non facturé pour développer des approches innovantes ou ouvrir de nouveaux marchés.

N'oublions pas que les professionnels n'ont pas besoin d'être motivés. Ils ont souvent l'argent, le prestige ou le titre. Ce dont ils ont besoin, c'est d'être dans un climat propice qui leur permette de réaliser leurs ambitions, de développer leurs compétences et de prendre du plaisir à ce qu'ils font. Là, plus qu'ailleurs, le management doit jouer un rôle d'entraînement et non de contrôle et ce sera d'autant plus facile que des indicateurs de résultat existent et sont bien visibles.

Dans un contexte dynamique et concurrentiel, ces problèmes ne sont jamais complètement résolus, mais il est important de tenter de suivre une méthodologie systématique qui établisse une proposition de valeur et une formulation cohérentes pour aborder ensuite la maîtrise de la prestation.

CINQUIÈME PARTIE

L Le futur est déjà là

Chapitre 15

LES NOUVELLES TECHNOLOGIES DANS LES SERVICES

L'innovation et les nouvelles technologies sont-elles en mesure d'améliorer la productivité et de fournir un avantage concurrentiel dans les services, comme cela a été le cas dans l'industrie ? Avant de répondre à cette question, nous devons revenir à notre distinction entre avant-scène et arrière-scène.

Les nouvelles technologies ont été abondamment utilisées dans les activités de transformation traditionnelles : elles ont été au cœur de l'industrialisation et des gains de productivité grâce à la standardisation et à l'automatisation. Par la suite, elles ont accompagné les nouvelles missions de la production : qualité du produit, rapidité de livraison et finalement flexibilité – flexibilité de l'usine pour s'adapter à la personnalisation croissante de l'offre, flexibilité de l'arrière-scène pour s'aligner sur la variété des demandes des clients.

L'automatisation, la robotique, la conception assistée par ordinateur ou le traitement informatique des données peuvent être utilisés dans n'importe quelle activité de transformation à l'arrière, dans l'industrie comme dans le secteur des services. Toutefois, dans ce dernier cas, l'informatique joue un rôle central parce que l'on transforme et traite essentiellement de l'information. Mais, n'oublions pas que l'information est une matière première comme une autre. Dans ce chapitre toutefois, nous nous cantonnerons à l'introduction des nouvelles technologies dans l'avant-scène et nous verrons comment elles préfigurent les services de l'avenir.

La première chose dont il faut se souvenir, c'est que dans l'interface, le « produit » ou le résultat ne peut être dissocié du processus de délivrance. Comme nous l'avons déjà exprimé, le produit est le processus et le processus est le produit. Alors que, lors de la transformation à l'arrière, le produit est d'abord conçu, puis industrialisé selon un processus spécifique indépendant (atelier, chaîne de production ou flux continu). Ainsi, c'est souvent le développement de nouveaux processus qui donne naissance à de nouveaux services. C'est le réseau Internet qui a permis la multiplication des services associés et ce sont les nouveaux équipements qui ont permis le développement des services « minute », tels que la reproduction immédiate des clés ou le développement rapide de photos. En gardant cela présent à l'esprit, voyons les nouvelles technologies qui vont permettre de répondre aux défis et spécificités auxquels nous sommes traditionnellement confrontés dans l'avant-scène : le client est unique et présent. Il veut toujours plus en payant moins !

Le chapitre s'articulera autour des points suivants.

1. Focaliser la communication et développer un marketing individualisé

Comment passer d'une communication de masse qui arrose le marché de façon indifférenciée à une communication très ciblée ? Comment passer d'une relation relativement stéréotypée à une relation plus intime avec des clients choisis ?

2. Accroître la base de clients

Comment dépasser la nécessité de la présence physique du client ? Comment étendre la clientèle au-delà des limites géographiques traditionnelles ? Comment communiquer, établir des relations avec une base de clientèle plus large, comment offrir des services spécifiques tout en bénéficiant d'économies d'échelle et d'une meilleure utilisation des capacités à l'arrière ?

3. Réaliser des économies d'élargissement

Les économies d'échelle ne sont possibles dans l'interface que dans quelques cas particuliers : les transports de masse (avions, trains), la communication ou la formation de masse. La limitation majeure vient de ce que chaque client est différent et n'apprécie pas d'être traité de façon standard. L'alternative est donc de réaliser des économies d'élargissement en vendant plus de services au même client, ce qui devient plus facile au fur et à mesure que disparaissent les barrières traditionnelles entre secteurs. Pensez, par exemple, à la façon dont les nouvelles technologies ont bouleversé les secteurs du divertissement, de l'édition et de la communication et les ont rapprochés.

4. Améliorer la prestation de service

Les nouvelles technologies peuvent agir à chaque moment de vérité sur le cycle d'activité du client pour mieux réponde à ses besoins.

5. Améliorer l'efficacité du personnel de contact

Les nouvelles technologies peuvent permettre de faire remonter certaines activités de l'arrière vers l'avant, tout en aidant le personnel de contact à être plus efficace et le client à mieux participer.

6. Améliorer l'efficacité du processus de délivrance et de coproduction du client

Les nouvelles technologies peuvent permettre d'abaisser les coûts en maîtrisant et réduisant la durée de l'interaction et en sollicitant davantage la participation du client. Elles permettent également de mieux équilibrer la demande et l'offre en analysant et en déplaçant la demande, ou en rendant la capacité plus flexible et plus accessible.

7. Aligner les processus de support

N'oublions pas que l'un des défis majeurs est d'aligner les opérations et le travail réalisé à l'arrière sur le client. Il est donc essentiel de développer et d'améliorer les processus transversaux de support et on retrouve le fameux mouvement dit de « re-engineering » ou de reconfiguration des processus administratifs ou de support basés sur les nouvelles technologies informatiques.

Passons en revue successivement ces sept points.

1. FOCALISER LA COMMUNICATION ET DÉVELOPPER UN MARKETING INDIVIDUALISÉ

Les nouvelles technologies informatiques permettent de traiter les données accumulées sur les clients pour passer d'une communication indifférenciée de masse à des messages bien ciblés sur des catégories étroites de clients, ou même à une information individualisée, et ceci à un coût relativement faible comparé aux énormes investissements dans les médias traditionnels dont l'impact est d'autant moins efficace que le service est plus intangible.

La publicité et la communication sur Internet, par exemple, se sont considérablement développées, même si beaucoup de professionnels ne pensent pas que ce mode de communication puisse avoir le même attrait que la presse ou l'affichage. On peut cependant imaginer l'impact d'une page de publicité qui tienne compte de la localisation et des intérêts de professionnels jeunes et à l'aise avec les techniques informatiques, page qui pourrait évoluer au cours de la journée.

Au-delà de la communication, il est possible de développer une relation personnalisée avec des clients sélectionnés selon des critères d'usage, de préférence ou de profitabilité.

Internet peut permettre de focaliser davantage le marketing direct en réduisant le segment de clientèle visé jusqu'à l'individu. Quand ce dernier visite un site, il peut être accueilli par un bonjour suivi de son nom. Il peut recevoir alors des suggestions de produits ou des offres de services en ligne avec son style de vie ou ses intérêts déterminés par ses achats précédents.

On pourra ainsi individualiser le traitement standard des clients d'une agence bancaire en donnant accès aux employés à une information régulièrement tenue à jour qui leur permettra de professionnaliser leur fonction commerciale.

Avec la connaissance du lieu de résidence, de la profession, de l'âge, du revenu, du patrimoine, du type de comptes, du profil de risque, des placements, des intérêts actuels et futurs, la banque peut répondre avec une information ciblée et des offres de service et de conseil bien spécifiques.

De même, les compagnies aériennes suivent dans le détail les modes habituels de voyage de leurs meilleurs clients. Elles peuvent ajuster leurs services à des segments étroits et bien délimités, ou même à des clients uniques. Par exemple, un centre d'appel peut identifier automatiquement un client à partir du numéro d'appel et lui donner, ou non, la priorité, ou un avantage particulier.

2. ACCROÎTRE LA BASE DE CLIENTS

L'utilisation des liaisons téléphoniques et des réseaux électroniques permet de remplacer la présence physique du client par un lien électronique. Les supports d'information (câbles coaxiaux, fibres optiques) et les serveurs reliant téléphones et ordinateurs se substituent aux bâtiments construits en dur. Ces réseaux permettent d'atteindre des marchés hors de portée des forces de vente ou des campagnes de publicité traditionnelles.

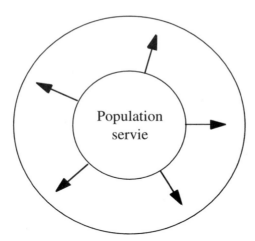

Figure 15.1. Accroître la base de clients.

Bien que cette solution conduise à diminuer l'intensité de l'interaction en remplaçant le contact face à face par un contact virtuel, elle offre l'avantage manifeste d'effacer les contraintes géographiques et les barrières traditionnelles d'entrée, à savoir la nécessité d'investir dans des réseaux de distribution ou des agences. Le réseau électronique devient alors le support d'un marché virtuel directement accessible qui a besoin de moins d'intermédiaires.

La liaison électronique peut se révéler plus facile d'accès et d'utilisation, plus riche en information, moins impliquante et moins chère. Cette liaison ne connaît pas les frontières et permet de distribuer les services et produits associés au niveau mondial.

Bien que les possibilités de transmettre de l'information et de réaliser des transactions entre différents pays soient encore limitées par les réglementations locales et les inquiétudes sur la sécurisation du système, il est vraisemblable qu'Internet va bouleverser la dynamique du commerce international en offrant aux petites sociétés un accès plus facile au marché global et en mettant à la disposition des consommateurs une gamme élargie de produits et de services. Ce sera d'autant plus facile que le « produit-service » sera digital : transactions financières et bancaires, assurance, logiciels, spectacles, informations radiotélévisées, voyages ou réservations aériennes, et ainsi de suite. Lorsque la transaction implique la livraison d'un bien physique, par contre, le fournisseur devra mettre en place un accord ou une alliance avec une compagnie de transport. C'est le cas des livres et des disques, des ordinateurs ou des vêtements. Donnons quelques exemples.

Un premier exemple : l'application des nouvelles technologies au domaine de l'assurance

Soumis à la pression constante de la concurrence globale d'un marché en perpétuelle évolution, le secteur de l'assurance a connu un bouleversement considérable qui a entraîné une réduction des coûts et une amélioration du service à la clientèle.

Ce faisant, la technologie a surtout influencé les domaines de la distribution et des ventes. La montée en puissance des ordinateurs portables et des bases de données relationnelles a donné naissance à un nouveau type de compagnies d'assurance : l'assurance directe. Ces compagnies vendent de l'assurance « personnalisée de masse » au téléphone, à l'aide d'ordinateurs qui conçoivent la police instantanément en ligne. Les prospects appellent la compagnie, répondent à une série de questions. Un devis personnalisé leur est alors communiqué qu'ils règlent au moyen de leur carte de crédit. Le lendemain matin, le contrat qu'ils ont souscrit est livré à leur domicile. La compagnie d'assurance n'a plus besoin de cabinets, de courtiers ou d'agents : elle est en contact direct avec le client au moment de la vente. Elle peut à la fois maîtriser la qualité et influencer ce qu'achète le client.

Les courtiers peuvent survivre en développant une information et un conseil personnalisés. Le recours à des ordinateurs portables face à leurs clients leur permet de proposer différents types d'assurance provenant de différentes sources et de conclure la transaction sur place.

Un deuxième exemple : la banque sans agences

En 1989, la banque Midland, alors la quatrième banque britannique avec 2 000 agences, a créé un nouveau type de banque qui fonctionne à partir d'un seul centre, vingt-quatre heures sur vingt-quatre, 365 jours par an. L'idée de base est d'offrir par téléphone tous les services d'une banque traditionnelle. Le traitement à l'arrière se fait dans un centre excentré peu onéreux, alors que l'avant-scène n'est plus l'agence, mais le domicile ou le bureau du client. De nouvelles procédures ont été établies pour traiter la plupart des transactions par téléphone et les clients retirent ou déposent leur argent par le biais du réseau électronique de guichets automatiques de la Midland. Ils peuvent également obtenir des renseignements de n'importe quel opérateur téléphonique, les demandes pouvant être transférées sans que le client n'ait à répéter ses questions.

Le succès de la formule (650 000 clients en 1996) prouve qu'il y a un réel besoin d'un service à domicile pour des clients qui souhaitent se déplacer le moins possible à leur agence.

Les banques en ligne essaient d'aller plus loin en combinant les avantages de la banque traditionnelle (forte personnalisation) avec les avantages de la liaison électronique (accessibilité, rapidité, facilité, faible coût). L'interface informatique permet de manipuler une information plus sophistiquée et d'obtenir une plus grande participation du client, d'où la possibilité de traiter les services traditionnels de façon plus personnalisée, mais aussi d'offrir en plus des produits financiers sophistiqués, des outils de prévision et de gestion de trésorerie et ainsi de suite.

Si l'on positionne ces deux formules sur la matrice d'intensité de service (Figure 15.2.), on y voit l'intérêt et l'avenir des banques en ligne.

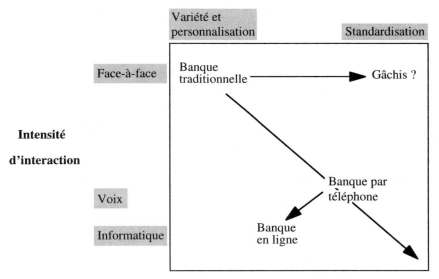

Figure 15.2. Intérêt et avenir des banques en ligne selon la matrice d'intensité de services.

L'accessibilité, la facilité d'utilisation et la personnalisation du processus de délivrance vont remplacer la qualité, la prise en charge du face-à-face à des coûts considérablement plus faibles.

Si une transaction par Internet coût 1, une transaction par guichet automatique coûte 30 fois plus, une transaction par téléphone 50 fois plus et une transaction au guichet d'une agence 100 fois plus. Gérer une facture par papier peut coûter 15 à 20 francs, sans compter le temps perdu et le prix du timbre. L'avenir est donc la transmission électronique de la facture et l'autorisation de paiement électronique par la banque.

Un troisième exemple : les agences de voyage sur Internet

Le développement des nouvelles technologies est en train de compromettre l'avenir des agences de voyage, autrefois intermédiaires indispensables, à un moment où elles sont également touchées par les efforts des compagnies aériennes pour réduire leurs coûts. Elles vont être plus facilement court-circuitées par le réseau Internet et par des logiciels intelligents qui prendront en compte les préférences des utilisateurs. Une agence de voyages sur Internet peut recueillir à très bas coût une très grande quantité de données sur les habitudes de voyages de ses clients, sur leur pouvoir d'achat et leurs destinations préférées. A l'aide de ces données, elle peut personnaliser offres et promotions, choisir les clients les plus rentables et s'assurer de leur fidélité en leur procurant conseils ou avantages divers.

Les agences de voyage traditionnelles, à l'instar d'autres intermédiaires, devront donc se concentrer sur l'avantage du face-à-face en développant la qualité de leur relation et les conseils, tout en utilisant les formidables possibilités offertes par les nouvelles technologies pour étendre leur champ d'action et personnaliser leur service.

Un quatrième exemple : la distribution de biens et de services

Internet s'est imposé comme réseau commercial permettant aux entreprises d'accéder directement au marché global. En 1995, le commerce électronique était encore embryonnaire générant un chiffre d'affaires d'environ 2 milliards et demi de francs par rapport aux presque trois cents milliards de francs de la vente par correspondance et aux quinze milliards du télé-achat. Mais le commerce électronique se développe rapidement pour les logiciels, les ordinateurs, les livres, la musique, la vidéo, l'équipement électronique, les vêtements ou les billets de théâtre. Et ce n'est pas très étonnant au regard des avantages qu'il offre : un contact direct court-circuitant la distribution traditionnelle, la rapidité d'accès et la facilité de la transaction multimédia, l'occasion de tester des logiciels, de recevoir des échantillons (de musique, de films, de livres), la livraison immédiate pour les produits digitaux et parfois l'interactivité (information complémentaire et commentaires).

3. RÉALISER DES ÉCONOMIES D'ÉLARGISSEMENT

Dans la mesure où il est difficile de réaliser des économies d'échelle dans l'interface, la meilleure stratégie pour accroître le chiffre d'affaires est de vendre davantage de services au même client. Cela permet des économies d'élargissement et des économies de relation. Cette stratégie est d'autant plus efficace qu'elle peut déboucher sur des économies d'échelle et une optimisation de la capacité dans les opérations de l'arrière.

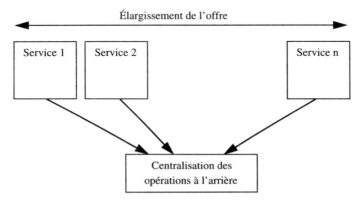

Figure 15.3. Multiplication des services au même client.

Les nouvelles technologies permettent de fournir une gamme de services beaucoup plus large sans accroître sensiblement les coûts, d'autant plus facilement que les barrières entre les secteurs ont tendance à devenir plus floues, voire à disparaître. C'est ainsi que les supermarchés vendent à présent des produits d'assurance, des forfaits voyage, des services financiers ou des cartes de crédit, alors que les institutions financières comme les banques et les compagnies d'assurance ont élargi leurs offres au point de devenir pratiquement interchangeables.

La vente croisée assure une meilleure position lorsque certains coûts peuvent être partagés par différents services. Les informations recueillies à l'occasion d'une hypothèque peuvent ainsi être utilisées pour proposer d'autres produits financiers. Lorsqu'un client déménage, l'information provenant de sa demande d'hypothèque (revenu, historique d'endettement, investissement) peut servir à lui proposer un compte-chèque, un compte d'épargne ou tout autre service financier connexe. Les agences de voyages collaborent avec les compagnies aériennes, les loueurs de voitures et les hôtels pour vendre des voyages en utilisant le même système électronique de réservation et de billetterie. C'est tout l'avantage d'un partenariat bien compris.

Regardons, sur un exemple précis, comment développer cette stratégie d'élargissement, nous dirons même d'encerclement. Voyons dans quelle mesure il est possible d'offrir un service complet à un vacancier dans une station de ski grâce un système d'information intégré comme l'illustre la Figure 15.4. Dès que les besoins, les compétences, les préoccupations ou les préférences d'un client ont été saisis, ils n'ont plus à être répétés à chaque étape. Les clients n'ont plus à patienter dans des files d'attente ou à remplir des formulaires multiples. La réservation a été faite avec leur moniteur préféré et le magasin de location d'équipement connaît leur pointure ! Cette information s'est accumulée au cours du séjour du client à peu de frais et il peut revenir à sa station préférée, skier et s'amuser sans souci.

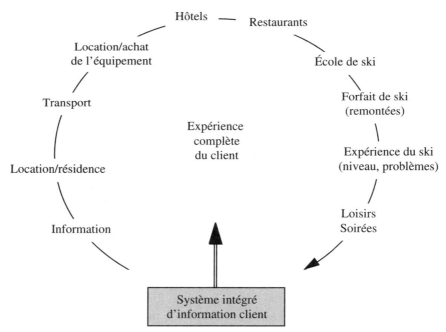

Figure 15.4. Système intégré d'information client.

4. AMÉLIORER LA PRESTATION DE SERVICE

Les nouvelles technologies vont accompagner le client tout au long de son parcours pour améliorer la prestation à chaque moment de vérité au moindre coût. Reprenons les différentes étapes du cycle d'activité que nous avons représentées sur la Figure 15.5.

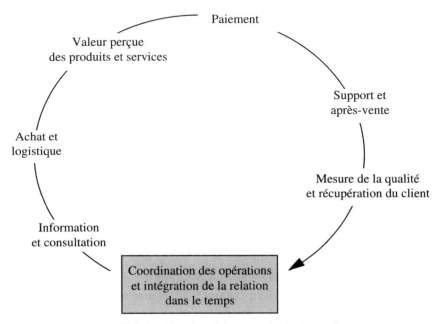

Figure 15.5. Amélioration de la prestation à chaque étape.

4.1. Une information plus accessible et plus complète

Qu'ils fassent leurs achats directement en ligne ou qu'ils achètent dans un magasin ou dans une agence le produit ou le service qu'ils désirent, les clients vont trouver sur un réseau comme Internet une source considérable d'information qui va les aider à focaliser leur recherche.

Par exemple, l'achat d'une voiture demande de choisir la marque, les performances, les options, les accessoires, le financement, l'assurance et de négocier le prix. Il faut donc passer pas mal de temps à faire ces recherches (ce qui peut représenter une partie du plaisir) avant d'aller voir un concessionnaire avec souvent des informations incomplètes.

Un service comme Auto-By-Tel sur Internet peut changer cette dynamique d'achat en procurant une information régulièrement mise à jour sur tous les modèles et options possibles, sans pour autant compléter la transaction. Le client sera transféré au concessionnaire le plus proche du réseau, qui en relie plusieurs milliers. En moins de 24 heures, ce dernier contactera le client avec un prix ferme.

Quant aux coûts de vente et de marketing, ils sont naturellement plus faibles. Un vendeur peut traiter un certain nombre de clients par visite ou contact téléphonique. Le marketing direct peut augmenter ce nombre de contacts mais, en localisant la fonction vente dans un serveur électronique, on peut en multiplier le nombre à un coût supplémentaire très faible. Il en est de même des catalogues ou de la publicité.

4.2. Une coordination des achats et de la logistique

Plus encore que lors de la vente au consommateur final, les nouvelles technologies d'échange électronique des données (EDI, Electronic Data Interchange) permettent aux entreprises de communiquer via des réseaux publics comme Internet ou des réseaux privés du type Intranet ou Extranet. Il est clair que la coordination des achats et de la logistique dans les chaînes d'approvisionnement peut permettre non seulement une réduction importante des coûts, mais également une plus grande vitesse de réponse (et par là même des stocks plus faibles) et un meilleur service. Le service achat peut élargir sa recherche de fournisseurs, transmettre propositions, dessins, spécifications, approbation d'échantillons ou ordres d'achat, et réconcilier facture, livraison et paiement plus facilement.

Par exemple, grâce aux programmes informatiques d'échange des données avec ses fournisseurs et les compagnies aériennes, la société Boeing peut gérer en temps réel la disponibilité des pièces de rechange, leur stockage, leur prix ou leur traçabilité.

4.3. Amplifier la valeur perçue

Les nouvelles technologies permettent de jouer sur tous les aspects du service proprement dit.

• **Variété**

Une jardinerie virtuelle peut offrir une sélection de plusieurs milliers de semences, plantes, équipements ou outils provenant du monde entier en donnant la possibilité au client de dessiner le jardin de son rêve et en lui permettant d'accéder à des sources d'information multiples, à un club de discussion ou à un numéro vert.

La plus grande chaîne de livres peut stocker une centaine de milliers de livres, par contre certains services sur Internet peuvent proposer plusieurs millions de titres, des livres épuisés, des éditions rares ou des publications étrangères. Mieux encore, le lecteur peut être guidé par des outils de recherche perfectionnés.

• Personnalisation

Le grand avantage de l'informatique est de permettre d'individualiser l'offre. Par exemple, le lecteur d'un journal peut sélectionner les seules informations qui l'intéressent et qui lui seront transmises sur des pages personnalisées accessibles sur son ordinateur. Il pourra lire ou éventuellement imprimer ce qui l'intéresse. Notons que le coût de cette personnalisation est très faible car, une fois l'information créée et stockée, elle peut être sélectionnée et distribuée facilement sans limite de nombre de clients ou de géographie.

• Facilité et rapidité d'accès

La facilité d'accès est la première raison d'achat en ligne. C'est un gain de temps, de déplacement, d'effort et de non-attente au téléphone ou dans une queue. Cette facilité d'accès ne peut que se développer avec des outils de traitement et de recherche plus sophistiqués ou l'accroissement des largeurs de bandes de fréquence offertes qui permettent la transmission d'images en trois dimensions de l'objet ou de la pièce dans laquelle le meuble que l'on veut acheter va se positionner.

4.4. Les services de support et d'après-vente

En mettant à la disposition des clients des banques de données décrivant les produits et services, leurs caractéristiques techniques et d'utilisation, ou en automatisant les réponses aux questions qui sont posées régulièrement, il est possible de libérer le personnel d'après-vente pour des tâches ou des traitements plus complexes. Ainsi, la société Dell économise des millions de dollars grâce à son service d'après-vente et de support technique sur Internet.

De même, les sociétés de transport rapide permettent maintenant à leurs clients d'accéder à leurs systèmes informatiques internes qui peuvent régulièrement indiquer où se trouve le colis.

4.5. La mesure de la qualité et la récupération du client

En permettant de recueillir rapidement les réactions des clients et en accélérant l'efficacité de leur récupération en cas de problème, l'informatique est d'un très grand secours dans le domaine de la qualité de service.

La télé-surveillance centralisée des installations et du matériel d'un client peut grandement améliorer la fiabilité de la prestation. L'analyse des données accumulées peut faciliter le suivi et servir à prendre des mesures correctives ou préventives.

A la réception des hôtels Fairfield Inn, deux terminaux informatiques permettent aux clients qui quittent l'hôtel de noter la qualité de leur séjour et des services qu'ils ont utilisés. Ils donnent leur opinion sur six critères en choisissant trois niveaux : excellent, moyen et médiocre. Cette information est alors immédiatement traitée et restituée aux employés.

Nous avons déjà évoqué le cas du système informatisé CARESS d'analyse et de fidélisation de la clientèle utilisé par British Airways pour récupérer ses clients. Toutes les informations sur les réclamations des clients sont saisies et enregistrées dans une base de données spécifique. Les représentants du service aux consommateurs y ont immédiatement accès ; ils peuvent ainsi lire le courrier d'un client sur un écran, tout en récupérant les informations commerciales de ce client sur un autre écran.

4.6. La coordination des opérations

Le fractionnement des opérations dans l'interface tient à la spécialisation des tâches. Même une simple radiographie comprend plusieurs étapes et le personnel de contact passe beaucoup de temps à l'ordonnancement et à la coordination des activités.

Un patient qui passe quatre jours à l'hôpital peut avoir affaire à 50 interlocuteurs différents. Aussi, pour simplifier les opérations et améliorer le confort des patients, certains hôpitaux affectent maintenant une infirmière à la coordination de l'ensemble du traitement du patient (tests, rendez-vous, séjour, etc.).

Le défi est le même pour le transport d'un colis qui doit passer par plusieurs mains avant d'atteindre sa destination finale. Le système informatique Cosmos a procuré un avantage concurrentiel considérable à Federal Express. Le colis est suivi à la trace par lecture optique à chaque changement de mains et cette information centralisée est au moins aussi importante que le transport proprement dit pour rassurer un client inquiet.

4.7. L'intégration de la relation dans le temps

L'informatique peut procurer un avantage concurrentiel majeur en permettant de recueillir et d'accumuler des informations sur le client (adresse, niveau de solvabilité, structure d'achats, historique de la relation). Cette mine d'informations peut être mise à profit pour améliorer la qualité de la relation avec le client et le fidéliser.

Par exemple, les hôtels Ritz Carlton disposent de deux systèmes d'information : le système « Covia » qui contrôle le service centralisé de réservation internationale et le système « Encore » qui garde trace des réservations, des préférences des clients et de leur historique. Cette information est régulièrement mise à jour, en particulier chaque fois que ces derniers émettent des commentaires sur le service et les dysfonctionnements rencontrés.

Les ascenseurs Otis accumulent pour chacun de leurs équipements des informations détaillées qu'ils utilisent pour assurer la maintenance préventive et réparer les pannes plus rapidement.

Grâce à sa longue expérience et à sa base de données couvrant des millions d'appareils et d'équipements, Service Master, un des leaders de l'industrie du nettoyage aux États-Unis, peut se permettre de baisser ses prix car il sait exactement comment se comporte chaque équipement, quand procéder à l'entretien et quand le remplacer.

5. AMÉLIORER L'EFFICACITÉ DU PERSONNEL DE CONTACT

Les nouvelles technologies peuvent servir à automatiser les opérations de routine, ce qui permet au personnel de se concentrer sur les tâches à plus forte valeur ajoutée et de développer la relation commerciale avec les clients.

Il est également possible de donner davantage de pouvoir et de responsabilité au personnel de contact en lui procurant de meilleures informations et l'accès à des systèmes d'aide à la décision. Les guichetiers de banque disposent à présent de terminaux qui accélèrent et simplifient les transactions et leur permettent d'explorer de nouvelles solutions de financement.

La tâche des commerciaux est grandement facilitée par des systèmes d'appels automatisés, qui repèrent les numéros occupés et qui renouvellent les appels ultérieurement. Ces derniers peuvent avoir accès, à partir de leurs terminaux, à l'historique complet du client et à des modèles type de cour-

- Automatisation des
  opérations de routine

- Systèmes d'aide à la
  décision

- Formation

- Bases de données

- Partage du savoir

- Transfert d'opérations de
  l'arrière vers l'interface

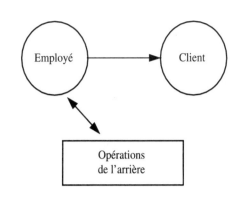

Figure 15.6. Améliorer l'efficacité du personnel de contact.

rier, de contrat ou de proposition. Leur ordinateur portable doté de logiciels de présentation et d'aide à la décision reliés à la base arrière leur permet de répondre immédiatement aux questions des clients et d'ajuster leur offre. Une fois la commande spécifiée, elle est transmise automatiquement.

L'informatique permet de transférer dans l'interface de nombreuses opérations traitées jusqu'ici à l'arrière. Que l'on songe seulement aux opérations financières ou d'assurance qui devaient autrefois être adressées par courrier à un centre de traitement pour évaluation, approbation ou rejet, ce qui pouvait entraîner de longs délais. Maintenant, des systèmes « experts » aident le personnel de contact à prendre une décision ou à résoudre un problème immédiatement, en communiquant éventuellement avec un expert en support à l'arrière lorsque le cas est complexe. Par exemple avec la télé-médecine, il est possible de transmettre les résultats d'un examen radiologique à un centre de neuro-chirurgie pour recevoir l'avis d'un expert avant de prendre la décision de transférer ou non un patient.

La formation peut s'effectuer maintenant à l'aide de vidéos et de présentations multimédia interactives. Cette formation est moins chère et plus souple : les stagiaires peuvent choisir le moment qui leur convient le mieux pour assurer leur formation.

Notons également le développement rapide de réseaux d'ordinateurs du type Intranet pour faciliter la communication interne, développer l'échange d'information et la diffusion des méthodes, rendre accessibles à tous les banques de données internes (clients, marchés, personnel). Ainsi, dans les sociétés de conseil, les rapports de mission des consultants peuvent être édités après avoir été expurgés de tous leurs éléments confidentiels, pour être stockés dans une base de données pour consultation interne.

Le prochain défi consistera à partager des informations moins structurées pour créer un nouveau savoir. Des données complexes, qu'elles soient techniques, stratégiques, juridiques ou médicales, pourraient ainsi être évaluées, interprétées, améliorées, synthétisées par les différents participants d'un « réseau du savoir ».

6. AMÉLIORER L'EFFICACITÉ DU PROCESSUS DE DÉLIVRANCE ET LA COPRODUCTION DU CLIENT

6.1. Automatisation et self-service

Les nouvelles technologies présentent l'avantage évident d'abaisser le coût de l'interaction en réduisant son intensité ou sa durée, en automatisant certaines activités, en incitant les clients à effectuer une partie du travail eux-mêmes ou en rendant possible le recours à un personnel moins qualifié.

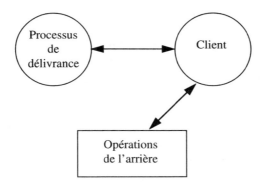

Figure 15.7. Améliorer le processus de délivrance et la coproduction du client.

Voyons quelques exemples :

– grâce à l'utilisation des scanners optiques, les chaînes de supermarchés peuvent réduire la durée du passage aux caisses,

– grâce à des systèmes gérés par le client, tels que le règlement de la note d'hôtel par le biais d'un système de télé-paiement dans la chambre, ou des mini-bars automatiques, les réceptions d'hôtel sont moins chargées et nécessitent moins d'effectifs,

– en renseignant ou en dépannant par téléphone, les services de maintenance peuvent éviter d'avoir à se déplacer chez le client. Ce dernier peut également obtenir plus de précisions ou accéder à un schéma sur Internet. Si cela ne lui suffit pas, un spécialiste lui parlera au téléphone en consultant la même page écran.

– le client peut préférer une relation automatisée ou informatisée à une interaction face-à-face. C'est le cas des guichets automatiques, du télé-achat ou des bornes multimédia. Qu'elles soient situées dans les commerces ou non, ces bornes permettent un service continu vingt-quatre heures sur vingt-quatre pour une gamme étendue de produits, tels que disques et cassettes vidéo. Conviviales, elles procurent un service rapide et peu impliquant ainsi que des renseignements ou des conseils pratiques.

6.2. Ajuster l'offre et la demande

Comme nous l'avons déjà vu, les nouvelles technologies permettent de résoudre l'un des problèmes les plus aigus de l'interface : comment maximiser l'utilisation des installations ?

Une société de service, qui analyse de plus près que ses concurrents l'information accumulée sur ses clients et qui a recours aux techniques de prévision et de segmentation, peut mieux dimensionner ses installations et améliorer son taux de remplissage.

Les systèmes de réservations stockent et actualisent un nombre considérable de données, par exemple, dans le cas de compagnies aériennes, les vols, les structures tarifaires, le nombre de sièges disponibles ou les réservations. Les systèmes de réservation informatisés, tels que Sabre, Amadeus ou Galilée, sont extrêmement complexes et peuvent traiter des milliers de transactions par seconde au travers d'un grand nombre de terminaux (170 000 terminaux internationaux sont ainsi connectés à Amadeus). Les créateurs de ces grands systèmes de réservation jouissent d'un énorme avantage sur leurs concurrents. Bien que les principaux prestataires se soient engagés à ne pas s'adonner à des pratiques déloyales, ils peuvent utiliser l'information accumulée pour mieux définir leurs services et se focaliser sur les meilleurs clients et améliorer le rendement de leurs équipements.

6.3. Mieux utiliser la capacité

Les systèmes informatiques permettent une meilleure utilisation des installations et du personnel. Ainsi, grâce aux équipements de communication par satellite installés sur leur camion, les routiers peuvent communiquer directement avec les expéditeurs et les tenir au courant de leur position et de leur niveau de chargement. Il en résulte une meilleure programmation, un meilleur service et un meilleur remplissage des camions. Les compagnies aériennes et ferroviaires ont recours aux mêmes méthodes pour assurer le suivi de la marchandise et optimiser les tournées.

L'affectation des équipes et des tâches est difficile dans les activités saisonnières, telles que les chaînes de restauration rapide. Les responsables peuvent recourir à des systèmes d'aide à la décision qui, sur la base de données historiques et d'estimations de la productivité potentielle de chaque employé, leur permettent d'estimer les effectifs dont ils auront besoin. Les débutants vont moins vite que les employés expérimentés et si deux implantations sont suffisamment proches, les responsables peuvent déplacer les employés d'une unité à l'autre en fonction de la demande.

L'automatisation et le self-service permettent d'étendre la capacité : les guichets automatiques ou les kiosques multimédia, par exemple, fonctionnent vingt-quatre heures sur vingt-quatre.

Chaque fois que la présence humaine peut être remplacée par un contact téléphonique, la capacité peut être facilement augmentée et utilisée de façon plus efficace en centralisant tous les appels sur un même lieu, comme c'est le cas pour le centre d'appels de Federal Express à Memphis.

7. ALIGNER LES PROCESSUS DE SUPPORT

Les économies d'échelle à l'arrière résultent souvent d'une standardisation des opérations qui entre en conflit avec la flexibilité requise par l'interface. L'informatique permet partiellement de réconcilier ces deux impératifs contradictoires en traitant rapidement, de façon économique, des masses de données et en introduisant une certaine flexibilité. Les nouvelles technologies permettent également de reconcevoir et de restructurer les processus transversaux afin d'en clarifier l'orientation-client. Les applications sont multiples dans tous les domaines : production, achats, gestion des ressources humaines, planification ou contrôle de gestion.

– Une analyse des ventes quotidiennes pour l'ensemble d'un réseau de magasins, par article, couleur, taille, modèle, peut se traduire en commandes transmises instantanément aux fournisseurs de par le monde pour répondre plus vite à la demande.

– Les systèmes informatiques peuvent aider à programmer les horaires des équipes de travail ou à préparer les évaluations du personnel.

– Des systèmes d'aide à la décision peuvent suivre l'utilisation des matières, vérifier les stocks par lecture optique et déclencher des réapprovisionnements automatiques.

CONCLUSION

Les nouvelles technologies présentent donc une multitude d'applications, mais leur plein impact ne pourra pas se faire sentir en se contentant d'applications ponctuelles, ici ou là. Pour en tirer pleinement profit, l'entreprise doit adopter une démarche intégrée : élargir la base géographique et la gamme de services, ajuster la demande et la capacité, lier les opérations, aligner l'avant-scène et l'arrière-scène et optimiser les performances du personnel et la relation client. La plupart des grandes sociétés ont du mal à organiser toutes les applications possibles en une stratégie cohérente. Et pourtant, c'est surtout en parvenant à réaliser cette intégration qu'elles seront en mesure de créer et de maintenir un avantage concurrentiel solide et durable.

Chapitre 16

LA CROISSANCE ET L'INTERNATIONALISATION DES SERVICES

1. LES STRATÉGIES DE CROISSANCE

Une fois le succès du service établi dans un site pilote, il faut rapidement le développer et le démultiplier pour conquérir la plus grande part de marché possible avant que les concurrents ne réagissent avec leurs propres projets ou en copiant le concept.
Trois types de stratégies de croissance s'offrent alors.

1.1. L'expansion multi-sites

La première consiste simplement à reproduire la formule à l'identique sur différents sites (Figure 16.1.).

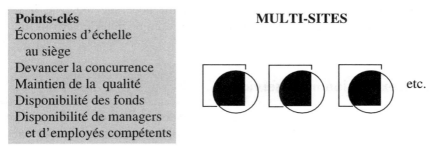

Points-clés
Économies d'échelle
au siège
Devancer la concurrence
Maintien de la qualité
Disponibilité des fonds
Disponibilité de managers
et d'employés compétents

MULTI-SITES

etc.

Figure 16.1. Première stratégie de croissance.

C'est d'autant plus facile que la formulation est simple et concise et qu'elle a déjà été testée. L'objectif est donc d'étendre la clientèle desservie en multipliant le nombre de sites pour atteindre une taille significative, construire une image forte et freiner la concurrence en s'emparant des meilleures implantations ou des meilleurs clients. McDonald's est l'un des meilleurs exemples de cette stratégie : en 1996, l'entreprise réalisait un chiffre d'affaires de plus de 30 milliards de dollars avec 20 000 restaurants dans 89 pays, un million de salariés et 40 millions de clients. La reproduction systématique de la formulation originelle (avec quelques variantes pour s'adapter aux conditions locales ou diversifier la gamme) a permis de considérables économies d'échelle en publicité, implantation des restaurants, formation ou achats. Aux États-Unis, McDonald's vend près de 10 % de la production de Coca-Cola et achète près de 10 % de la récolte de pommes de terre.

Pour un tel réseau multi-sites, McDonald's a besoin de gérants bien formés et compétents pour diriger chaque point de vente. Il lui faut également des systèmes d'information et de communication sophistiqués afin de coordonner et contrôler un aussi grand nombre d'implantations séparées.

En imposant des normes très strictes pour les opérations en cuisine et des procédures bien définies pour gérer l'interaction avec le client, McDonald's s'est assuré un niveau constant de qualité qui est essentiel pour son image de sécurité et d'excellence. Ces normes s'appuient sur des manuels de procédures détaillées et des équipements spécifiques. Elles sont apprises et intégrées grâce à la formation et à l'apprentissage sur le terrain. Elles sont maintenues et améliorées par le biais de procédures d'audit rigoureuses. On peut trouver de nombreux autres exemples dans l'hôtellerie, la maintenance, la distribution ou le commerce de détail. Dans ces secteurs, la franchise est souvent un moyen de croître rapidement sans requérir un investissement lourd en capital. Cette stratégie nécessite toutefois le recours à des opérateurs indépendants motivés, comme nous le verrons ultérieurement.

1.2. L'expansion multi-services

Une deuxième stratégie consiste à croître localement et à diversifier l'offre de façon à couvrir une gamme de plus en plus étendue des besoins des clients (Figure 16.2.).

C'est la stratégie retenue par les grands centres de soins et les hôpitaux, les universités, les parcs d'attraction ou les centres de vacances comme le Club Med. Dans la mesure où les services offerts sont plus intensifs et plus variés, la proximité des clients est moins importante car, compte tenu de

Points-clés
Taille
Complexité du message
Perte de focalisation
Taux d'utilisation
 de la capacité
Limite des économies d'échelle

MULTI-SERVICES

Figure 16.2. Deuxième stratégie de croissance.

l'importance du service, ils sont disposés à se déplacer et à passer un certain temps dans les lieux.

La diversification de l'offre peut se faire également par un réseau géographique de centres d'excellence qui se consacre chacun à un service spécifique. Le client se déplace alors d'un centre à l'autre en fonction de ses besoins (Figure 16.3.).

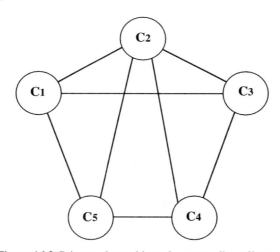

Figure 16.3. Réseau géographique de centres d'excellence.

Toutefois, cette stratégie comporte le risque de perdre de vue le cœur du service. La gestion des installations devient complexe et peut entraîner une utilisation médiocre de la capacité, des goulets d'étranglement, des files d'attente et un excès de travail administratif.

1.3. L'expansion multi-segments

La troisième stratégie consiste à couvrir différents segments du marché avec des propositions spécifiques qui peuvent être positionnées sur la matrice d'intensité de service, comme le montre la Figure 16.4.

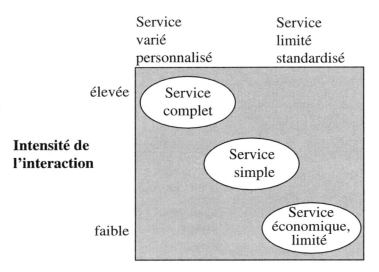

Figure 16.4. Troisième stratégie de croissance.

Dans cette stratégie, comme l'illustre l'exemple du groupe français Accor, il existe une évidente corrélation entre le prix moyen, l'intensité de l'interaction et le degré de personnalisation de l'offre (Figure 16.5.).

Les trois stratégies de croissance que nous venons de décrire sommairement peuvent se combiner entre elles. Il faut toutefois se montrer vigilant pour ne pas perdre en focalisation et déboucher sur des systèmes coûteux et complexes à gérer.

1.4. La franchise

La franchise met en relation une entreprise (le franchiseur) avec un franchisé auquel elle accorde le droit et la licence (franchise) de vendre le produit ou le service qu'elle a conçu. Le franchisé acquiert le local et l'équipement nécessaires et s'engage à gérer l'activité, à recruter et à faire de la publicité locale. Il acquitte au franchiseur une cotisation ou des *royalties* pour les services fournis et reçoit généralement en contrepartie le droit

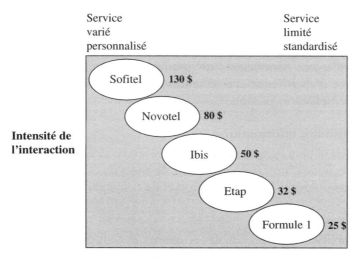

Figure 16.5. Exemple de groupe hôtelier Accor.

exclusif de distribuer le produit ou le service sur un marché ou un territoire spécifique. Le franchiseur impose un certain nombre de conditions concernant la prestation, les procédures de fonctionnement, le matériel (qui doit être acheté auprès de la centrale) ou les audits périodiques.

La franchise constitue un bon moyen de reproduire le service en attirant des investisseurs qui deviennent par la suite des propriétaires gérants indépendants, liés par un accord contractuel. Cette formule est le plus souvent utilisée pour les activités multi-sites, où les clients s'attendent à un niveau de service identique dans tous les points de vente.

1.4.1. Les avantages pour le franchisé

• Un concept éprouvé

La proposition de valeur, la formulation et le processus de délivrance ont été rodés et le franchiseur peut apporter les preuves du succès du concept en montrant ses résultats.

• Des économies d'échelle

Le coût du matériel et de l'installation est moins onéreux pour le franchisé puisque les achats sont effectués via la centrale.

• **De l'aide et des conseils**

Le franchiseur aide le franchisé à choisir et à mettre en place l'installation, l'agencement, le décor, les accessoires et les visuels. Le franchisé peut également bénéficier d'un soutien commercial et comptable, de l'échange d'expérience avec d'autres franchisés ou d'une comparaison avec les meilleures pratiques.

• **Une assistance informatique**

Le franchisé peut également recevoir une assistance plus spécifique sous forme de ligne d'urgence ou *hot line*, de bases de données, de fichiers de prospects ou de systèmes de gestion et de comptabilité.

• **Une formation**

Les franchiseurs fournissent des programmes de formation avec deux objectifs en vue : tout d'abord, préparer tous les franchisés à un fonctionnement dans les meilleures conditions, et ensuite garantir la cohérence entre les unités grâce à des procédures et à des systèmes communs.

• **Une marque et une publicité nationale**

La franchise bénéficie d'une notoriété plus rapide et avec un peu de chance, voit ses parts de marché se développer plus vite en s'appuyant sur une marque bien connue, soutenue par des campagnes de publicité sur un plan national, voire global.

• **Un soutien promotionnel et une aide opérationnelle au réseau**

Pour permettre au franchisé de développer son affaire, le franchiseur peut l'aider à négocier son bail ou obtenir l'autorisation de s'installer. Il peut organiser des réunions périodiques d'orientation ou des conventions. Il peut lui donner des conseils en merchandising, et ainsi de suite.

1.4.2. Les enjeux pour le franchiseur

Alternative à la croissance interne en toute propriété, la franchise implique pour le franchiseur de recruter, de faire évoluer et de former les franchisés. Les franchiseurs doivent soigneusement examiner les candidatures des propriétaires/investisseurs afin de sélectionner des individus motivés qui connaissent le métier. Ils doivent également exercer un certain contrôle grâce au suivi des résultats et à des audits réguliers. Quel niveau d'autonomie faut-il alors accorder aux franchisés ? La relation entre les deux parties doit être formalisée par un contrat qui définit clairement les éléments suivants :

- la fréquence des inspections des installations,
- le droit de fermer ou de racheter le point de vente en cas de non-conformité,
- la renégociation des cotisations ou des *royalties*,
- le partage des coûts pour améliorer les installations,
- le niveau de formation et de soutien,
- l'accord exclusif d'achat des fournitures auprès des sources choisies par le franchiseur,
- une clause au contrat prévoyant le cas où, en raison d'une croissance trop rapide, un franchisé constitue une menace pour les autres,
- la saturation du marché et les problèmes de territoires,
- la valeur de revente de la franchise.

Le franchiseur doit se garder de signer un contrat qui ne serait pas suffisamment spécifique ou contraignant ou qui comporterait de trop faibles *royalties*. Si la contribution du franchisé ne couvre pas la formation ou l'appui marketing, il y a un risque que ce dernier entre dans un cercle vicieux dangereux : une formation et un appui insuffisants entraînant une baisse de qualité de service, d'où une rentabilité plus faible qui le conduit à économiser davantage sur la formation et le soutien, et ainsi de suite.

2. L'INTERNATIONALISATION DES SERVICES

2.1. L'internationalisation

Les économistes sont nombreux à penser que les services offrent moins de possibilités d'être exportés que les biens. Les coiffeurs et les restaurateurs, soulignent-ils, ne peuvent être expédiés à l'étranger. Toutefois, une étude de l'OCDE montre qu'en fait une large proportion de l'ensemble des services est exportée. La Figure 16.6. liste les exportations et les importations de services dans les principaux pays industrialisés.

La Figure 16.7., quant à elle, montre que les services représentent une part importante des exportations et des importations totales du commerce international dans les principaux pays industrialisés.

La croissance du commerce international des services est essentiellement due à la part grandissante du transport et des voyages, au développement de services exportables tels que les services financiers et professionnels, aux progrès de l'informatique et à la libéralisation et à la déréglementation du commerce extérieur.

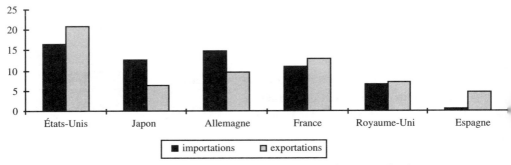

Source : OCDE - Services : Statistiques sur les Transactions Internationales.

Figure 16.6. Commerce international des services en pourcentage de l'ensemble des services en 1995.

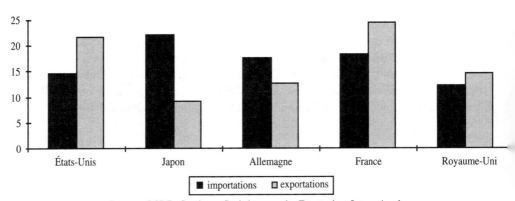

Source : OCDE - Services : Statistiques sur les Transactions Internationales.

Figure 16.7. Commerce international des services en pourcentage
des exportations-importations totales en 1995.

Le recours à la distinction entre avant-scène et arrière-scène se révèle fort utile pour identifier les services plus facilement exportables. Chaque fois que le face-à-face peut être remplacé par un contact téléphonique ou une transaction électronique, le service peut plus facilement franchir les frontières et voyager au loin. Selon la même logique, plus le service a une forte teneur en biens et en informations, plus il est facilement exportable comme c'est le cas pour les transports ou les télécommunications. Et lorsqu'un service est caractérisé par une forte interaction, la société qui détient le savoir-faire peut le céder sous forme de franchise ou de formation/conseil.

2.2. Les barrières juridiques et culturelles en avant-scène

Le développement international offre une formidable opportunité de croissance aux services. En excluant le tourisme, qui représente souvent la plus grosse part des services exportés, nous allons nous concentrer plutôt sur la vente de services au-delà des frontières.

L'internationalisation des services est difficile lorsqu'il s'agit de transférer une avant-scène caractérisée par une forte intensité d'interaction. De plus, les contraintes juridiques et les particularismes culturels jouent un rôle plus important dans ce cas que dans celui du commerce de marchandises fabriqués en usine.

Les barrières juridiques peuvent prendre des formes diverses, monopoles, lois ou réglementations, normes particulières régissant certaines professions telles que la médecine, la comptabilité ou le droit. Toutefois, la principale difficulté vient des barrières et des particularismes culturels. L'obstacle le plus évident est lié à la langue qui joue un rôle majeur à plusieurs niveaux, publicité, communication ou prestation. Des expressions non verbales comme le sourire, le froncement de sourcils, l'interruption, le ton de la voix, sont également difficiles à comprendre et facilement mal interprétées. Il peut aussi y avoir d'autres barrières culturelles à surmonter telles que les valeurs et les attitudes, les us et coutumes (l'habitude d'attendre, la politesse ou les perceptions esthétiques et la symbolique des couleurs).

2.3. Les modes d'accès aux marchés étrangers

L'investissement direct et le transfert de personnel à l'étranger sont coûteux et risqués. Les expatriés ont rarement l'expérience du pays et peuvent manquer de sensibilité culturelle. Aussi est-il préférable de collaborer avec un partenaire étranger dans le cadre d'une licence, d'une franchise, d'une « joint venture » ou de recruter des responsables locaux après le lancement.

Lorsque Carrefour a décidé de se lancer sur le marché taiwanais en 1987, la première chose qu'a faite le directeur général a été de rechercher un partenaire local, car il ne se sentait pas à l'aise dans ce pays si différent culturellement. Président, dixième compagnie taiwanaise et premier fabricant alimentaire, était, de son côté, à la recherche de points de vente pour écouler ses produits. Intéressée par une « joint venture », elle fut très heureuse d'en laisser la gestion à Carrefour. C'est ainsi que Carrefour est parvenu à adapter au marché local le concept qui lui avait si bien réussi en France.

Disney, qui s'est lancé en Europe sans l'aide de partenaires locaux, a eu les plus grandes difficultés à saisir l'hétérogénéité du marché européen et à s'adapte à la diversité des langues utilisées et au comportement des consommateurs. L'absence de partenaires locaux s'est également fait sentir dans les premiers jours de l'ouverture du parc Disney Paris, lorsque l'entreprise dut se battre pour apaiser les protestations contre son installation perçue par de nombreux Français comme une invasion de la culture américaine.

Lors de son ouverture, l'hôtel Mariott de Varsovie, bien que le fruit d'une « joint venture », fut entièrement géré par du personnel expatrié. Toutefois, cette décision était clairement motivée par la clientèle cible constituée d'hommes d'affaires et de touristes occidentaux qui s'attendaient à y trouver les normes internationales de qualité et de service. Mariott se fia essentiellement à ses pratiques et ses procédures standard et obtint un taux d'occupation et des prix bien plus élevés que ce qu'il avait prévu.

2.4. L'adaptation des services aux marchés locaux

Les changements à apporter pour adapter un service à un nouveau marché peuvent être plus ou moins importants. Le meilleur moyen d'y parvenir est d'utiliser notre méthode telle qu'elle a été présentée dans les chapitres 4, 5 et 7.

2.4.1. Carrefour à Taiwan

La proposition de valeur habituelle de Carrefour (toutes vos courses dans un seul lieu, une gamme étendue de produits, des prix compétitifs, un accès facile avec parking) a dû être adaptée à des conditions différentes : une urbanisation plus large, un plus petit rayon d'attraction de la clientèle et un panier moyen moins élevé. La formulation a été revue en conséquence : les magasins sont installés dans des bâtiments à deux niveaux construits sur des terrains loués et vendent davantage de produits locaux. Les chefs de rayons jouissent d'une plus grande autonomie et un effort particulier a été fait pour recruter, retenir et motiver le personnel. La formation, ainsi que le développement d'un style de gestion plus ouvert, a été prioritaire.

2.4.2. McDonald's au Japon

L'analyse peut être faite de façon plus systématique en passant en revue les différentes étapes de la procédure de façon à vérifier la cohérence des différents éléments. Prenons l'exemple de McDonald's au Japon. Son partenaire local, qui n'était autre que Fujita, dissuada l'entreprise d'adapter son menu aux goûts locaux. Par contre, certains éléments furent modifiés comme le montre la Figure 16.8.

903 restaurants en 1992, 1 milliard de dollars			
Joint venture McDo		50 %	
Fujita		25 % (partenaire local)	
Daiichiya banking Cy		25 % (partenaire local)	
Cible	**Proposition de valeur**	**Formulation**	**Délivrance**
– Jeunes plus réceptifs aux changements d'habitudes alimentaires que les familles typiques – Concurrencer la chaîne locale Sushi de 2000 restaurants ou la restauration traditionnelle sans copier leurs produits	– La quintessence du service à l'américaine – Accessibilité – Attitude amicale – Réassurance – Prix	– Même menu – Premier emplacement Ginza Street, Tokyo (rue principale) – Sélection des sites : quartiers urbains animés plutôt que la banlieue – Relations publiques et marketing adaptés – Décoration du restaurant : plans de décoration innovateurs intégrés à l'environnement – Restaurants plus petits – Décisions opérationnelles bien établies – Expérience et énergie des opérateurs-propriétaires expérimentés – Ajustement aux habitudes et normes du marché du travail	– Système de délivrance du service bien établi et efficace – Audits réguliers

Figure 16.8. Cas de McDonald's (Japon).

2.4.3. Disney Paris

Disney Paris a fait couler beaucoup d'encre en raison des difficultés rencontrées à s'installer en France comme nous l'avons évoqué. La décision de ne pas prendre de partenaire local et d'offrir une proposition de valeur analogue à celle des autres Disney ne s'est pas révélée judicieuse en raison de l'hétérogénéité du marché européen. Mais la proposition aurait-elle été plus séduisante si elle avait été personnalisée en fonction des différentes cultures européennes ?

En fait, lorsque l'on examine la proposition, on y trouve des problèmes à tous les niveaux. L'emplacement, proche de Paris, permet la fréquentation du parc le jour sans avoir l'obligation de séjourner dans les hôtels Disney. Il est difficile de trouver du personnel qui parle couramment deux ou trois langues. Certains aspects importants sont résumés sur la Figure 16.9.

Cible	Proposition de valeur	Formulation	Délivrance
– Nombreux pays Européens – Marchés distincts et hétérogénéité de culture – En concurrence avec les autres parcs Disney (pour un Européen, il est parfois aussi facile d'aller aux USA qu'à Paris)	– Parc à thème Disney en tant qu'expérience complète (séjour et attractions) – L'expérience serait-elle plus séduisante si elle était personnalisée pour s'adapter aux cultures locales ? – Accessibilité – Attitude amicale – Expérience positive (rêve) – Propreté/sécurité – Prix ?	– Personnages Disney et folklore vraiment américain – Nombre d'attractions moins élevé qu'aux USA – Grand nombre d'hôtels – Situation : proximité de Paris et facilité d'accès au parc ? – Mauvais temps ? – Formule américaine – Relations publiques (rejet des États-Unis) – Prix – Deux langues exigées – Sélection et formation de masse des nouveaux embauchés (L'Université Disney est conçue pour des classes plus petites et homogènes)	– Occupation des hôtels peu élevée – Utilisation plus intensive des attractions : queues, comportement dans la file d'attente, temps d'attente plus long aux attractions – Planning médiocre – Qualité de service variable – Rotation élevée – Moral bas – Les jeunes étudiants français embauchés ne payent pas pour aller à l'université et sont donc moins disciplinés que leurs homologues américains.

Figure 16.9. Cas de Disney Paris.

CONCLUSION

Notre thème fédérateur tout au long de cet ouvrage a été d'illustrer la différence fondamentale entre avant-scène et arrière-scène et de montrer que cette distinction rendait nécessaire une approche spécifique du service délivré dans l'interface. Ceci est particulièrement vrai dans le cas de l'internationalisation, car la complexité de l'avant-scène, qui repose sur un personnel bien formé et motivé, rend le service difficile à reproduire et à transférer avec succès. Il s'ensuit que plus grande est l'importance de l'avant-scène et plus intense l'interaction avec le client, plus il sera difficile d'internationaliser le service.

CONCLUSION GÉNÉRALE

Tout au long des chapitres précédents, j'ai tenté de démontrer comment il est possible de contempler nos affaires à l'aide de lunettes dont une lentille serait focalisée sur l'arrière-scène et l'aspect transformation et l'autre sur l'avant-scène et l'aspect service et performance. Lorsque les deux lentilles sont correctement mises au point, la vision globale et intégrée donne une carte en relief de l'ensemble des activités. On peut ainsi parcourir tout le champ de l'économie, de l'industrie aux services professionnels, et analyser tous les points de vue possibles, d'abord, l'intégration du marketing, des opérations et des ressources humaines dans l'avant-scène, puis la spécificité des problèmes de productivité, de qualité, de gestion de la capacité ou d'introduction des nouvelles technologies.

J'ai consacré beaucoup de temps et d'énergie à établir la distinction entre avant-scène et arrière-scène et à examiner les relations difficiles entre ces deux parties. Dans l'avenir, toutefois, au fur et à mesure que l'arrière scène deviendra plus ouverte et transparente, cette distinction perdra graduellement de son importance. Alors que traditionnellement, les responsables de la fabrication sont tentés de maximiser leur efficacité en protégeant leurs activités des perturbations extérieures, cette position deviendra finalement intenable. L'arrière-scène sera contrainte de devenir un système ouvert avec des connexions directes avec le marketing et le planning stratégique. Et au fur et à mesure que les clients se feront plus présents, leur influence sur l'organisation s'exercera de plus en plus profondément et pénétrera dans les coins les plus reculés.

Pour cette raison, les implications de ma conclusion finale – à savoir que si nous sommes tous plus ou moins dans les services aujourd'hui nous le serons bien plus demain – se feront sentir de façon particulièrement radicale sur les opérateurs de l'arrière-scène. Ils auront de plus en plus à libérer le plein potentiel de leurs usines et à capitaliser sur la gamme complète des services qu'ils peuvent fournir : la capacité à développer rapidement des prototypes, la flexibilité à s'adapter harmonieusement à des demandes plus variées (la personnalisation de masse) et la volonté d'aider leurs clients dans les domaines de l'installation, de la maintenance et de l'expertise technique. Les usines peuvent même contribuer au service après-vente car elles connaissent mieux le métier que le personnel sur le terrain. Cette ouverture pourrait même aller jusqu'à tester directement les demandes spécifiques des clients, ce qui conduirait les usines à servir de laboratoires d'essai. Enfin, les usines peuvent servir de vitrines pour démontrer la supériorité des produits qu'elles fabriquent et des systèmes qu'elles mettent au point.

Nous voudrions conclure par une citation de Shakespeare :

> *Le monde entier est un théâtre,*
> *Et tous, hommes et femmes, n'en sont que les acteurs*
> *Tous ont leurs entrées et leur sorties ;*
> *Et chacun y joue les différents rôles*
> *D'un acte en sept âges.*

William Shakespeare, As you like it (II, 7)

Le monde est en train de se transformer en une scène unique où de plus en plus nous serons au service les uns des autres.

Sur cette immense scène, nous serons appelés à jouer de plus en plus de rôles, à communiquer davantage, à nous soigner, à nous former, à nous transporter et à nous distraire de plus en plus les uns les autres.

Nous sommes tous dans les services à présent, mais comme ce livre devrait vous en convaincre, nous le serons encore bien davantage à l'avenir.

BIBLIOGRAPHIE

Baumol, William J., Alan S. Blinder, *Economics - Principles and Policy Economics*, Harcourt Brace Jovanocvich, 1985.

Berry, Leonard L., *On Great Service : A Framework for Action*, The Free Press, 1995.

Berry, Leonard L., A. Parasuraman and Valarie A. Zeithaml, *Servqual : A Multiple-Item Scale for Measuring Customer Perceptions of Service Quality (Report No. 86-108)*, Marketing Science Institute, 1986.

Berwick, Donald M., A. Blanton Godfrey and Jane Roessner, *Curing Health Care : New Strategies for Quality Improvement*, Jossey-Bass Publishers, 1990.

Bloch, Philippe, Ralph Habadou et Dominique Xardel, *Service compris*, Editions Jean-Claude Lattès, 1986.

Brown Richard, Julius DeAnne, *Manufacturing in the New World Order : Shell International Petroleum Company, Global Scenarios*, 1993.

Bréchignac-Roubaud, Béatrice, *Le marketing des services*, Éditions d'Organisation, 1998.

Carlzon, Jan, *Moments of Truth*, Ballinger Publishing Company, 1987.

Carlzon, Jan, *Renversons la pyramide !*, InterEditions, 1986.

Chase, Richard B., « *The Customer Contact Approach to Services : Theoretical Bases and Practical Extensions* », *Operations Research*, July/August 1981.

Chase, Richard B., « *Decoupling Operations in Service Production Systems* », *14th Annual Meeting American Institute for Decision Sciences*, San Francisco, November 1982.

Cleveland, Harlan, « *The Twilight of Hierarchy : Speculations on the Global Information Society* », *Public Administration Review*, January/February 1985, pp. 185-195.

Davidow, William H. and Bro Uttal, « *Service Companies : Focus or Falter* », *Harvard Business Review*, July/August 1989, pp. 77-85.

Edvardsson, Bo, Bertil Thomasson and John Øvretveit, *Quality of Service : Making it Really Work*, McGraw Hill, 1994.

The Emerging Service Economy, edited by Orio Giarini, Pergamon Press, 1987.

Fitzsimmons, James A. and Mona J. Fitzsimmons, *Service Management for Competitive Advantage*, McGraw Hill, 1994.

Flipo, Jean-Paul, *Le management des entreprises de service*, Éditions d'Organisation, 1984.

Gee, F. and J. Téboul, Benihana UK (Ltd.), 1997, INSEAD case study.

Gershuny, J.I. and I.D. Miles, *The New Service Economy : the Transformation of Employment in Industrial Societies*, Frances Pinter, 1983.

Grönroos, Christian, *Service Management and Marketing : Managing the Moments of Truth in Service Competition*, Lexington Books, 1990.

Hart, Christopher W.L. and Gregory D. Casserly, « *Quality : A Brand-New, Time-Tested Strategy* », *The Cornell H.R.A. Quarterly*, November 1985, pp. 52-63.

Hart, Christopher W.L., « *The Power of Unconditional Service Guarantees* », Harvard Business Review, July/August 1988.

Hart, Christopher W.L., James L. Heskett and W. Earl Sasser, Jr., « *The Profitable Art of Service Recovery* », Harvard Business Review, July/August 1990, pp. 148-156.

Hayes, Robert H. and Steven C. Wheelwright, « *Link Manufacturing Process and Product Life Cycles* », Harvard Business Review, Jan/Feb 1979.

Heskett, James L., *Managing in the Service Economy*, Harvard Business School Press, 1986.

Heskett, James L., Thomas O. Jones, Gary W. Loveman, W. Earl Sasser, Jr., and Leonard A. Schlesinger, « *Putting the Service-Profit Chain to Work* », Harvard Business Review, March/April 1994, pp. 164-174.

Heskett, James L., W. Earl Sasser, Jr., and Christopher W.L. Hart, *Service Breakthroughs : Changing the Rules of the Game*, The Free Press, 1990.

Heskett, James L., *Shouldice Hospital Limited*, 1989, H.B.S. case study.

Hostage, G. M., « *Quality Control in a Service Business* », Harvard Business Review, July/August 1975, pp. 98-106.

Jurgens Panak, M. and J. Téboul, *OK Service (A) : Growth and Development*, 1994, INSEAD case study.

Klein, N., W. E. Sasser and T. O. Jones, *The Ritz-Carlton : Using Information Systems to Better Serve the Customer*, Rev. 4 May 1995, H.B.S. case study.

Lapeyre, Jean, *Garantir le service*, Éditions d'Organisation, 1998.

Larréché, J-C and C. Lovelock, *First Direct : Branchless Banking*, 1997, INSEAD case study.

Lash, Linda M., *The Complete Guide to Customer Service*, John Wiley & Sons, 1989.

Lasserre, P. and P. Courbon, *Carrefour in Asia (A) : Taiwan : a Bridgehead into Asia*, 1995, INSEAD-EAC case study.

Levitt, Theodore, « *The Industrialization of Service* », Harvard Business Review, September/October 1976, pp. 63-74.

Levitt, Theodore, « *Production-Line Approach to Service* », Harvard Business Review, September/October 1972, pp. 41-52.

Litwin, George, John Bray and Kathleen Lusk Brooke, *Mobilizing the Organization: Bringing Strategy to Life*, Prentice Hall, 1996.

Lovelock, C.H., *Federal Express Quality Improvement Program*, 1991, IMD case study.

Lovelock, Christopher, *Product Plus : How Product + Service = Competitive Advantage*, McGraw-Hill, 1994.

Lovelock, Christopher H., *Services Marketing*, Prentice Hall International, Third Édition, 1996.

Lovelock, Christopher H., *Southwest Airlines (A)*, 1985, H.B.S. case study.

Maister, David H., *Managing the Professional Service Firm*, The Free Press, 1993.

Maister, David H., *True Professionalism : The Courage to Care About Your People, Your Clients, and Your Career*, The Free Press, 1997.

Malleret, Véronique and James Téboul, « *Vers une Définition Opérationnelle des Services* », *Politiques & Management Public*, vol. 3 n° 3, September 1985, pp. 21-49.

Mills, Peter K., *Managing Service Industries : Organizational Practices in a Postindustrial Economy*, Ballinger Publishing Company, 1986.

Mulliez, Gérard, *La dynamique du client*, Maxima, 1994.

Normann, Richard, *Service Management : Strategy and Leadership in Service Business*, John Wiley & Sons, Second Édition, 1991.

Ochel, Wolfgang and Manfred Wegner, *Service Economies in Europe : Opportunities for Growth*, Pinter Publishers-Westview Press, 1987.

Pollard, C. William, *The Soul of the Firm*, HarperBusiness and Zondervan PublishingHouse, 1996.

Porter, Michael, *Competitive Advantage*, The Free Press, 1985.

Quinn, James Brian, Thomas L. Doorley and Penny C. Paquette, « *Beyond Products : Services-Based Strategy*, » Harvard Business Review, March/ April 1990, pp. 58-67.

Quinn, James Brian, *Intelligent Entreprise*, The Free Press, 1992.

Quinn, James Brian and Christopher E. Gagnon, « *Will Services Follow Manufacturing into Decline ?* », Harvard Business Review, November/ December 1986, pp. 95-103.

Reichheld, Frederick F. and W. Earl Sasser,Jr., « *Zero Defections : Quality Comes to Services* », Harvard Business Review, September/October 1990, pp. 105-111.

Riddle, Dorothy I., *Service-Led Growth : The Role of the Service Sector in World Development*, Praeger, 1986.

Shapiro, Roy D., Michael D. Watkins and Susan Rosegrant, *A Measure of Delight : The Pursuit of Quality at AT&T Universal Card Services (A)*, 1997, H.B.S. case study.

Shaw, John C., *The Service Focus : Developing Winning Game Plans for Service Companies*, Dow Jones-Irwin, 1990.

Schlesinger, Leonard A. and Roger Hallowell, *Taco Bell Corp*, 1994, H.B.S. case study.

Schneider, Benjamin and David E. Bowen, *Winning the Service Game*, Harvard Business School Press, 1995.

Sewell, Carl, *Customers for Life*, Pocket Books, 1990.

Shostack, G. Lynn, « *Breaking Free from Product Marketing* », *Journal of Marketing*, April 1977, pp. 73-80.

Shostack, G. Lynn, « *Designing Services That Deliver* », Harvard Business Review, January/February 1984, pp. 133-139.

Schlesinger, Leonard A. and James L. Heskett, « *The Service-Driven Service Company* », Harvard Business Review, September/October 1991, pp. 71-81.

Téboul, James, *Managing Quality Dynamics*, Prentice Hall, 1991.
La dynamique qualité, Éditions d'Organisation, 1990.

Vandermerwe, Sandra, *From Tin Soldiers to Russian Dolls : Creating Added Value Through Services*, Butterworth-Heinemann, 1993.

Vandermerwe, Sandra, *The Eleventh Commandment : Transforming to « Own » Customers*, John Wiley & Sons, 1996.

Vandermerwe, S. and M. Taishoff, *SKF Bearing : Market Orientation Through Services (A) : Restructuring the Before and After Market*, 1991, IMD case study.

Vandermerwe, S. and M. Taishoff, *SKF Bearing : Market Orientation Through Services (B): The Mission and Customer Strategy*, 1991, IMD case study.

Wyckoff, Daryl, « *New Tools for Achieving Service Quality* », *The Cornell HRA Quarterly*, November 1984.

Zeithaml, Valarie A., A. Parasuraman and Leonard L. Berry, *Delivering Quality Service : Balancing Customer Perceptions and Expectations*, The Free Press, 1990.

INDEX

A PROPOS DE L'AUTEUR

Professeur en Gestion à l'INSEAD, **James Téboul** *est Ingénieur des Arts et Manufactures et Docteur ès Sciences. Il a rejoint l'INSEAD après avoir obtenu un MBA à l'Université de Sherbrooke au Canada. Il a enseigné dans de nombreux programmes de perfectionnement pour managers dans plusieurs pays et a été consultant auprès de nombreuses entreprises européennes. Il a développé de nombreux cas et a écrit plusieurs articles, notamment dans le domaine de la gestion des opérations dans les services et de la gestion de la qualité. Avant d'être à l'INSEAD, il a travaillé comme ingénieur responsable du développement de nouveaux produits à Schlumberger. Le Professeur James Téboul a récemment publié un livre «* La Dynamique Qualité *» (Éditions d'Organisation) paru en anglais sous le titre «* Managing Quality Dynamics *» (Prentice Hall).*

Composé par Andassa
Achevé d'imprimer : Jouve Paris
N° d'éditeur : 2045
N° d'impression : 302507E
Dépôt légal : Décembre 2001
Imprimé en France